ISBN 978-83-240-0608-3

Nowe przygody Mikołajka

René Goscinny & Jean-Jacques Sempé

Nowe przygody Mikołajka

Przełożyła
Barbara Grzegorzewska

Kraków 2008

Tytuł oryginału: *Histoires inédites du Petit Nicolas*

Le Petit Nicolas, les personnages, les aventures et les éléments caractéristiques de l'univers du Petit Nicolas sont une création de René Goscinny et Jean-Jacques Sempé.

Published by arrangement with Literary Agency Agence de l'Est

Opieka redakcyjna
Katarzyna Janusik

Adiustacja
Barbara Poźniak

Korekta
Barbara Gąsiorowska

Łamanie
Irena Jagocha

 Zamówienia: Dział Handlowy, 30-105 Kraków, ul. Kościuszki 37
Bezpłatna infolinia: 0800-130-082
Zapraszamy do naszej księgarni internetowej: www.znak.com.pl

Dla Gilberte Goscinny

Nie przypominam sobie pierwszego spotkania z Jean-Jacques'em Sempé, bo znam go od zawsze. Byłam wtedy małą dziewczynką, ale do dziś jeszcze słyszę jego śmiech zmieszany ze śmiechem mojego ojca. Mogę zatem stwierdzić, że Jean-Jacques'a Sempé i Mikołajka łączy to, że obaj należą do mojego dzieciństwa. Historia zaczyna się w połowie lat pięćdziesiątych. Sempé opowiada: „Pewnego dnia spotkałem René Goscinny'ego, który właśnie wrócił ze Stanów Zjednoczonych. Natychmiast zostaliśmy kumplami".

Kumpel, kolega to najważniejsze słowa w świecie, który wspólnie powołają do życia.

Albowiem co tydzień, od 1959 do 1965 roku, mój ojciec i Sempé przygotowują kolejne historyjki dla „Sud-Ouest Dimanche". Wiele z nich zostało opublikowanych w pięciu kolejnych tomikach.

Aby napisać i zilustrować przygody Mikołajka, obaj panowie opowiadają sobie wspomnienia z dzieciństwa. W Buenos Aires czy w Bordeaux kreda ma taki sam zapach... A dzięki talentowi twórców będziemy mieli wrażenie, że sami przeżywamy przygody Mikołaja.

Ojciec nie zdążył opowiedzieć mi o swoim dzieciństwie, a jego śmierć przekreśliła moje.

5 listopada 1977 roku Mikołaj, Gotfryd, Kleofas, Rosół i inni spojrzeli w niebo. Papierowe postaci, jestem tego pewna, wiedzą, że twórca nigdy nie umiera...

Żywię do tego świata nieskończoną czułość, czułość, z jaką myśli się o dzieciństwie osób, które się gorąco kochało. I marzę, rozkoszując się humorem tych dwóch czarodziejów.

Po odejściu mojego ojca Sempé pozostał naszym wiernym przyjacielem. Moja matka i on ogromnie się lubili i czasem, kiedy jedliśmy wspólnie kolację, słyszałam, jak matka i Jean-Jacques śmieją się, wspominając dawne czasy.

Nie wszystkie historyjki jednak zostały wydane... I Gilberte Goscinny, moja matka, pragnęła jednego: dać czytelnikom okazję ponownego spotkania Mikołaja i jego paczką, publikując niedrukowane dotąd przygody chłopca, którego tak lubiła. Raz jeszcze życie zdecydowało inaczej, kolejny uśmiech poszybował w niebo: matka nie zdążyła wprowadzić w czyn tego pomysłu.

Pewnego dnia spotkaliśmy się znowu z Jean-Jacques'em w restauracji na Saint-Germain-des-Prés. Pokazałam mu makiety tekstów ojca ozdobione jego rysunkami. Widzę jeszcze, jak wpatruje się w swoją kreskę... po jakichś czterdziestu latach... uśmiechając się (co za uśmiech!). Z entuzjazmem i bez namysłu przyłączył się do mojego projektu.

Razem pójdziemy z Mikołajem do szkoły. Oboje będziemy go trzymać za rękę.

Po długich wakacjach słynny uczeń w ogóle się nie zmienił. Oto osiemdziesiąt opowiadań i około dwustu pięćdziesięciu rysunków, które nam o nim mówią. O nim i o jego kolegach: Ananiaszu, Alceście, Rufusie, Euzebiuszu, Kleofasie, Joachimie,

Maksencjuszu... I o Gotfrydzie, który w tym zbiorku ma duży udział. Gotfryd to ten, co ma bardzo bogatego tatę. Kiedy Mikołaj odwiedza go po raz pierwszy, stwierdza: „ma basen w kształcie nerki i jadalnię wielką jak restauracja".

Jednak najlepszy przyjaciel Mikołaja to Alcest, grubas, który bez przerwy je.

„U nas na Święta – powiedziałem – będzie Bunia, ciocia Donata i stryjek Eugeniusz.

– A u nas – powiedział Alcest – będzie biała kiełbasa i indyk".

Sama zostałam mamą małego chłopczyka i małej dziewczynki. Dlatego też zapewne uznałam, że nadszedł czas, aby ujawnić te ukryte skarby. Czy można bowiem w lepszy sposób mówić dzieciom o dziadku?

Niezależnie od osobistych powodów, opublikowanie tych niedrukowanych dotąd historii jest chyba czymś naturalnym. Skierowane są one do tych, którzy rozkosze czytania odkryli dzięki Mikołajkowi, lecz także do tych, którzy niedawno zaczęli chodzić do szkoły.

Siłą tych opowiadań jest to, że podbijają serca zarówno dzieci, jak dorosłych. Pierwsze się w nich rozpoznają, drudzy sobie siebie przypominają.

Anne Goscinny

Spis treści

Rozdział III
Pan Mouchabière nas pilnuje

Rozdział IV
Stryjek Eugeniusz

Rozdział V
Nowi sąsiedzi

Rozdział VI
Jestem najlepszy

Rozdział VII
U taty w biurze

Rozdział VIII
Jedziemy na wakacje

Rozdział IX
Czekoladowo-truskawkowe

Rozdział X
Jak dorosły

René Goscinny

Jean-Jacques Sempé

Rozdział I
Nowy rok szkolny

Nowy rok szkolny

Mama powiedziała, że niedługo zaczyna się szkoła, więc jutro pójdziemy kupić rzeczy.

– Jakie rzeczy? – zapytał tata.

– Dużo rzeczy – odpowiedziała mama. – Między innymi nowy tornister, piórnik, no i buty.

– Znowu buty? – wykrzyknął tata. – To nie do wiary! Zjada je, czy co?

– Nie, ale je zupę, żeby rosnąć – wyjaśniła mama. – A kiedy rośnie, stopy mu też rosną.

Więc następnego dnia poszliśmy z mamą na zakupy, no i pokłóciliśmy się trochę o te buty, bo ja chciałem adidasy, a mama powiedziała, że kupi mi parę solidnych skórzanych butów, a jak mi się nie podoba, to zaraz wracamy do domu i tata będzie się gniewał.

Sprzedawca w sklepie był bardzo miły. Dał mi zmierzyć mnóstwo butów, tłumacząc mamie, że wszystkie są super. Mama nie mogła się zdecydować, w końcu spodobały jej się takie jedne brązowe i spytała, czy dobrze się w nich czuję, a ja powiedziałem, że tak, żeby nie robić przykrości sprzedawcy, chociaż buty trochę mnie uwierały.

Potem mama kupiła mi fantastyczny tornister. Po lekcjach zawsze się bawimy tornistrami: rzucamy je pod nogi kolegom, żeby się przewrócili – strasznie chciałbym się już z nimi spotkać! A potem mama kupiła mi jeszcze piórnik, który wygląda jak kabura rewolweru, ale zamiast rewolweru jest w nim temperówka, która wygląda jak samolot, gumka, która wygląda jak mysz, ołówek, który wygląda jak flet, i masa rzeczy, które wyglądają jak inne rzeczy, tak że na lekcjach można będzie się powygłupiać.

Wieczorem tata obejrzał wszystko, co mi kupiła mama, i powiedział, że ma nadzieję, że będę dbać o swoje rzeczy, a ja obiecałem, że będę. Bo ja naprawdę bardzo szanuję swoje rzeczy, a temperówka stłukła się przed kolacją, kiedy bawiłem się w bombardowanie myszy. No i tata się zdenerwował, powiedział, że odkąd wróciliśmy do domu, jestem nie do wytrzymania, i że nie może się doczekać, kiedy wreszcie zacznie się szkoła.

Bo musicie wiedzieć, że rok szkolny tuż tuż, ale my z rodzicami już dawno wróciliśmy z wakacji.

Wakacje były super, świetnie żeśmy się bawili. Byliśmy nad morzem i robiłem niesamowite rzeczy. Wypływałem strasznie daleko od brzegu, a poza tym na plaży wygrałem konkurs i dostałem dwa ilustrowane pisma i proporczyk. No i bardzo się opaliłem – wyglądałem zabójczo.

Oczywiście po przyjeździe do domu chciałem pokazać chłopakom, jaki jestem opalony, tylko że zanim zacznie się szkoła, trudno jest kogoś złapać. Alcesta, który mieszka najbliżej mnie i jest moim najlepszym kumplem – to ten gruby, co bez przerwy je – nie było. Co roku jeździ z rodzicami do wuja, który jest ma-

sarzem w Owernii. W dodatku Alcest wyjeżdża na wakacje późno, bo żeby jechać do wuja, musi czekać, aż wuj wróci z wakacji na Lazurowym Wybrzeżu.

Pan Compani, ten, który ma sklep w naszej dzielnicy, na mój widok powiedział, że wyglądam niesamowicie i że przypominam mu kawałek piernika. Dał mi rodzynki i oliwkę – ale to nie to samo co koledzy.

I to niesprawiedliwe, bo nie warto być opalonym, jeśli nikt tego nie widzi!

Byłem strasznie wkurzony i tata powiedział, żebym nie robił cyrków jak co roku, bo on nie ma zamiaru znosić moich humorów aż do rozpoczęcia szkoły.

– Będę zupełnie biały, jak pójdę do szkoły! – zawołałem.

– To jakaś mania! – krzyknął tata. – Odkąd wrócił z wakacji, myśli tylko o swojej opaleniźnie!... Posłuchaj, Mikołaj, wiesz, co zrobisz? Pójdziesz do ogrodu i będziesz zażywał kąpieli słonecznych. W ten sposób przestaniesz mi zawracać głowę, a kiedy zacznie się szkoła, będziesz wyglądał jak Tarzan.

Poszedłem do ogrodu, ale jednak to nie to samo co plaża, tym bardziej że były chmury.

A potem mama zawołała:

– Mikołaj! Dlaczego leżysz na trawie? Nie widzisz, że zaczyna padać?

Mama powiedziała, że to dziecko doprowadzi ją do szaleństwa, więc wróciłem do domu. Tata, który czytał gazetę, spojrzał na mnie i powiedział, że bardzo się opaliłem i żebym wytarł sobie głowę, bo jestem cały mokry.

– Nieprawda! – krzyknąłem. – Wcale nie jestem opalony! Chcę wrócić na plażę!

– Mikołaj! – krzyknął tata. – Bardzo cię proszę: bądź grzeczny i przestań wygadywać głupstwa! Bo pójdziesz spać bez kolacji! Zrozumiano?

Wtedy się rozpłakałem; powiedziałem, że to niesprawiedliwe, że ucieknę z domu i sam pojadę na plażę, że wolę umrzeć, niż być taki biały. Z kuchni przybiegła mama i oświadczyła, że dość ma wysłuchiwania krzyków przez cały dzień i jeśli taki ma być skutek wakacji, to w przyszłym roku ona woli zostać w domu, a my z tatą sami sobie gdzieś pojedziemy, jej na tym specjalnie nie zależy.

– Przecież to ty nalegałaś, żeby w tym roku znowu jechać do Morskich Skałek – odpowiedział tata. – W każdym razie to nie moja wina, że twój syn ma przewrócone w głowie i że jest w domu nieznośny!

– Tata powiedział, że jeśli będę chodził do ogrodu, opalę się jak Tarzan – wyjaśniłem. – A mnie ani trochę nie wzięło!

Mama się roześmiała, powiedziała, że wciąż jestem bardzo brązowy, że jestem jej małym Tarzanem i że w szkole na pewno będę najbardziej opalony ze wszystkich. A potem kazała mi iść bawić się do pokoju i obiecała, że zawoła mnie na kolację.

Przy stole próbowałem nie odzywać się do taty, ale on robił takie miny, że w końcu mnie rozśmieszył i było bardzo fajnie. Mama upiekła placek z jabłkami.

A następnego dnia pan Compani powiedział nam, że państwo Courteplaque wracają dzisiaj z wakacji. Państwo Courteplaque to nasi sąsiedzi – mieszkają w domu obok i mają córkę Jadwinię, która jest w moim wieku, ma żółte włosy i śliczne niebieskie oczy.

Okropnie się tym przejąłem – chciałem, żeby Jadwinia zobaczyła mnie mocno opalonego. Tacie nic nie mówiłem, bo zapowiedział, że jak jeszcze raz wspomnę mu o opaleniźnie, zrobi mi straszną awanturę.

Ponieważ świeciło słońce, rozłożyłem się w ogrodzie i od czasu do czasu biegałem do łazienki przejrzeć się w lustrze. Ale wciąż byłem biały, więc pomyślałem, że jeszcze raz wystawię się do słońca w ogrodzie, a jeśli się nie opalę, porozmawiam o tym z tatą.

I właśnie kiedy wyszedłem do ogrodu, samochód pana Courteplaque z mnóstwem bagaży na dachu zatrzymał się przed jego domem.

Z samochodu wysiadła Jadwinia i jak mnie zobaczyła, pomachała mi ręką na dzień dobry.

A ja zrobiłem się cały czerwony.

Niezwyciężeni

ZAKŁADAMY BANDĘ... To pomysł Gotfryda. Powiedział nam na przerwie, że właśnie przeczytał książkę, w której chłopaki założyli bandę, a potem robili niesamowite rzeczy, bronili dobrych przed złymi, pomagali biednym, łapali bandytów. Świetnie się bawili.

– Banda będzie się nazywać Niezwyciężeni, tak samo jak w książce. Spotkamy się po lekcjach, na placu – powiedział Gotfryd. – Naszym hasłem będzie: „Nieposkromiona odwaga!".

Kiedy przyszedłem na plac, Gotfryd, Rufus, Euzebiusz, Alcest i Joachim już tam byli. Mnie trochę zatrzymała w klasie nasza pani. Powiedziała, że zrobiłem błąd w zadaniu z arytmetyki. Będę musiał poprosić tatę, żeby bardziej uważał.

– Hasło? – zapytał Alcest, plując mi w twarz okruchami rogalika (Alcest bez przerwy coś je).

– „Nieposkromiona odwaga" – powiedziałem.

– Możesz wejść – zgodził się Alcest.

Nasz plac jest naprawdę super. Często chodzimy się tam bawić. Rośnie na nim trawa, są koty, puszki od konserw, opony i stary samochód, który już nie ma kół, ale i tak jest bardzo fajny, brum, brum!

– Zbierzemy się w samochodzie – powiedział Gotfryd.

Gotfryd rozśmieszył mnie, bo wyjął z tornistra maskę, którą założył na twarz, czarną pelerynę z literą „Z" na plecach i kapelusz. Jego tata jest bardzo bogaty i wciąż kupuje mu zabawki i stroje do przebierania.

– Wyglądasz jak pajac – powiedziałem Gotfrydowi i to mu się nie spodobało.

– To jest tajna banda – oznajmił – a ponieważ to ja jestem szefem, nikt nie powinien widzieć mojej twarzy.

– Ty szefem? – zdziwił się Euzebiusz. – Żarty sobie robisz? Dlaczego niby miałbyś być szefem? Dlatego, że wyglądasz jak grzyb w tym swoim kapeluszu?

– Nie, mój drogi – powiedział Gotfryd. – Dlatego, że to ja wpadłem na pomysł bandy, wiesz już teraz dlaczego!

A potem nadszedł Kleofas. Kleofas zawsze wychodzi ze szkoły na samym końcu. Ponieważ jest najgorszy w klasie, często ma problemy z wychowawczynią i za karę musi pisać linijki.

– Hasło? – zapytał go Alcest.

– „Cholerna odwaga" – odpowiedział Kleofas.

– Nie wejdziesz. To nie to hasło.

– Co, co, co – wkurzył się Kleofas – masz mnie zaraz wpuścić, grubasie jeden.

– Nie, mój drogi – wtrącił się Rufus – wejdziesz, jak będziesz znał hasło, bez jaj! Alcest, pilnuj go!

– Ja – powiedział Euzebiusz – proponuję, żebyśmy wybrali szefa: ene, due, like, fake...

– Jeszcze czego! – zawołał Gotfryd. – W książce szef to ten, kto jest najodważniejszy i najlepiej ubrany. Szefem jestem ja!

Wtedy Euzebiusz rąbnął go pięścią w nos, on to bardzo lubi. Gotfryd złapał się za nos i aż przysiadł na ziemi. Maska mu się przekrzywiła.

– Jak tak – oświadczył Gotfryd – to nie należysz już do bandy!

– I dobrze! – powiedział Euzebiusz. – Wolę wrócić do domu i pobawić się kolejką elektryczną.

I poszedł sobie.

– Niesamowita odwaga? – zaryzykował Kleofas, a Alcest odpowiedział mu, że nie, że to wciąż nie jest nasze hasło i że nie może wejść.

– Dobrze – powiedział Gotfryd – musimy zdecydować, co robimy. W książce Niezwyciężeni lecą samolotem do Ameryki po wuja biednego sieroty, któremu źli ludzie ukradli spadek.

– Ja nie mogę lecieć do Ameryki samolotem – powiedział Joachim. – Dopiero od niedawna mama pozwala mi przechodzić samemu przez ulicę.

– Nie chcemy tchórzów u Niezwyciężonych!... – krzyknął Gotfryd.

Wtedy Joachim – to było niesamowite – powiedział, że to szczyt wszystkiego, że jest najodważniejszy ze wszystkich i jeśli tak, to on sobie idzie, ale na pewno tego pożałujemy. I sobie poszedł.

– Superodwaga? – spytał Kleofas.

– Nie! – odpowiedział Alcest, jedząc bułeczkę z czekoladą.

– Wszyscy do samochodu – zawołał Gotfryd – omówimy nasze tajne plany.

Bardzo się ucieszyłem, bo lubię siedzieć w samochodzie, chociaż kłują mnie w pupę sprężyny wystające z foteli tak samo jak z kanapy, która stała u nas w salonie, a teraz jest na strychu, bo mama powiedziała, że to hańba, i tata kupił nową.

– Wejdę do samochodu – oświadczył Rufus – jeśli będę siedział za kierownicą i prowadził.

– Nie, to jest miejsce szefa – zaprotestował Gotfryd.

– Taki sam z ciebie szef jak i ze mnie – stwierdził Rufus. – I Euzebiusz miał rację, w tym przebraniu wyglądasz jak pajac!...

– Zazdrościsz mi, i tyle – powiedział Gotfryd.

– Jak tak – oznajmił Rufus – to ja założę drugą tajną bandę i najpierw rozbijemy twoją tajną bandę, a potem pojedziemy do Ameryki w sprawie sieroty.

– Jeszcze czego! – krzyknął Gotfryd. – To nasz sierota, a nie wasz, poszukajcie sobie innego!...

– Zobaczymy – powiedział Rufus i sobie poszedł.

– Nieposkromiona! – wrzasnął Kleofas. – Już wiem. Nieposkromiona!

– Zaczekaj – powiedział Alcest – chwileczkę...

I podszedł do nas.

– Jak brzmi to nasze hasło? – zapytał.

– No coś ty – krzyknął Gotfryd – nie pamiętasz hasła?

– No, nie pamiętam – przyznał Alcest. – Przez tego idiotę Kleofasa, który bez przerwy mówi co innego, wyleciało mi z głowy...

Gotfryd był wściekły.

– Ha! Ładna mi banda Niezwyciężonych – powiedział. – Nie jesteście Niezwyciężeni, jesteście niewydarzeni!...

– Jacy? – spytał Alcest.

Kleofas podszedł bliżej.

– To mogę wejść czy nie? – zapytał.

Gotfryd rzucił kapelusz na ziemię.

– Nie wolno ci wchodzić. Nie powiedziałeś hasła! Tajna banda musi mieć hasło, tak jak w książce! Ci, którzy nie znają hasła, to szpiedzy!...

– A ja – krzyknął Alcest – myślisz, że będę tu stał i słuchał tych głupot, które mi opowiada Kleofas?... Zresztą nie mam już nic do jedzenia. Muszę wracać do domu, bo się spóźnię na podwieczorek.

I Alcest sobie poszedł.

– Nie potrzebuję twojego pozwolenia – powiedział Kleofas do Gotfryda. – Plac nie jest twój!... Każdy może tu wejść, nawet szpieg!

– Mam tego dość!... Jak ma być tak, to wchodźcie sobie wszyscy!... – krzyknął Gotfryd, płacząc w swoją maskę. – W ogóle nie umiecie się bawić! Założę sobie własną bandę Niezwyciężonych! Nie rozmawiam z wami!...

Zostaliśmy we dwóch, Kleofas i ja. Więc powiedziałem mu hasło. W ten sposób przestał być szpiegiem i zagraliśmy w kulki.

Fajny był ten pomysł Gotfryda, żeby założyć bandę. Wygrałem trzy kulki!...

Stołówka

W SZKOLE JEST STOŁÓWKA i niektórzy jedzą tam obiady. Ja i reszta chłopaków wracamy na obiad do domu. Zostaje tylko Euzebiusz, który daleko mieszka.

Dlatego zdziwiłem się i wkurzyłem, kiedy wczoraj rodzice powiedzieli, że dzisiaj będę jadł w szkole.

– Oboje z tatusiem musimy jutro wyjechać – oznajmiła mama – i nie będzie nas prawie cały dzień. Dlatego pomyśleliśmy, kochanie, że raz, wyjątkowo, zjesz obiad w szkole.

Zacząłem płakać i krzyczeć, że nie będę jadł w stołówce, że to okropne, że jedzenie na pewno jest wstrętne i że nie chcę siedzieć przez cały dzień w szkole, a jak mnie będą zmuszać, to się rozchoruję, ucieknę z domu, umrę i wszyscy będą mnie strasznie żałować.

– No, no, chłopie, bądź grzeczny – powiedział tata. – To tylko jeden raz. Musisz przecież zjeść obiad, a my nie możemy cię ze sobą zabrać. Zresztą to, co ci dadzą do zjedzenia, będzie na pewno bardzo smaczne.

Rozpłakałem się jeszcze bardziej, powiedziałem, że podobno w mięsie jest pełno tłuszczu, że bije się tych, którzy nie jedzą tłuszczu, i że wolę już w ogóle nic nie jeść, niż zostać w szkole. Tata podrapał się po głowie i spojrzał na mamę.

– To co robimy? – zapytał.

– Nic nie możemy zrobić – powiedziała mama. – Zawiadomiliśmy już szkołę, a Mikołaj jest duży i powinien być rozsądny. Poza tym dobrze mu to zrobi: w ten sposób bardziej doceni to, co dostaje w domu. No, Mikołaj, bądź grzeczny, pocałuj mamusię i przestań płakać.

Przez chwilę się jeszcze dąsałem, a potem zobaczyłem, że nie ma co dłużej płakać, bo to i tak nic nie daje. Więc pocałowałem mamę, a potem tatę, a oni obiecali, że przywiozą mi mnóstwo zabawek. Oboje byli bardzo zadowoleni.

Kiedy dziś rano przyszedłem do szkoły, miałem w gardle wielką gulę i bardzo chciało mi się płakać.

– Zostaję na obiad – wyjaśniłem chłopakom, którzy pytali, co mi jest.

– Super! – powiedział Euzebiusz. – Zrobimy tak, żeby siedzieć przy tym samym stole.

Wtedy się rozpłakałem i Alcest dał mi kawałek swojego rogala, a to mnie tak zdziwiło, że aż przestałem płakać, bo po raz pierwszy zdarzyło się, że Alcest dał komuś kawałek czegoś, co można zjeść. A potem, przez całe rano, nie myślałem już o płakaniu, bo dobrze się bawiliśmy.

Dopiero w południe, kiedy koledzy szli do domu na obiad, znowu poczułem w gardle wielką gulę. Oparłem się o ścianę i nie chciałem grać w kulki z Euzebiuszem. W końcu zadzwonił dzwonek i ustawiliśmy się w pary. Dziwnie było iść do stołówki parami – inaczej niż zwykle, bo klasy są pomieszane i jest się z chłopakami, których się prawie nie zna. Na szczęście był

ze mną Euzebiusz. A potem jakiś chłopak przed nami odwrócił się i powiedział:

– Kiełbasa, piure, pieczeń i budyń. Podaj dalej.

– Super! – krzyknął Euzebiusz, kiedy mu powtórzyłem. – Będzie budyń! Budyń jest zawsze ekstra!

– Proszę o ciszę! – wrzasnął Rosół, który jest naszym opiekunem.

A potem podszedł do nas i kiedy mnie zobaczył, powiedział:

– Ach, prawda! Jest z nami dzisiaj Mikołaj!

Rosół pogładził mnie ręką po włosach, uśmiechnął się szeroko i poszedł rozdzielać dwóch chłopaków, którzy się popychali. Czasami Rosół jest bardzo miły. A potem kolejka ruszyła do przodu i weszliśmy do stołówki. Jest dosyć duża, ze stolikami, przy których stoi po osiem krzeseł.

– Chodź szybko! – powiedział Euzebiusz.

Poszedłem za nim, ale przy jego stole wszystkie miejsca były zajęte. Bardzo się tym zmartwiłem, bo nie chciałem siedzieć przy innym, gdzie nikogo nie znam. Wtedy Euzebiusz podniósł rękę i zawołał Rosoła:

– Psze pana! Psze pana! Czy Mikołaj może koło mnie usiąść?

– Oczywiście – powiedział Rosół. – Nie posadzimy przecież naszego dzisiejszego gościa byle gdzie. Bazyli, ustąp Mikołajowi miejsca... Ale macie być grzeczni, jasne?

Więc Bazyli, chłopak ze starszej klasy, zabrał swoją teczkę i lekarstwo, i przesiadł się do innego stołu. Bardzo się cieszyłem, że siedzę koło Euzebiusza, fajny z niego kumpel, ale wcale nie chciało mi się jeść. I kiedy dwie panie, które pracują w kuchni, przechodziły z koszykami pełnymi chleba, wziąłem kawałek, bo bałem się, że zostanę ukarany, jak nie wezmę. A potem przyniesiono kiełbasę – taką, jaką lubię.

– Możecie rozmawiać – powiedział Rosół – tylko nie za głośno.

Wtedy wszyscy naraz zaczęli krzyczeć. Chłopak, który siedział naprzeciw, rozśmieszył nas, bo robił zeza i udawał, że nie trafia kiełbasą do buzi. Później przyniesiono pieczeń z piure i całe szczęście, że znowu roznoszono chleb, bo fajnie się nim wyciera resztki sosu.

– Kto chce jeszcze piure? – spytała pani.

– Ja! – wykrzyknęliśmy wszyscy.

– Spokój – powiedział Rosół. – Bo zabronię wam rozmawiać. Zrozumiano?

Ale wszyscy dalej rozmawiali, bo Rosół jest o wiele fajniejszy przy stole niż na przerwie. A potem dostaliśmy budyń i trzeba przyznać, że był naprawdę wspaniały! Dokładałem sobie dwa razy, tak samo jak piure.

Po obiedzie wyszliśmy na dziedziniec i graliśmy z Euzebiuszem w kulki. Wygrałem właśnie trzy, kiedy wróciły chłopaki. Trochę się zmartwiłem na ich widok, bo jak przychodzą, to znaczy, że pora iść do klasy.

Kiedy wróciłem do domu, rodzice już tam byli. Strasznie się ucieszyłem, że ich widzę, i pocałowaliśmy się mnóstwo razy.

– I co, kochanie – zapytała mama – jak poszło z tym obiadem? Co dali ci do jedzenia?

– Kiełbasę – odpowiedziałem – pieczeń z piure...

– Z piure? – powtórzyła mama. – A ty, biedactwo, tak go nie znosisz, nigdy nie chcesz jeść w domu...

– Ale to było pyszne – wytłumaczyłem. – A poza tym był sos
i jeden chłopak nas rozśmieszał, i dwa razy brałem dokładkę.

Mama spojrzała na mnie i oświadczyła, że pójdzie rozpako-
wać walizkę i zrobić kolację.

Przy stole mama wyglądała na bardzo zmęczoną podróżą.
A potem wniosła duży czekoladowy tort.

– Popatrz, Mikołaj! – powiedziała. – Popatrz, jaki ci kupiliśmy
wspaniały deser!

– Fajnie! – krzyknąłem. – A wiesz, na obiedzie też było super:
mieliśmy niesamowity budyń! Dokładałem sobie dwa razy, tak
samo jak piure.

Wtedy mama powiedziała, że miała bardzo ciężki dzień, że
wszyscy są zdenerwowani, że zostawi zmywanie na jutro, a teraz położy się spać.

– Mama jest chora? – spytałem taty, bardzo zaniepokojony. Tata roześmiał się, poklepał mnie po policzku i powiedział:

– To nic poważnego, chłopie. Myślę, że coś, co jadłeś w południe, leży jej na wątrobie...

Przemiłe wspomnienia

Dziś na kolacji będziemy mieli gościa. Wczoraj tata przyszedł do domu bardzo zadowolony i powiedział mamie, że przypadkiem spotkał na ulicy starego przyjaciela, Leona Labière, którego nie widział od niepamiętnych czasów.

– Leon – wyjaśnił tata – to mój przyjaciel z dzieciństwa, chodziliśmy razem do szkoły. Ileż my mamy przemiłych wspomnień! Zaprosiłem go jutro na kolację.

Przyjaciel taty miał przyjść o ósmej, ale my byliśmy gotowi już o siódmej. Mama mnie wykąpała, nałożyła mi granatowe ubranko i uczesała, zużywając dużo brylantyny, bo bez tego kosmyk, który mam z tyłu głowy, nie chce spokojnie leżeć. Tata udzielił mi mnóstwa rad – miałem być bardzo grzeczny, nie odzywać się przy stole niepytany i uważnie słuchać jego przyjaciela Leona, który, według taty, jest kimś niesamowitym, komu świetnie się w życiu powiodło. Podobno to było po nim widać już w szkole, a takich jak on dzisiaj się nie spotyka. A potem ktoś zadzwonił do drzwi.

Tata poszedł otworzyć i do domu wszedł gruby pan, cały czerwony.

– Leon! – wykrzyknął tata.

– Mój stary kumpel! – wykrzyknął pan, a potem zaczęli poklepywać się po ramieniu, ale wyglądali na zadowolonych, nie tak, jak wtedy, kiedy tata klepie się po ramieniu z panem Blédurt, który jest naszym sąsiadem i bardzo lubi się z tatą przekomarzać.

Kiedy skończyli, tata odwrócił się i pokazał na mamę, która szeroko uśmiechnięta właśnie wychodziła z kuchni.

– To moja żona, Leonie. Kochanie, mój przyjaciel, Leon Labière.

Mama wyciągnęła rękę, a pan Labière zaczął nią, to znaczy jej ręką, potrząsać i zapewnił, że jest mu ogromnie miło. A potem tata dał mi znak, żebym podszedł, i powiedział:

– A to Mikołaj, mój syn.

Pan Labière bardzo się zdziwił na mój widok, otworzył szeroko oczy, gwizdnął i zawołał:

– Ależ to duży chłopiec! To już mężczyzna! Chodzisz do szkoły?

I włożył mi rękę we włosy, żeby mnie potargać, dla zabawy. Widziałem, że to się niezbyt spodobało mamie, szczególnie kiedy pan Labière spojrzał na swoją rękę i zapytał:

– Czym wy smarujecie głowę temu malcowi?

– Uważasz, że do mnie podobny? – spytał tata bardzo szybko, zanim mama zdążyła odpowiedzieć.

– Tak – powiedział pan Labière – to wykapany ty, tyle że ma więcej włosów i mniejszy brzuch.

I pan Labière głośno się roześmiał.

Tata też się roześmiał, ale ciszej, a mama zaproponowała, żebyśmy wypili aperitif.

Usiedliśmy w salonie i mama podała trunki. Ja nie dostałem aperitifu, ale mama pozwoliła mi jeść oliwki i słone ciasteczka – bardzo to lubię. Tata podniósł do góry swój kieliszek i powiedział:

– Za nasze wspólne wspomnienia, mój stary Leonie.

– Mój stary kumplu! – zawołał pan Labière i walnął w plecy tatę, który upuścił kieliszek na dywan.

– Nic się nie stało – powiedziała mama.

– Zaraz wyschnie – powiedział pan Labière, a potem wypił swój kieliszek i zwrócił się do taty:

– Dziwnie widzieć cię w roli starego ojca.

Tata, który nalał sobie na nowo i usiadł trochę dalej z uwagi na klepanie, zakrztusił się trochę i powiedział:

– No stary, nie przesadzajmy, jesteśmy w tym samym wieku.

– A skąd – oburzył się pan Labière – przypomnij sobie, byłeś najstarszy z całej klasy!

– Może przejdziemy do stołu – zaproponowała mama.

Zajęliśmy miejsca przy stole i pan Labière, który siedział naprzeciw mnie, zapytał:

– A ty czemu nic nie mówisz? W ogóle cię nie słychać!

– Musi mnie pan zapytać, żebym mógł się odezwać – odpowiedziałem.

To bardzo rozśmieszyło pana Labière – zrobił się cały czerwony, jeszcze bardziej niż przedtem, i zaczął walić ręką, ale tym razem w stół, i kieliszki robiły dzyń, dzyń. Kiedy pan Labière przestał się śmiać, powiedział tacie, że jestem strasznie dobrze wychowany, a tata odpowiedział, że to normalne.

– Jednak, o ile dobrze pamiętam, z ciebie był kawał łobuza – powiedział pan Labière.

– Weź chleba – odpowiedział tata.

Mama przyniosła przystawki i zaczęliśmy jeść.

– To jak, Mikołaj – spytał pan Labière, a potem przełknął to, co miał w ustach, i mówił dalej – dobrze się uczysz?

Ponieważ zostałem zapytany, mogłem się odezwać:

– E tam – powiedziałem panu Labière.

– Bo twój tata to dopiero był model! Pamiętasz, stary?

Tata ledwo uchylił się od klepnięcia. Widać było, że niezbyt go to bawi, ale pan Labière żartował sobie dalej.

– A pamiętasz, jak wlałeś Ernestowi butelkę atramentu do kieszeni?

Tata spojrzał na pana Labière, potem na mnie i powiedział:

– Butelkę atramentu? Ernestowi?... Nie, nie przypominam sobie.

– Ależ tak! – krzyknął pan Labière – nawet zawieszono cię za to na cztery dni! Tak samo jak za ten numer z rysunkiem na tablicy! Pamiętasz?...

– Może jeszcze plasterek szynki? – powiedziała mama.

– Co to za numer z rysunkiem na tablicy? – spytałem taty.

Tata zaczął krzyczeć, uderzył ręką w stół i powiedział, że kazał mi być grzecznym przy kolacji i nie zadawać pytań.

– Numer z tablicą był taki, że twój tata rysował karykaturę wychowawczyni, a ona weszła do klasy, kiedy właśnie kończył rysunek! Postawiła mu za to trzy pały!

To było bardzo śmieszne, ale zorientowałem się po minie taty, że lepiej nie śmiać się od razu. Powstrzymałem się, żeby pośmiać się później, jak będę w swoim pokoju, ale to nie było łatwe.

Mama przyniosła pieczeń i tata zaczął ją kroić.

– Osiem razy siedem równa się ile? – spytał mnie pan Labière.

– Pięćdziesiąt sześć, proszę pana – odpowiedziałem (przerabialiśmy to dzisiaj w szkole, miałem szczęście!).

– Brawo! – wykrzyknął pan Labière. – Zadziwiasz mnie, bo twój ojciec z arytmetyki...

Tata krzyknął, ale dlatego że zamiast w pieczeń trafił nożem w palec. Zaczął ssać sobie palec, a pan Labière, który naprawdę jest bardzo wesoły, strasznie się z niego śmiał. Mówił, że tata wciąż jest takim samym niezdarą jak dawniej, na przykład wtedy kiedy była afera z piłką i oknem. Nie odważyłem się zapytać, o co chodziło w aferze z piłką i oknem, ale domyślam się, że tata zbił szybę.

Mama szybko przyniosła deser. Pan Labière miał jeszcze na talerzu resztkę pieczeni, a tu już hop! – wjeżdżał na stół placek.

– Przepraszamy – powiedziała mama – ale mały musi się wcześnie położyć.

– Właśnie – powiedział tata – jedz szybko deser, Mikołaj, i jazda do łóżka. Jutro masz szkołę.

– Tata zbił szybę? – spytałem.

I to był błąd, bo tata się strasznie rozzłościł i kazał mi wcinać placek, bo jak nie, to się obejdę smakiem.

– A jak! Nawet dostał za to pałę ze sprawowania! – powiedział mi pan Labière.

– Hop! Do łóżka! – krzyknął tata.

Wstał od stołu, wziął mnie pod pachy i zaczął podrzucać do góry, wołając:

– Hop-la!

Jadłem jeszcze placek, ten, który lubię, z czereśniami. No i wiadomo: jak człowiek się wydurnia, ciasto spada. Spadło na marynarkę taty, ale tata tak spieszył się położyć mnie do łóżka, że nic nie powiedział.

Później słyszałem, jak rodzice szli do swojego pokoju.

– Ach – mówiła mama – ileż wy macie przemiłych wspomnień!

– Daj spokój – powiedział tata niezadowolony – nieprędko się znów zobaczę z tym cholernym Leonem!

Ja uważam, że szkoda, że nie zobaczymy się z panem Labière, bardzo mi się spodobał.

Tym bardziej, że dzisiaj przyniosłem ze szkoły pałę i tata nic mi nie powiedział.

U Gotfryda

Dzisiaj GOTFRYD ZAPROSIŁ MNIE do siebie na popołudnie. Powiedział, że zaprosił też mnóstwo innych chłopaków, będziemy się świetnie bawić!

Tata Gotfryda jest bardzo bogaty i kupuje mu najróżniejsze rzeczy. Na przykład Gotfryd lubi się przebierać, więc tata kupił mu całą masę strojów. Bardzo się ucieszyłem, że idę do Gotfryda, nigdy jeszcze u niego nie byłem, a podobno ma bardzo piękny dom.

Do Gotfryda zawiózł mnie mój tata. Wjechaliśmy samochodem do parku przed domem Gotfryda.

Tata jechał powoli, rozglądał się wokół siebie i co pewien czas gwizdał przez zęby. A potem zobaczyliśmy basen! Duży basen w kształcie nerki, z niebieską wodą i mnóstwem trampolin!

– Ładne rzeczy ma ten twój Gotfryd – powiedział tata. – Sam chciałbym takie mieć!

Tata był jakiś nieswój. Zostawił mnie przed drzwiami i powiedział:

– Przyjadę po ciebie o szóstej, nie jedz za dużo kawioru!

Zanim zdążyłem zapytać, co to jest kawior, odjechał z piskiem opon. Nie wiem dlaczego, ale piękny dom Gotfryda chyba niezbyt mu się spodobał.

Zadzwoniłem do drzwi i zrobiło mi się dziwnie, bo zamiast drrrrr, jak u nas, dzwonek zrobił bim, bam, bom jak zegar u cioci Leonii o trzeciej. Drzwi otworzyły się i zobaczyłem pana – bardzo eleganckiego, ale trochę komicznego. Miał na sobie czarny garnitur z marynarką z tyłu dłuższą, a z przodu rozpiętą, białą sztywną koszulę i czarną muszkę.

– Pan Gotfryd pana oczekuje – powiedział. – Zaprowadzę pana.

Obejrzałem się, ale mówił do mnie, więc za nim poszedłem. Szedł sztywny jak jego koszula, delikatnie stawiając stopy, jakby nie chciał zmiąć pięknych dywanów taty Gotfryda. Próbowałem stąpać jak on – musieliśmy śmiesznie wyglądać, idąc tak jeden za drugim.

Kiedy wchodziliśmy po wielkich schodach, spytałem, co to jest kawior. Powiedział, że to rybie jajka, które zjada się na kanapce. Niezbyt mi się spodobało, że się ze mnie nabija, chociaż śmiesznie było wyobrazić sobie ryby wysiadujące jajka na kanapie w salonie. Doszliśmy na górę, a potem do jakichś drzwi. Po drugiej stronie słychać było hałasy, krzyki, szczekanie. Pan w czarnym ubraniu przejechał sobie ręką po czole, przez chwilę jakby się wahał, potem gwałtownie otworzył drzwi, wepchnął mnie do środka i szybko zatrzasnął za mną drzwi.

Wszyscy koledzy już tam byli, razem z Hotdogiem, psem Gotfryda. Gotfryd przebrany był za muszkietera, miał wielki kapelusz z pióropuszem i szpadę. Był też Alcest, ten gruby, co bez przerwy je, a poza tym Euzebiusz, ten, który jest bardzo silny i lubi dawać chłopakom w nos, i mnóstwo innych, którzy strasznie hałasowali.

– Chodź – powiedział Alcest z pełnymi ustami – chodź, Mikołaj, pobawimy się kolejką elektryczną Gotfryda!

Fantastyczna jest ta kolejka Gotfryda!

Wspaniale wypadała z szyn. Sprawy się trochę popsuły, kiedy Euzebiusz przywiązał wagon restauracyjny do ogona Hotdoga, który zaczął biegać w kółko, bo mu się to nie spodobało. Gotfrydowi też się nie spodobało, więc wyciągnął szpadę i zawołał:

– Do broni!

Ale Euzebiusz rąbnął go pięścią w nos. W tej samej chwili otworzyły się drzwi i wszedł pan w czarnym ubraniu.

– Spokój, spokój! – powiedział kilka razy.

Spytałem Gotfryda, czy ten pan to ktoś z jego rodziny, ale Gotfryd powiedział, że nie, że to Albert, lokaj, którego zadaniem jest nas pilnować. Alcest przypomniał sobie, że widział lokajów w fimach kryminalnych i zawsze to oni byli mordercami. Pan Albert spojrzał na Alcesta okiem ryby, która właśnie zniosła za duży kawior.

Gotfryd oznajmił, że dobrze byłoby teraz pójść na basen. Wszyscy się z tym zgodziliśmy i wybiegliśmy z pokoju, a za nami pan Albert – po drodze na niego wpadaliśmy – i Hotdog, który szczekał i robił straszny hałas, bo zapomnieliśmy mu odwiązać wagon. Zeszliśmy ze schodów, zjeżdżając po poręczy – było super!

Znaleźliśmy się wszyscy na basenie, w slipkach i kostiumach kąpielowych pożyczonych od Gotfryda. Kłopot był tylko z Alcestem, który jest za gruby. Gotfryd chciał mu dać dwie pary slipek, ale Alcest powiedział, że nie warto – nie będzie się kąpał, bo przed chwilą jadł. Biedny Alcest! Bez przerwy je, więc nigdy nie może się kąpać.

Wskoczyliśmy wszyscy do basenu i żeśmy się wspaniale bawili: w wieloryba, okręt podwodny, topielca, delfina.

Robiliśmy właśnie zawody, kto dłużej wytrzyma pod wodą, kiedy pan Albert, który nas pilnował, stojąc na trampolinie, żebyśmy go nie opryskali, kazał nam wyjść, bo czas na podwieczorek. Wyszliśmy z wody i pan Albert zorientował się, że Euzebiusz został na dnie basenu. Pan Albert dał fantastycznego nura, w ubraniu, i wyciągnął Euzebiusza na powierzchnię. Wszyscy biliśmy mu brawo. Tylko Euzebiusz – wściekły, bo akurat bił rekord siedzenia pod wodą – strzelił pana Alberta pięścią w nos.

Ubraliśmy się (Gotfryd przebrał się za Indianina z mnóstwem piór) i poszliśmy na podwieczorek do jadalni Gotfryda – wielkiej jak restauracja. Wszystko było bardzo smaczne, ale oczywiście nie dostaliśmy kawioru, to był żart. Pan Albert, który poszedł się przebrać, teraz wrócił. Miał na sobie koszulę w kratę i zieloną sportową marynarkę. Miał też czerwony nos i patrzył na Euzebiusza, jakby też chciał strzelić go pięścią w nos.

Potem znowu poszliśmy się bawić. Gotfryd zaprowadził nas do garażu i pokazał nam swoje trzy rowery i samochód na pedały, czerwony, z reflektorami, które się zapalają.

– I co? – powiedział nam Gotfryd. – Widzieliście? Mam wszystkie zabawki, jakie zechcę, mój tata wszystko mi daje!

To mi się niezbyt spodobało, więc powiedziałem mu, że to wszystko pestka, bo my w domu mamy na strychu fantastyczny samochód, który mój tata zrobił z drewnianych skrzynek, kiedy był mały, i że, jak mówi tata, takich rzeczy nie można kupić w sklepie. Powiedziałem mu też, że jego tata na pewno nie umiałby zrobić takiego samochodu. Rozmawialiśmy, kiedy pan Albert przyszedł powiedzieć, że mój tata po mnie przyjechał.

W samochodzie opowiedziałem tacie o tym, cośmy robili, i o zabawkach, które ma Gotfryd. Tata słuchał i nic nie mówił.

Wieczorem przed naszym domem zatrzymał się wielki błyszczący samochód taty Gotfryda. Tata Gotfryda, który był jakiś nieswój, zaczął rozmawiać z moim tatą. Zapytał go, czy nie sprzedałby mu samochodu, który mamy na strychu, bo Gotfryd chce, żeby mu taki zrobił, a on nie wie, jak się do tego zabrać. Na to tata powiedział, że nie może mu sprzedać samochodu, jest do niego bardzo przywiązany, ale chętnie nauczy go, jak taki samochód zrobić. Tata Gotfryda odjechał zadowolony, mówiąc dziękuję, dziękuję i zapewniając, że wróci jutro, żeby się uczyć.

Tata też był zadowolony. Kiedy tata Gotfryda odjechał, tata chodził po domu z wypiętą piersią, głaskał mnie po głowie i mówił:

– He! he! He! he!

Usprawiedliwienia

W SZKOLE BARDZO PRZYDAJĄ SIĘ usprawiedliwienia. Usprawiedliwienia to listy albo wizytówki, które wam daje ojciec. Pisze na nich do wychowawczyni, żeby was nie karała, kiedy się spóźniacie albo żeście nie odrobili lekcji. Kłopot tylko, że usprawiedliwienie musi być podpisane przez waszego ojca, no i mieć datę, żeby można je było przedstawić tylko w określonym dniu.

Nasza pani niezbyt lubi usprawiedliwienia i trzeba uważać, żeby nie było afery, jak wtedy, kiedy Kleofas przyniósł usprawiedliwienie napisane na maszynie, a pani rozpoznała błędy ortograficzne Kleofasa i odesłała go do dyrektora, który chciał wyrzucić go ze szkoły, ale niestety tylko go zawieszono, i ojciec na pocieszenie kupił mu fantastyczny wóz strażacki z syreną, która działa.

Pani zadała nam na jutro strasznie trudne zadanie z arytmetyki, gdzie mowa o gospodarzu, który ma mnóstwo kur znoszących mnóstwo jajek. Bardzo nie lubię zadań z arytmetyki, bo kiedy je dostaję, to w domu zawsze są kłótnie.

– Co się znów stało, Mikołaj? – spytała mama, kiedy wróciłem ze szkoły. – Czemu masz taką minę?

– Mam na jutro rozwiązać zadanie – odpowiedziałem.

Mama ciężko westchnęła, powiedziała, że długo był spokój i żebym szybko jadł podwieczorek i szedł odrabiać lekcje, ona nie chce mnie więcej słyszeć.

– Kiedy nie umiem go rozwiązać – wyjaśniłem.

– Och! Mikołaj! – powiedziała mama. – Znowu zaczynasz? Wtedy się rozpłakałem, powiedziałem, że to niesprawiedliwe, że w szkole dają nam za trudne zadania, że tata powinien pójść do pani na skargę, że mam tego dość, i że jeśli nadal będą mi dawali zadania z arytmetyki, nie pójdę więcej do szkoły.

– Posłuchaj, Mikołaj – powiedziała mama. – Jestem bardzo zajęta i nie mam teraz czasu z tobą dyskutować. Więc pójdziesz do swojego pokoju, spróbujesz rozwiązać zadanie, a jeśli ci się nie uda, to tatuś ci pomoże, jak wróci z pracy.

Więc poszedłem do swojego pokoju i czekałem na tatę, bawiąc się niebieskim samochodzikiem, który przysłała mi Bunia, a kiedy przyszedł, zbiegłem na dół z zeszytem.

– Tata! Tata! – krzyknąłem. – Mam zadanie z arytmetyki!

– To je rozwiąż, króliczku – powiedział tata. – Jak duży chłopiec.

– Nie umiem – wytłumaczyłem tacie. – Ty musisz mi je rozwiązać.

Tata usiadł w fotelu w salonie, otworzył gazetę i ciężko westchnął.

– Mikołaj – powiedział tata. – Mówiłem ci setki razy, że sam musisz odrabiać lekcje. Chodzisz do szkoły po to, żeby się uczyć, nie ma sensu, żebym ja odrabiał za ciebie lekcje. Kiedyś mi podziękujesz. Chyba nie chcesz zostać nieukiem, co? Więc idź rozwiązać to zadanie i daj mi poczytać gazetę!

– Ale mama powiedziała, że ty je rozwiążesz! – powiedziałem.

Tata upuścił gazetę na kolana i krzyknął:

– Aha! Mama tak powiedziała? No to się myliła! A teraz zostaw mnie w spokoju. Zrozumiano?

Więc znowu zacząłem płakać, powiedziałem, że nie potrafię rozwiązać zadania i że się zabiję, jeśli ktoś mi go nie rozwiąże. Wtedy przybiegła mama.

– Och nie, błagam was! Jestem zmęczona, mam migrenę, wpędzicie mnie w chorobę tymi krzykami! Co się znowu dzieje?

– Tata nie chce mi rozwiązać zadania – wyjaśniłem.

– Uważam, wyobraź sobie – powiedział tata do mamy – że rozwiązywanie zadań za małego to nie jest najlepsza metoda wychowawcza. W ten sposób do niczego w życiu nie dojdzie. I byłbym ci wdzięczny, gdybyś nie robiła mu obietnic w moim imieniu!

– No tak! – powiedziała mama do taty. – Krytykuj mnie teraz w jego obecności! Świetnie! Brawo! To jest dopiero wspaniała metoda wychowawcza!

I mama powiedziała, że ma dość tego domu, że haruje całymi dniami i nikt jej nawet nie podziękuje, że woli wrócić do matki (mojej Buni, tej, która dała mi niebieski samochodzik) i że wszystko, czego pragnie, to trochę spokoju, jeśli to nie jest wygórowane żądanie.

Tata przejechał ręką po twarzy, od czoła aż do brody.

– Dobrze już, dobrze – powiedział. – Nie dramatyzujmy. Pokaż mi to nieszczęsne zadanie, Mikołaj, i więcej o tym nie mówmy.

Podałem tacie zeszyt, tata przeczytał zadanie raz, potem drugi raz, zrobił wielkie oczy, rzucił zeszyt na dywan i krzyknął:

– O nie! Nie, nie i jeszcze raz nie! Ja też jestem zmęczony! Ja też jestem chory! Ja też haruję całymi dniami! Ja też, kiedy wracam do domu, chcę mieć trochę spokoju! I nie mam ochoty, choć może was to zdziwi, rozwiązywać zadań z arytmetyki!

– No to – powiedziałem – napisz mi usprawiedliwienie.

– Tego się spodziewałem! – krzyknął tata. – Nigdy w życiu! To byłoby zbyt łatwe! Masz rozwiązać swoje zadanie, jak wszyscy!

– Ja też jestem chory! – krzyknąłem. – Ja też jestem strasznie zmęczony!

– Słuchaj – powiedziała mama do taty – rzeczywiście uważam, że mały nie wygląda najlepiej: jest taki bledziutki. Trzeba przyznać, że w szkole przeciążają ich nauką, a on nie doszedł jeszcze całkiem do siebie po ostatniej anginie. Może lepiej byłoby, żeby trochę sobie odpoczął dziś wieczór i wcześniej poszedł do łóżka. W końcu nic takiego się nie stanie, jeśli raz nie odrobi zadania.

Tata się zastanowił, a potem powiedział, że dobrze, ale to tylko dlatego, że dzisiaj wszyscy jesteśmy chorzy. Więc strasznie się ucieszyłem, pocałowałem tatę, pocałowałem mamę i fiknąłem koziołka na dywanie. Tata z mamą się roześmiali i tata wziął jedną ze swoich wizytówek – tych nowych, z błyszczącymi literami – i napisał na niej:

„Szanowna Pani, przesyłam pozdrowienia i proszę o usprawiedliwienie Mikołaja, że nie odrobił zadania z arytmetyki. Wrócił dzisiaj ze szkoły trochę rozgorączkowany i woleliśmy położyć go do łóżka".

– Ale uprzedzam cię, Mikołaj – powiedział tata. – Po raz ostatni w tym roku piszę ci usprawiedliwienie! Zrozumiano?

– Och tak, tato! – powiedziałem.

Tata wstawił datę, podpisał, a mama oznajmiła, że kolacja gotowa. Było strasznie fajnie – jedliśmy pieczeń z kartofelkami i wszyscy byli zadowoleni.

Kiedy dziś rano przyszedłem do szkoły, chłopaki rozmawiały o zadaniu z arytmetyki.

– Mnie wyszło 3508 jajek – powiedział Gotfryd.

Euzebiusza to strasznie rozśmieszyło.

– Słyszeliście? – zawołał. – Gotfrydowi wyszło 3508 jajek!

– Mnie też – powiedział Ananiasz, który jest najlepszym uczniem w klasie i pupilkiem naszej pani.

Wtedy Euzebiusz przestał się śmiać i poszedł w głąb dziedzińca poprawić coś w zeszycie.

Joachim i Maksencjusz mieli taki sam wynik: 3,76 jajka. Kiedy są trudne zadania, Joachim i Maksencjusz do siebie dzwonią i często pani stawia obydwu pałę. Tym razem jednak zapewnili nas, że nie ma sprawy, bo dzwonili do siebie ich ojcowie.

– A tobie wyszło ile? – spytał mnie Alcest.

– Nic mi nie wyszło – powiedziałem. – Mam usprawiedliwienie.

I pokazałem chłopakom wizytówkę taty.

– Masz fart – powiedział Kleofas. – Mnie ojciec nie chce pisać usprawiedliwień, odkąd zostałem zawieszony za ostatnie.

– Mnie też ojciec nie chce pisać usprawiedliwień – powiedział Rufus. – Poza tym tyle się trzeba namęczyć, żeby je zdobyć, że wolę już sam rozwiązywać zadania.

– Mnie też nie poszło łatwo – wyjaśniłem. – Ojciec powiedział, że więcej mi w tym roku nie napisze.

– Ma rację – oświadczył Gotfryd. – Nie może być tak, że ciągle ten sam przynosi usprawiedliwienia. A z panią by nie przeszło, gdybyśmy wszyscy przynieśli usprawiedliwienia tego samego dnia.

– No! – powiedział Alcest. – Masz szczęście, że nikt inny nie przyniósł dzisiaj usprawiedliwienia.

A potem zadzwonił dzwonek i poszliśmy ustawić się w pary. I przyszedł dyrektor, i powiedział:

– Dzieci, dziś będzie was pilnował Ros... pan Dubon. Wasza pani jest chora i prosiła, żeby ją usprawiedliwić.

 # (1611–1673)

Kiedy wychodzimy ze szkoły w środę po południu, jesteśmy wszyscy strasznie zadowoleni. Po pierwsze, bo wychodzimy ze szkoły, po drugie, bo jutro jest czwartek i nie ma szkoły*, a poza tym, bo niedaleko jest kino, gdzie w środy zmieniają program, więc możemy zobaczyć, co grają, i jeśli film jest fajny, poprosić w domu rodziców, żeby nam dali pieniądze, bo chcemy obejrzeć go w czwartek. Czasem się udaje – nie zawsze, na przykład kiedy narozrabiamy w szkole albo oberwiemy złe stopnie.

No i dzisiaj zobaczyliśmy, że grają niesamowity film pod tytułem *Powrót d'Artagnana*: było pełno zdjęć z muszkieterami, którzy się biją na szpady, mają wielkie kapelusze z piórami, wysokie buty i długie peleryny, takie same jak w stroju, który Gotfryd dostał na urodziny, a pani go skrzyczała, kiedy przyszedł w nim do szkoły.

– W tym tygodniu jestem wśród dwudziestu pięciu najlepszych – pochwalił się Joachim – tata na pewno da mi pieniądze na kino.

– A ja – powiedział Euzebiusz – patrzę swojemu tacie prosto w oczy i on zawsze daje mi to, co chcę.

---

* W szkołach francuskich czwartek był dniem wolnym od nauki (przyp. tłum.).

– Daje ci po łbie – powiedział Maksencjusz.

– Chcesz sam zaraz dostać? – zapytał Euzebiusz.

– Do broni! – krzyknął Maksencjusz.

I wywijając linijkami, które wyciągnęli z tornistrów, zaczęli udawać muszkieterów: ciach, ciach, ciach, tam do kata!

– A wiecie, że d'Artagnan istniał naprawdę – powiedział Ananiasz. – Czytałem książkę, w której pisali, że nazywał się Charles de Batz, urodził się w Lupiac w departamencie Gers, a umarł w Maestricht (1611–1673).

Ananiasz to najlepszy uczeń w klasie i pupilek naszej pani. Niezbyt go lubimy, więc żeśmy mu nie odpowiedzieli. Zresztą byliśmy zajęci zabawą w muszkieterów i walką na linijki, ciach, ciach, ciach, tam do kata, aż z kina wyszła kasjerka i kazała nam iść gdzie indziej, bo przeszkadzamy ludziom wchodzić do kina. No to poszliśmy sobie i umówiliśmy się w kinie następnego dnia o drugiej. Bo jak się idzie na drugą, można zostać i obejrzeć film dwa i pół raza. Za trzecim razem kończy się za późno, rodzice krzyczą na nas, kiedy wracamy, i w ogóle są problemy.

W domu poczekałem na tatę, który wychodzi z biura później niż ja ze szkoły, ale za to nie musi odrabiać lekcji, a kiedy przyszedł, zapytałem:

– Tato, dasz mi jutro pieniądze na kino?

– W tym tygodniu dostałeś pałę z gramatyki, Mikołaj – powiedział tata – i już ci mówiłem, że nie pójdziesz do kina.

– Och, tato! – zawołałem. – Och, tato!

– Nie masz co jęczeć, Mikołaj – powiedział tata. – Jutro siedzisz w domu i odrabiasz ćwiczenia z gramatyki. Nie chcę mieć syna nieuka, który niczego nie umie. Kiedyś mi za to podziękujesz.

– Jeżeli mi dasz pieniądze, od razu ci podziękuję – powiedziałem.

– Dość tego, Mikołaj! – powiedział tata. – Nie będę wiecznie dawał ci pieniędzy. Kiedyś będziesz musiał zarabiać je sam. A jeśli zostaniesz nieukiem, to nie będzie cię stać na kino.

Trochę popłakałem, na wszelki wypadek, ale to nic nie dało.

– Wystarczy! – krzyknął tata. – Chcę wcześnie zjeść kolację, a potem spokojnie posłuchać sobie radia!

Wtedy się obraziłem.

Po kolacji tata usiadł przy radiu. Jest taka audycja, którą strasznie lubi: prowadzi ją pan, który krzyczy i bardzo dużo mówi, jest śmieszny jak nie wiem co i zadaje pytania innym panom, którzy mówią o wiele mniej. Kiedy pan, któremu zadano pytanie, odpowiada, wszyscy zaczynają krzyczeć i wygrywa. Wtedy może odejść z mnóstwem pieniędzy, które mu dają, albo zostać, żeby pan, który mu zadał pytanie, teraz zadał mu drugie. Jeżeli pan, który odpowiedział, odpowie jeszcze raz, dostaje dwa razy tyle pieniędzy i ludzie krzyczą dwa razy głośniej. Jeżeli nie odpowie, pan, który zadaje pytania, jest bardzo smutny, nie daje mu w ogóle pieniędzy, a ludzie wzdychają: „Och!".

Tego wieczoru pan, który był w radiu, odpowiadał na wszystkie pytania, a pan, który dużo mówi, i tata bardzo się cieszyli.

– Ale zawodnik – powiedział tata. – Ten dopiero musiał dostawać dobre oceny w szkole, nie, Mikołaj?

Nie odpowiedziałem, bo byłem jeszcze obrażony. No bo co w końcu, kurczę blade, to niesprawiedliwe! Jak raz grają film, który mi się podoba, to dlaczego mam na niego nie iść? Zawsze tak jest: jak czegoś chcę, to mi się zabrania. Któregoś dnia ucieknę z domu i będą mnie żałowali, i powiedzą: „Jaka szkoda, że nie daliśmy Mikołajowi pieniędzy na kino". A poza tym, zgoda, dostałem pałę z gramatyki, ale za to z czytania miałem minus cztery, jestem świetny z czytania, i może jak obiecam tacie, że w przyszłym tygodniu przyłożę się do gramatyki, to da mi pieniądze na kino, a wtedy pójdę na ten film i przyrzekam: będę się uczył jak nie wiem co.

– Wiesz co, tato... – powiedziałem.

– Cicho bądź, Mikołaj! – krzyknął tata. – Daj mi posłuchać radia.

– A teraz – powiedział pan z radia – pytanie za milion dwadzieścia cztery tysiące starych franków: chodzi o znaną z powieści postać urodzoną w Lupiac. Kto to taki? Jakie są daty jego urodzin i śmierci? Gdzie umarł?

– Wiesz co, tato, jak mi dasz pieniądze, to obiecuję, że będę się w szkole bardzo dobrze uczył, szczególnie gramatyki – powiedziałem.

– Cisza, Mikołaj! – krzyknął tata. – Chcę usłyszeć odpowiedź.

– To Charles de Batz d'Artagnan – powiedziałem. – Urodził się w Lupiac, w departamencie Gers, umarł w Maestricht (1611–1673). To jak, dasz mi te pieniądze?

– Mikołaj! – krzyknął tata. – Jesteś nieznośny! Przez ciebie nie usłyszałem...

– Tak, proszę pana, brawo! – krzyknął pan z radia. Istotnie chodzi o Charles'a de Batz, kawalera d'Artagnan, urodzonego w Lupiac, w departamencie Gers, a zmarłego w Maestricht (1611–1673)!...

Mój tata jest najfajniejszy ze wszystkich – dał mi pieniądze na kino.

Nie rozumiem tylko, dlaczego teraz tata, patrząc na mnie, robi wielkie oczy, jakby był czymś zdziwiony.

Śliczny króliczek

Dzisiaj w szkole było naprawdę super! Ponieważ prawie przez cały tydzień byliśmy bardzo grzeczni, pani przyniosła plastelinę, dała każdemu po kawałku i pokazała, jak ulepić króliczka z wielkimi uszami.

Mój królik był najładniejszy, tak powiedziała pani. Ananiasz nie mógł tego przeżyć: mówił, że to niesprawiedliwe, że jego królik jest tak samo ładny jak mój, że od niego ściągnąłem. Ale oczywiście to była nieprawda. Z Ananiaszem są zawsze cyrki, bo jest najlepszym uczniem w klasie i pupilkiem naszej pani i bardzo nie lubi, kiedy chwali się kogoś innego niż on. I kiedy Ananiasz płakał, pani ukarała chłopaków, bo zamiast lepić króliki, bili się plasteliną.

Alcest się nie bił, jednak nie chciał lepić królika: spróbował plasteliny, ale mu nie smakowała. No i pani powiedziała, że po raz ostatni stara się zrobić nam przyjemność. To była naprawdę fajna lekcja.

Wróciłem do domu strasznie zadowolony, niosąc królika w ręce, żeby nie spłaszczył się w tornistrze. Wpadłem do kuchni i zawołałem:

– Patrz, mama!

Mama krzyknęła i gwałtownie się odwróciła.

– Mikołaj – powiedziała – ile razy mam cię prosić, żebyś nie wpadał do kuchni jak dzikus?

Więc pokazałem mamie królika.

– Dobrze, idź umyć ręce – powiedziała mama. – Podwieczorek gotowy.

– Ale mamo, spójrz na mojego królika – poprosiłem. – Pani powiedziała, że jest najfajniejszy z całej klasy.

– To świetnie – powiedziała mama. – A teraz idź się przygotuj.

Dobrze widziałem, że mama nawet nie spojrzała na mojego królika. Kiedy mówi: „To świetnie", takim tonem, to znaczy, że nie patrzy.

– Nie spojrzałaś na mojego królika – powiedziałem.

– Mikołaj! – krzyknęła mama. – Prosiłam, żebyś poszedł przygotować się do podwieczorku! Jestem wystarczająco zdenerwowana: nie zniosę, żebyś był nieznośny!

I tutaj trochę przesadziła! Ja robię niesamowitego królika, pani mówi, że jest najładniejszy z całej klasy, nawet ten pupilek Ananiasz mi zazdrości, a w domu na mnie krzyczą!

No bo co w końcu, to niesprawiedliwe! Więc kopnąłem taboret, z płaczem wybiegłem z kuchni, pobiegłem do swojego pokoju i rzuciłem się na łóżko, ale przedtem postawiłem królika na stole, żeby go nie zgnieść.

A potem do pokoju weszła mama.

– Może starczy już tych wygłupów, Mikołaj? – powiedziała. – Masz zaraz zejść na podwieczorek, jeśli nie chcesz, żebym wszystko opowiedziała tacie.

– Nie spojrzałaś na mojego królika! – chlipnąłem.

– Dobrze, dobrze, dobrze! – powiedziała mama. – Widzę twojego królika. Jest bardzo ładny. I co, jesteś zadowolony? A teraz masz być grzeczny, bo się pogniewam.

– Nie podoba ci się mój królik? – spytałem i zacząłem płakać, bo naprawdę, nie warto się dobrze uczyć w szkole, jeżeli później w domu nie podobają się wasze króliki.

A potem usłyszeliśmy z dołu głos taty.

– Gdzie są wszyscy? – zawołał tata. – Już jestem! Wróciłem wcześniej!

I tata wszedł do mojego pokoju.

– No? – spytał. – Co się tutaj dzieje? Wrzaski słychać aż w ogrodzie!

– Dzieje się to – odpowiedziała mama – że Mikołaj jest nieznośny, odkąd wrócił ze szkoły. Wiesz już, co się dzieje!

– Nie jestem nieznośny – powiedziałem.

– Spokojnie – powiedział tata.

– Brawo! – zawołała mama. – Brawo! Bierz teraz jego stronę. Będziesz się potem dziwił, jak zejdzie na złą drogę!

– Ja biorę jego stronę? – zdziwił się tata. – Ależ ja nie biorę niczyjej strony! Wracam przed czasem, wyjątkowo, i zastaję dramat. A tak się cieszyłem, że po ciężkim dniu będę w domu wcześniej!

– A ja? – zapytała mama. – Myślisz, że moje dni nie są ciężkie? Ty sobie wychodzisz, spotykasz ludzi. A ja tkwię tutaj jak niewolnica, harując, żeby w tym domu dało się żyć, i jeszcze muszę cierpieć, kiedy panowie są w złym humorze.

– Ja jestem w złym humorze? – krzyknął tata, uderzając pięścią w stół, a ja się przestraszyłem, bo o mało nie trafił w królika, a to by go strasznie spłaszczyło.

– Oczywiście, że jesteś w złym humorze – powiedziała mama. – I myślę, że lepiej by było, gdybyś nie krzyczał przy małym!

– Zdaje się, że to nie ja doprowadziłem go do płaczu – powiedział tata.

– Tak, świetnie, powiedz od razu, że go maltretuję – powiedziała mama.

Tata przyłożył sobie pięści z obu stron do twarzy i zaczął chodzić wielkimi krokami po pokoju, a ponieważ pokój jest mały, bez przerwy musiał zawracać.

– Zwariuję przez was! – krzyczał. – Zwariuję przez was!

Wtedy mama usiadła na moim łóżku i zaczęła strasznie szybko oddychać. Potem się rozpłakała, a ja nie lubię, kiedy mama płacze, więc też zacząłem płakać. Tata przestał chodzić, popatrzył na nas, a potem usiadł koło mamy, objął ją jedną ręką, a drugą wyjął chusteczkę i dał mamie, która głośno wytarła nos.

– No, no, kochanie – powiedział tata. – Nie powinniśmy się tak unosić. Wszyscy jesteśmy zdenerwowani... Mikołaj, wytrzyj nos... i dlatego wygadujemy głupstwa.

– Masz rację – powiedziała mama. – Ale wiesz, kiedy jest taka pogoda, i mały...

– Tak, tak – powiedział tata. – Jestem pewien, że wszystko się ułoży. Do dzieci trzeba mieć podejście. Poczekaj, zaraz zobaczysz.

Tata odwrócił się do mnie i pogładził mnie ręką po włosach.

– Prawda – zapytał – że mój Mikołaj będzie grzeczny i przeprosi mamusię?

Odpowiedziałem, że tak, bo w domu jest najfajniej, kiedy przestajemy się kłócić.

– Byłam dla niego trochę niesprawiedliwa – przyznała mama.

– Bo wiesz, nasz Mikołaj świetnie się w szkole spisał. Pani pochwaliła go przed kolegami.

– To wspaniale – powiedział tata. – To fantastycznie! Sami widzicie, że nie ma powodu do płaczu. Poza tym jestem głodny i czas na podwieczorek. Potem, Mikołaj, opowiesz mi o swoich sukcesach.

I rodzice zaczęli się śmiać. Więc bardzo się ucieszyłem i kiedy tata całował mamę, wziąłem swojego ślicznego króliczka, żeby go pokazać tacie.

A tata odwrócił się i powiedział:

– No, Mikołaj, teraz, kiedy już jest wszystko dobrze, będziesz rozsądny, prawda? Więc wyrzuć mi to paskudztwo, które trzymasz w ręku, wytrzyj nos i zjedzmy spokojnie podwieczorek.

Rozdział II
Urodziny Kleofasa

Urodziny Kleofasa
Nareszcie go mamy!
Korepetycje
Nowa
Kleofas się przeprowadza
Dwa obozy
Cukierek
Nie narobiono nam wstydu

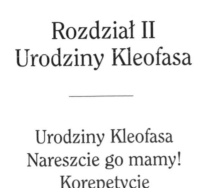

Urodziny Kleofasa

Dziś PO POŁUDNIU U KLEOFASA ma być niesamowita zabawa. Kleofas to nasz kolega, który jest najgorszy w klasie. Dzisiaj ma urodziny i zaprosił nas na podwieczorek.

Kiedy przyszedłem do Kleofasa, wszyscy już tam byli. Mama mnie pocałowała, powiedziała, że przyjdzie o szóstej, i prosiła, żebym był grzeczny. Odpowiedziałem, że będę grzeczny jak zwykle, a mama spojrzała na mnie i powiedziała, że zobaczy, czy nie może przyjść o wpół do szóstej.

Drzwi otworzył mi Kleofas.

– Co mi przyniosłeś w prezencie? – zapytał.

Dałem mu pakunek, rozwinął go, była to książka geograficzna z obrazkami i mapami.

– Dziękuję mimo wszystko – powiedział Kleofas i zaprowadził mnie na podwieczorek do jadalni, gdzie inni już byli.

W kącie zobaczyłem Alcesta – to ten gruby, który dużo je – z paczuszką w ręku.

– Nie dałeś mu jeszcze prezentu? – spytałem.

– Jak to nie? – odpowiedział. – Dałem. To, co trzymam w ręku, jest moje. To nie jest żaden prezent.

Rozwinął paczuszkę, wyjął z niej kanapkę z serem i zaczął jeść.

Rodzice Kleofasa byli w domu, są bardzo mili.

– Do stołu, dzieci! – powiedział tata Kleofasa.

Pobiegliśmy wszyscy do krzeseł, Gotfryd dla zabawy podstawił nogę Euzebiuszowi i Euzebiusz upadł na Ananiasza, który się rozpłakał. Ananiasz bez przerwy płacze. To nie był dobry pomysł podstawiać nogę Euzebiuszowi, bo on jest bardzo silny

i lubi dawać chłopakom w nos, więc Gotfryd oberwał, dostał krwotoku i poplamił obrus, co było niezbyt miłe wobec mamy Kleofasa, która położyła świeży czyściutki obrus. To się zresztą mamie Kleofasa nie spodobało i powiedziała do nas:

– Jeżeli nie będziecie się grzecznie zachowywać, zadzwonię do waszych rodziców i poproszę, żeby zaraz po was przyjechali!

Ale tata Kleofasa powiedział:

– Spokojnie, kochanie. To tylko dzieci, bawią się i będą bardzo grzeczni, prawda, moi drodzy?

– Ja się wcale nie bawię, ja strasznie cierpię – odpowiedział Ananiasz, który szukał okularów i który się ładnie wysławia, bo jest najlepszym uczniem w klasie.

– Przyniosłem prezent i mam prawo zjeść podwieczorek, wcześniej mnie nie wyrzucicie! – krzyknął Alcest, parskając kawałkami sera.

– Siadać! – krzyknął tata Kleofasa i widać było, że nie żartuje.

Usiedliśmy przy stole i kiedy mama Kleofasa nalewała nam czekoladę, tata rozdał papierowe kapelusze. Sam miał na głowie marynarską czapkę z czerwonym pomponem.

– Jeśli będziecie grzeczni, po podwieczorku zrobię wam przedstawienie – obiecał.

– W takiej czapce to żadna sztuka – powiedział Euzebiusz, a tata Kleofasa włożył mu na głowę kapelusz, ale niezbyt zręcznie, bo wcisnął mu go aż na szyję.

Podwieczorek był dosyć dobry, z mnóstwem ciastek, a potem wniesiono urodzinowy tort ze świeczkami i napisem z białego kremu: „Wszystkiego najlepszego". Kleofas był bardzo dumny.

– Ja to napisałem na torcie – powiedział.

– Zdmuchniesz wreszcie te świeczki, żebyśmy mogli jeść? – spytał Alcest.

Kleofas dmuchnął, zjedliśmy tort i Rufus musiał wybiec z mamą Kleofasa, bo się rozchorował.

– A teraz przejdziemy do salonu – powiedział tata Kleofasa – i zrobię przedstawienie.

Tata Kleofasa odwrócił się szybko i spojrzał na Euzebiusza, który nic nie powiedział. Za to odezwał się Alcest. Spytał:

– Jak to? Już po podwieczorku?

– Do salonu! – krzyknął tata Kleofasa.

Ja byłem bardzo zadowolony, bo strasznie lubię teatr. A tata Kleofasa jest naprawdę super! W salonie, przed teatrzykiem, stały krzesła ustawione w rzędy.

– Pilnuj ich – powiedział tata Kleofasa do mamy Kleofasa.

Ale mama Kleofasa odpowiedziała, że musi posprzątać w stołowym, i sobie poszła.

– Dobrze – powiedział tata Kleofasa – usiądźcie grzecznie, a ja idę zaczynać przedstawienie: *Pajac i żandarm*.

Usiedliśmy grzecznie: przewróciliśmy tylko jedno krzesło, szkoda, że siedział na nim Ananiasz, który się rozpłakał. W teatrzyku rozsunęła się kurtyna, ale zamiast kukiełek zobaczyliśmy głowę taty Kleofasa, czerwoną i niezadowoloną.

– Będzie spokój czy nie? – krzyknął.

A Euzebiusz zaczął bić brawo i powiedział, że z taty Kleofasa jest niesamowity pajac. Tata Kleofasa spojrzał na Euzebiusza, westchnął ciężko i jego głowa zniknęła.

Po drugiej stronie teatrzyku tata Kleofasa zastukał trzy razy na znak, że przedstawienie zaraz się zacznie. Kurtyna się odsłoniła i zobaczyliśmy, jak Pajac z kijem w ręku zamierza sprać żandarma, na co obraził się Rufus, bo jego tata jest policjantem.

Euzebiusz był rozczarowany, uważał, że pierwsza część programu, ta z głową taty Kleofasa, była śmieszniejsza. Mnie się dosyć podobało – tata Kleofasa dawał z siebie wszystko, a kiedy odgrywał kłótnię Pajaca z żoną Pajaca, zmieniał głos, co na pewno nie jest łatwe.

Nie obejrzałem dalszej części sztuki, bo Alcest, który poszedł zobaczyć, czy w jadalni nie zostało coś na stole, wrócił i powiedział:

– E, chłopaki! Oni mają telewizję!

Więc poszliśmy wszyscy zobaczyć i było fantastycznie, bo właśnie szedł strasznie fajny film przygodowy z ludźmi ubranymi w żelazo. To była historia z dawnych czasów o młodzieńcu, który kradnie pieniądze bogatym, żeby dać biednym, i podobno tak trzeba – najlepszy dowód, że wszyscy go bardzo lubią, nie licząc złych, to znaczy tych, którym młodzieniec kradnie pieniądze. Gotfryd właśnie wyjaśniał nam, że tata kupił mu taką żelazną zbroję i że następnym razem przyjdzie w niej do szkoły, kiedy usłyszeliśmy za plecami gruby głos, który głośno krzyczał: „Żarty sobie ze mnie robicie?".

Odwróciliśmy się i zobaczyliśmy tatę Kleofasa. Wyglądał na rozgniewanego, ale był bardzo śmieszny w swojej marynarskiej czapce i z pacynką na każdym ręku. Rufus się roześmiał i to był

błąd, bo tata Kleofasa dał mu po buzi żandarmem, co pewnie przypomniało Rufusowi jego własnego tatę, ale mu się nie spodobało i zaczął krzyczeć. Mama Kleofasa przybiegła z kuchni zobaczyć, co się dzieje, i Alcest ją zapytał, czy nie zostało jeszcze coś do jedzenia.

– Dość tego! Cisza! – krzyknął tata Kleofasa i walnął pięścią w telewizor, który wydał z siebie dziwny dźwięk i zgasł, a szkoda, bo właśnie ci źli, których okradł, mieli wieszać młodzieńca (mam nadzieję, że jednak się uratuje).

Mama Kleofasa mówiła do taty Kleofasa, żeby się uspokoił, że przecież jesteśmy tylko dziećmi i że w końcu to on wpadł na pomysł, żeby wyprawić urodziny i zaprosić kolegów Kleofasa. Kleofas płakał, bo telewizor nie chciał się zapalić – naprawdę wszyscy się świetnie bawiliśmy, ale zrobiła się szósta i przyjechali rodzice, żeby nas zabrać do domu.

Następnego dnia w szkole Kleofas był bardzo smutny. Powiedział, że przez nas nie będzie mógł jeździć lokomotywą. Wyjaśnił nam, że kiedy będzie duży, chciałby zostać maszynistą i prowadzić lokomotywy, ale po wczorajszej zabawie w ogóle przestanie rosnąć, bo tata mu powiedział, że już nigdy więcej nie będzie miał urodzin.

Nareszcie go mamy!

No NARESZCIE! Będziemy go mieli! Taki sam jak u Kleofasa, mojego kolegi ze szkoły, który jest najgorszy w klasie, chociaż jest bardzo miły, a jest najgorszy, bo ma kłopoty z arytmetyką, gramatyką, historią i geografią, najlepiej mu idą rysunki – jest przedostatni, bo Maksencjusz jest leworęczny. Tata był bardzo przeciwny, mówił, że będzie mi przeszkadzał w nauce i że też zostanę najgorszy. Mówił, że to szkodliwe dla wzroku i że przestaniemy ze sobą rozmawiać i czytać dobre książki. A potem mama powiedziała, że ostatecznie to nie taki zły pomysł, i tata zdecydował, że dobrze, kupi telewizor.

Dzisiaj mają go przywieźć. Nie mogę się doczekać. Tata niczego po sobie nie pokazuje, ale też się niecierpliwi, szczególnie odkąd pochwalił się panu Blédurt, naszemu sąsiadowi, który nie ma telewizora.

W końcu przed nasz dom zajechała ciężarówka i zobaczyliśmy, jak wysiada z niej pan z telewizorem, który wyglądał na bardzo ciężki.

– Telewizor to tutaj? – spytał pan.

Tata mu odpowiedział, że tak, i poprosił, żeby zaczekał chwilę, zanim wejdzie do domu. Podszedł do żywopłotu, który oddziela nasz ogród od ogrodu pana Blédurt, i zawołał:

– Blédurt! Chodź zobaczyć!

Pan Blédurt, który chyba patrzył na nas z okna, natychmiast
wyszedł.

– Czego chcesz? – zapytał. – Człowiek nie ma chwili spokoju!

– Chodź zobaczyć mój telewizor! – krzyknął tata, bardzo
dumny.

Pan Blédurt podszedł, nie spiesząc się, ale ja go znam, jest
strasznie ciekawski.

– Pfff! – powiedział pan Bledurt. – To mały ekran.

– Mały ekran – odpowiedział tata – mały ekran. Chyba na głowę upadłeś! Dwadzieścia jeden cali! Po prostu mi zazdrościsz!

Pan Blédurt się roześmiał, ale raczej nieszczerze.

– Ja ci zazdroszczę? – parsknął. – Gdybym chciał kupić telewizor, dawno już bym to zrobił. Ja mam pianino, mój drogi! Mam
płyty z muzyką poważną, mój drogi! Mam książki, mój drogi!

– Gadaj zdrów! – krzyknął tata. – Zazdrościsz mi i tyle!

– Tak? – zapytał pan Blédurt.

– Tak! – odpowiedział tata i wtedy pan, który trzymał telewizor, spytał, czy to długo potrwa, bo telewizor jest ciężki, a on ma jeszcze jechać do innych klientów. Całkiem o nim zapomnieliśmy!

Tata wprowadził pana do domu. Pan miał spoconą twarz, telewizor był najwyraźniej bardzo ciężki.

– Gdzie go postawić? – spytał pan.

– No właśnie – powiedziała mama, która przyszła z kuchni bardzo zadowolona – no właśnie.

Mama przytknęła palec do policzka i zaczęła się zastanawiać.

– Proszę się zdecydować – sapnął pan – to ciężkie!

– Na stoliku w rogu, o tam – powiedział tata.

Pan już chciał tam iść, ale mama powiedziała, że nie, że przy tym stoliku pije herbatę, kiedy przyjmuje przyjaciółki. Pan zatrzymał się i ciężko westchnął. Mama wahała się między szafką, która nie była dość solidna, komódką, ale przed nią nie można

by postawić foteli, a sekretarzykiem, który się nie nadawał z powodu okna.

– To jak, decydujesz się? – spytał tata, podenerwowany.

Mama się obraziła, powiedziała, że nie lubi, jak się ją pogania,
i że nie życzy sobie, żeby mówiono do niej tym tonem, zwłaszcza przy obcych.

– Szybko, bo go upuszczę! – krzyknął pan i mama od razu
pokazała mu stolik, o którym mówił tata.

Pan postawił telewizor na stoliku i głośno powiedział „uff".
Myślę, że ten telewizor jest naprawdę bardzo ciężki.

Pan włączył wtyczkę do kontaktu, zaczął kręcić różnymi gał-
kami i ekran się zapalił, ale zamiast kowbojów albo brzydkich
grubasów, którzy ze sobą walczą jak w telewizorze Kleofasa, zobaczyliśmy pełno błysków i punkcików.

– Nie może lepiej działać? – zapytał tata.

– Trzeba podłączyć antenę – odpowiedział pan – ale za długo
mnie państwo zatrzymali, wrócę niebawem, jak załatwię inne
dostawy.

I sobie poszedł.

Ja bardzo żałowałem, że telewizor jeszcze nie działa. Rodzice
chyba też.

– A więc umowa stoi – powiedział tata – kiedy każę ci iść odrabiać lekcje albo kłaść się do łóżka, będziesz mnie słuchał!

– Tak, tato – zgodziłem się – tylko nie wtedy, kiedy będzie
film o kowbojach.

Tata się strasznie zezłościł, powiedział, że nieważne, czy film
będzie o kowbojach czy nie, kiedy mi powie, że mam iść, będę
musiał iść, no i się rozpłakałem.

– No wiesz – powiedziała mama – dlaczego na niego krzyczysz, biedactwo przez ciebie płacze!

– Tak – powiedział tata – broń go!

Mama zaczęła mówić bardzo powoli, jak zawsze, kiedy jest naprawdę zła. Powiedziała tacie, że trzeba być wyrozumiałym i że sam nie byłby zadowolony, gdyby mu zabroniono oglądać te okropne mecze piłki nożnej.

– Okropne mecze piłki nożnej? – krzyknął tata. – Wyobraź sobie, że właśnie po to, żeby oglądać te okropne mecze, jak je nazywasz, kupiłem ten telewizor!

Mama powiedziała, że ładnie się zapowiada, i tutaj się z nią zgadzałem, bo mecze piłki nożnej są super!

– Owszem – powiedział tata – nie kupiłem tego telewizora, żeby oglądać programy kulinarne, chociaż tobie by się przydało!

– Mnie by się przydało? – zapytała mama.

– Tak, tobie by się przydało – odpowiedział tata – może nauczyłabyś się nie przypalać makaronu, jak wczoraj wieczór!

Mama się rozpłakała, powiedziała, że to czarna niewdzięczność i że przeprowadzi się do swojej mamy, która jest moją Bunią. Chciałem jakoś naprawić sytuację.

– Wczoraj makaron nie był przypalony – powiedziałem – raczej przedwczoraj piure.

Ale to nic nie pomogło, bo wszyscy byli bardzo zdenerwowani.

– Pilnuj swojego nosa! – krzyknął tata, więc znów zacząłem płakać, powiedziałem, że jestem bardzo nieszczęśliwy, że to czarna niewdzięczność i że będę oglądać kowbojów u Kleofasa.

Tata spojrzał na mnie i na mamę, podniósł ręce do sufitu, zaczął chodzić po salonie, a potem stanął przed mamą i powiedział, że w piure najbardziej lubi spaleniznę i że kuchnia mamy jest na pewno lepsza od tej z telewizji. Mama przestała płakać, westchnęła szybko kilka razy i powiedziała, że właściwie to bardzo lubi mecze piłki nożnej.

– Daj spokój – powiedział tata i pocałowali się.

Ja powiedziałem, że mogę obejść się bez kowbojów, więc rodzice mnie też pocałowali. Byliśmy wszyscy bardzo zadowoleni.

Mniej zadowolony i bardzo zdziwiony był pan od telewizora, bo kiedy przyszedł podłączyć antenę, oddaliśmy mu odbiornik, mówiąc, że nie podobają nam się programy.

Korepetycje

Kiedy w domu wydało się, że wypadłem najgorzej na klasówce z matematyki, zrobiła się straszna afera! Jakby to była moja wina, że Kleofas jest chory i nie było go na klasówce! No bo co w końcu, kurczę blade, ktoś musi być najgorszy, kiedy go nie ma!

Tata bardzo krzyczał, mówił, że szykuję sobie piękną przyszłość, no! no!, i że warto było wypruwać z siebie żyły, żeby osiągnąć taki rezultat, ale że oczywiście, ja myślę tylko o zabawie, a nie o tym, że kiedyś go zabraknie i kto wtedy zapewni mi byt, że on w moim wieku był zawsze wzorowym uczniem, że jego tata był strasznie dumny z mojego taty i że zastanawia się, czy nie lepiej oddać mnie do terminu w pierwszym lepszym warsztacie, zamiast dalej posyłać do szkoły, a ja powiedziałem, że bardzo chętnie zostanę terminatorem. Wtedy tata zaczął wykrzykiwać mnóstwo niemiłych rzeczy, a mama powiedziała, że jest pewna, że postaram się uzyskać w szkole lepsze wyniki.

– Nie – powiedział tata. – To byłoby zbyt proste. Tak łatwo mu to nie przejdzie. Znajdę korepetytora, zapłacę, ile będzie trzeba, ale nie chcę, żeby mówiono, że mój syn jest kretynem. W czwartki, zamiast oglądać jakieś głupoty w kinie, będzie pobierał lekcje matematyki. Dobrze mu to zrobi.

No więc zacząłem płakać, krzyczeć i kopać, gdzie popadnie. Powiedziałem, że nikt mnie nie kocha, że wszystkich pozabijam, a potem sam się zabiję, i tata zapytał, czy chcę dostać klapsa. Wtedy się obraziłem, mama powiedziała, że przez każdy taki wieczór przybywa jej kilka lat, i siedliśmy do kolacji. Były frytki. Przepyszne.

Następnego dnia tata oznajmił mamie, że Barlier, kolega taty, który pracuje w tym samym biurze, polecił mu korepetytora, syna swojego kuzyna, który podobno jest świetny z matematyki.

– To student – powiedział tata – pierwszy raz będzie udzielał lekcji, ale tym lepiej, ma świeży umysł i nie popadł jeszcze w rutynę. Poza tym warunki są korzystne.

Próbowałem jeszcze trochę popłakać, ale tata spojrzał na mnie groźnie, a mama powiedziała, że jeśli powtórzymy scenę z wczorajszego wieczora, to ona wyprowadzi się z domu. Więc nic już nie mówiłem, ale dąsałem się aż do deseru (budyń!).

A potem, w czwartek po południu, ktoś zadzwonił do drzwi, mama poszła otworzyć i wpuściła pana w grubych okularach, który wyglądał jak Ananiasz, tylko trochę starszy.

– Nazywam się Cazalès – powiedział pan. – Przychodzę w sprawie korepetycji.

– Doskonale – powiedziała mama. – Jestem mamą Mikołaja, a to jest Mikołaj, pański uczeń. Mikołaj! Chodź przywitać się z panem nauczycielem.

Z panem Cazalèsem podaliśmy sobie rękę bez ściskania. Ręka pana Cazalèsa była cała mokra. Trochę się bałem, ale mama kazała mi zaprowadzić pana Cazalèsa do mojego pokoju, żeby mi udzielił lekcji. Weszliśmy do pokoju i usiedliśmy przy moim stole.

– Ych... – zaczął pan Cazalès. – Co robicie w szkole?

– Bawimy się w Lancelota – odpowiedziałem.

– W Lancelota? – spytał pan Cazalès.

– Tak, do zeszłego tygodnia graliśmy w zbijaka – wyjaśniłem – ale Rosół, nasz opiekun, skonfiskował nam piłkę i do końca półrocza nie wolno przynosić innej. A żeby się bawić w Lancelota, wystarczy, że jeden stanie na czworakach, o tak, i jest koniem, a drugi siada na nim i jest rycerzem. A potem rycerze walczą, waląc się po głowach. To Euzebiusz wymyślił tę zabawę, a Euzebiusz...

– Proszę usiąść z powrotem! – powiedział pan Cazalès, który patrzył na mnie zza okularów okrągłymi oczyma.

Więc siadłem z powrotem, a pan Cazalès powiedział, że nie pyta o to, co robimy na przerwie, ale o to, co robimy na matematyce. To mnie zbiło z tropu, nie myślałem, że tak od razu weźmiemy się do pracy.

– Robimy ułamki – powiedziałem.

– Dobrze – powiedział pan Cazalès – proszę pokazać mi zeszyt.

Pokazałem mu i pan Cazalès popatrzył na zeszyt. Potem popatrzył na mnie, zdjął okulary, przetarł szkła i znowu popatrzył na zeszyt.

– To co jest dużymi literami na czerwono, to są uwagi pani – wytłumaczyłem.

– Tak – powiedział pan Cazalès. – No to zacznijmy. Co to jest ułamek?

Ponieważ nie odpowiadałem, pan Cazalès powiedział:

– To jest liczba...

– To jest liczba – powtórzyłem.

– Wyrażająca jedną lub więcej...

– Wyrażająca jedną lub więcej – powtórzyłem.

– Części całości...

– Części całości – powtórzyłem.

– Podzielonej na co? – spytał mnie pan Cazalès.

– Nie wiem – odpowiedziałem.

– Podzielonej na równe części!

– Podzielonej na równe części! – powtórzyłem.

Pan Cazalès otarł sobie czoło.

– Wyjaśnijmy to – powiedział – na konkretnym przykładzie. Weźmy na przykład ciastko, albo jabłko... Albo nie. Masz tutaj zabawki?

Więc otworzyliśmy szafę, mnóstwo zabawek wypadło, pan Cazalès wziął kulki, położył je na podłodze i usiedliśmy na dywanie.

– Jest tutaj osiem kulek – powiedział pan Cazalès. – Przyjmiemy, że te osiem kulek stanowi całość. Biorę trzy. Proszę wyrazić ułamkiem, jak mają się te kulki w stosunku do całości... Stanowią...

– Stanowią – powtórzyłem.

Pan Cazalès zdjął okulary, przetarł je i zobaczyłem, że ręka mu trochę drży. Zupełnie jak Ananiaszowi, który też drży, kiedy zdejmuje okulary, żeby je przetrzeć, bo zawsze się boi, że mu przylejemy, zanim zdąży je z powrotem włożyć.

– Spróbujmy czego innego – powiedział pan Cazalès. – Połą-
czymy ze sobą szyny...

Więc połączyłem w koło dziesięć szyn i zapytałem, czy mogę
postawić na nich lokomotywę i wagon towarowy, ostatni, który
został po tym, jak Alcest wszedł na wagon pasażerski. Alcest to
mój kolega, który jest bardzo ciężki.

– Proszę bardzo – powiedział pan Cazalès. – Dobrze. Te dziesięć szyn stanowi dziesięć części tego koła. Gdybym teraz wziął
jedną szynę...

– To pociąg by się wykoleił – powiedziałem.

– Nie mówię o pociągu! – krzyknął pan Cazalès. – Nie jesteśmy tu, żeby bawić się pociągiem! Zaraz stąd zabiorę ten
pociąg!

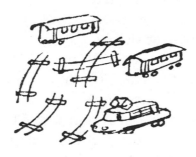

Pan Cazalès miał taką groźną minę, że zacząłem płakać.

– Nie widzę nic złego w tym, że się razem bawicie, ale przynajmniej się nie kłóćcie!

Tak powiedział do nas tata. Wszedł do pokoju, a pan Cazalès
patrzył na niego okrągłymi oczami, trzymając w ręku lokomotywę i wagon towarowy.

– Ale ja... ale ja... – zaczął pan Cazalès.

Myślałem, że też zaraz się rozpłacze, ale powiedział: „A zresztą, chrzanię to!". Wstał z dywanu i sobie poszedł.

Pan Cazalès więcej nie przyszedł. Tata pokłócił się z panem Barlier, a ja się poprawiłem: Kleofas wyzdrowiał i już nie jestem ostatni.

Nowa

Wczoraj, pod koniec lekcji, pani poprosiła nas o ciszę i powiedziała:

– Dzieci, muszę was zawiadomić, że wyjeżdżam na kilka dni. Okoliczności rodzinne wzywają mnie na wieś, a ponieważ moja nieobecność potrwa prawie tydzień, od jutra zastąpi mnie inna pani. Liczę na to, że będziecie się pilnie uczyli i grzecznie zacho-

wywali, i jestem pewna, że przyniesiecie mi chlubę. Mam więc nadzieję, że po powrocie nie będę musiała się za was wstydzić. Zrozumieliście? Dobrze! Ufam wam, do zobaczenia w przyszłym tygodniu. A teraz możecie wyjść.

Wstaliśmy i podaliśmy pani rękę, bardzo zaniepokojeni. Ja miałem w gardle wielką gulę. Bo naprawdę bardzo lubimy naszą panią, która jest strasznie fajna, i wcale nam nie do śmiechu, że przyjdzie inna. Najbardziej zmartwiony był Kleofas: jest najgorszym uczniem w klasie i dla niego to straszne zmienić panią. Nasza jest już do niego przyzwyczajona i nawet jak mu daje karę, to nic się takiego nie dzieje.

– Spróbuję zdobyć usprawiedliwienie na ten tydzień – powiedział Kleofas, kiedyśmy wychodzili. – No bo co w końcu, nie wolno ot tak sobie zmieniać nam pań!

Ale dziś rano Kleofas przyszedł jak wszyscy i byliśmy strasznie zdenerwowani.

– Wczoraj do późna się uczyłem – powiedział nam Kleofas. – Nawet nie oglądałem telewizji. Myślicie, że mnie zapyta?

– Pierwszego dnia może nie będzie stawiała stopni – westchnął Maksencjusz.

– Akurat! – powiedział Euzebiusz. – Będzie się patyczkować!

– Ktoś już ją widział? – spytał Joachim.

– Ja ją widziałem – powiedział Gotfryd. – Jak wchodziłem do szkoły.

– Jaka jest? Jaka? – zapytaliśmy wszyscy.

– Wysoka i chuda – powiedział Gotfryd. – Bardzo wysoka. Bardzo chuda.

– Groźnie wygląda? – spytał Rufus.

Gotfryd wydął policzki i pomachał ręką z góry na dół.

Nic więcej nie powiedzieliśmy, Alcest schował rogala do kieszeni, nie kończąc go. A potem zadzwonił dzwonek. Ustawiliśmy się rzędem, jak wtedy, kiedy idziemy na badania lekarskie. Nikt nic nie mówił, Kleofas wziął książkę do geografii i zaczął powtarzać rzeki. A potem inne klasy sobie poszły, zostaliśmy sa-

mi na dziedzińcu i zobaczyliśmy dyrektora z nową panią, która nie była ani bardzo wysoka, ani bardzo chuda. Straszny kłamca z tego Gotfryda! Założę się, że wcale jej nie widział.

– Dzieci – powiedział dyrektor – jak wiecie, wasza pani musiała na kilka dni wyjechać. Ponieważ jej nieobecność potrwa prawie tydzień, pani Navarin przejmie jej funkcje, zastąpi ją, jeśli wolicie. Mam nadzieję, że będziecie się grzecznie zachowywać, przykładać do nauki i że wasza nowa pani nie będzie miała powodów się na was skarżyć. Zrozumiano?... Może ich pani zabrać.

Nowa pani dała nam znak i poszliśmy do klasy.

– Zajmijcie swoje miejsca, tylko po cichu, proszę – powiedziała nowa pani.

I dziwnie nam się zrobiło, kiedy zobaczyliśmy, jak siada przy biurku naszej prawdziwej pani.

– Dzieci – powiedziała nowa pani – jak wam już wspomniał Pan Dyrektor, nazywam się Navarin. Wiecie, że wasza pani musiała udać się na kilka dni na wieś. Będę więc zastępować ją przez ten czas. Liczę, że będziecie grzeczni, że będziecie się pilnie uczyli, i mam nadzieję, że nie będę musiała się na was skarżyć, kiedy wasza pani wróci. Jestem, przekonacie się o tym, surowa, ale sprawiedliwa. Jeżeli będziecie się dobrze sprawować, wszystko pójdzie jak najlepiej. Myślę, że się zrozumieliśmy. A teraz do pracy...

Pani Navarin otworzyła swoje zeszyty i powiedziała:

– Z rozkładu lekcji i notatek, które zostawiła mi wasza pani, widzę, że dzisiaj rano mamy geografię i że wasza lekcja dotyczy rzek... Ale potrzebna nam będzie mapa Francji... Kto po nią pójdzie?

Ananiasz wstał, bo jako najlepszy uczeń i pupilek zawsze chodzi po różne rzeczy, napełnia kałamarze, zbiera klasówki i ściera tablicę.

– Siadaj! – powiedziała pani Navarin. – Trochę dyscypliny. Nie wszyscy naraz... Sama wskażę ucznia, który pójdzie po mapę... Ty, tam na końcu! Tak, ty, w ostatnim rzędzie. Jak się nazywasz?

– Kleofas – powiedział Kleofas, który zrobił się blady jak papier.

– Dobrze – powiedziała pani Navarin – a więc, Kleofas, idź i przynieś nam mapę Francji, tę z rzekami i górami. I nie marudź po drodze.

– Ale, proszę pani... – zaczął Ananiasz.

– Ach, widzę, że mamy tu mądralę – powiedziała pani Navarin. – Ale mądralom, mój mały, to ja ucieram nosa! Siadaj.

Kleofas wyszedł strasznie zdziwiony i wrócił z mapą, zdyszany i dumny jak nie wiem co.

– Szybko się uwinąłeś, Teobald – powiedziała pani Navarin. – Dziękuję... Ciszej, chłopcy!... Bądź tak dobry i powieś tę mapę na tablicy... Świetnie, a skoro już tu jesteś, powiedz nam, co wiesz o Sekwanie.

– Sekwana ma źródła na wyżynie Langres – powiedział Kleofas – jej długość wynosi 776 kilometrów, ma bardzo kręte koryto i wpada do cieśniny La Manche. Jej główne dopływy to Aube, Marna, Oise, Yonne...

– Bardzo dobrze, Teobald – pochwaliła go pani Navarin. – Widzę, że umiesz. Wracaj na miejsce. Bardzo dobry.

I Kleofas wrócił na swoje miejsce, cały czerwony, z głupim uśmiechem na twarzy i wciąż jeszcze zdyszany.

– A teraz ty, dowcipnisiu – powiedziała pani Navarin, pokazując palcem Ananiasza. – Tak, ty, który tak lubisz mówić. Wymień mi, nie opuszczając ławki, pozostałe dopływy Sekwany.

– No – zaczął dukać Ananiasz – no... Jest Aube, Marna, Oise...

– Tak – powiedziała pani Navarin. – Zamiast wygłupiać się na lekcji, lepiej wziąłbyś przykład ze swojego kolegi Teobalda.

A Ananiasz tak się zdziwił, że każą mu brać przykład z Kleofasa, że nawet się nie popłakał.

Następnie nowa pani zapytała mnie, potem Alcesta, potem Euzebiusza i powiedziała, że nie jest źle, ale na pewno stać nas na więcej. A potem przerobiła z nami nową lekcję – góry – i nikt się nie wygłupiał, chociaż byliśmy dużo mniej zdenerwowani niż na początku. Alcest zaczął jeść po kawałku swój rogal.

A potem pani poprosiła Kleofasa, żeby odniósł mapę, a kiedy wrócił, zadzwonił dzwonek na przerwę i wyszliśmy z klasy.

Na dziedzińcu zaczęliśmy od razu rozmawiać o nowej pani i stwierdziliśmy, że nie jest taka zła, że jest dosyć miła i że nawet, kiedy już się do nas przyzwyczaiła, uśmiechnęła się, mówiąc, żebyśmy poszli na przerwę.

– Ja tam jej nie ufam – powiedział Joachim.

– E tam – powiedział Maksencjusz. – Starczy tego gadania: jasne że wolimy naszą prawdziwą panią, ale pani to zawsze pani i nic się na to nie poradzi.

Maksencjusz miał rację i postanowiliśmy zagrać w nogę, zanim skończy się przerwa. W mojej drużynie bramkarzem był Ananiasz.

Zajął miejsce tego wstrętnego pupilka Kleofasa, który powtarzał historię.

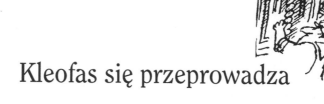

Kleofas się przeprowadza

KLEOFAS SIĘ STRASZNIE CIESZY, bo będzie się przeprowadzał i rodzice napisali mu usprawiedliwienie, że nie przyjdzie do szkoły po południu.

– Będę potrzebny rodzicom do pomocy – powiedział nam Kleofas. – Przeprowadzamy się do niesamowitego mieszkania niedaleko od miejsca, gdzie teraz mieszkam. Będę miał najfajniejsze mieszkanie z was wszystkich.

– Nie rozśmieszaj mnie – powiedział Gotfryd.

– To ty mnie nie rozśmieszaj – krzyknął Kleofas. – Mamy trzy pokoje i zgadnij co? Bawialnię! A ty, masz w domu bawialnię?

– My mamy pełno bawialni! – krzyknął Gotfryd. – Więc twoja bawialnia mnie śmieszy, wiesz?

Gotfryd się roześmiał, a Kleofas spojrzał na Gotfryda, udając, że wkręca sobie palec w bok głowy, ale nie mogli się pobić z powodu Rosoła, który stał w pobliżu. (Rosół to nasz opiekun).

– Chcesz – powiedział Euzebiusz – to po szkole przyjdziemy pomóc ci w przeprowadzce.

Kleofas stwierdził, że to świetny pomysł i że jego rodzice na pewno się ucieszą, jak pomożemy im w przeprowadzce, więc wszyscy postanowiliśmy iść oprócz Gotfryda, który powiedział, że nie będzie pomagał jakimś idiotom przeprowadzać się do mieszkań z beznadziejnymi bawialniami, a ponieważ Rosół poszedł zadzwonić na koniec przerwy, Kleofas i Gotfryd zdążyli jeszcze się trochę pobić.

W domu przy obiedzie mama zdziwiła się, kiedy jej powiedziałem, że rodzice Kleofasa chcą, żebyśmy z chłopakami pomogli im w przeprowadzce.

– Dziwny pomysł – powiedziała mama – ale w końcu to niedaleko, więc skoro masz ochotę... Tylko się nie pobrudź i nie wracaj za późno.

Po wyjściu ze szkoły z Euzebiuszem, Rufusem, Joachimem i Maksencjuszem pobiegliśmy do domu Kleofasa. Alcest nie mógł z nami iść, bo przypomniał sobie, że musi wracać do domu na podwieczorek.

Przed domem Kleofasa stała duża ciężarówka i mama Kleofasa. Nie zauważyła nas, bo właśnie coś mówiła do dwóch robotników grubych jak nie wiem co, którzy ładowali sofę do ciężarówki.

– Uważajcie, panowie – mówiła mama Kleofasa. – Ta sofa jest delikatna. Prawa noga słabo się trzyma.

– Spokojna głowa, szefowo – powiedział jeden z robotników – mamy wprawę.

Na schodach musieliśmy poczekać, bo inni robotnicy znosili wielką szafę.

– Nie stójcie tu, chłopcy! – powiedział do nas jeden z robotników.

Weszliśmy do mieszkania Kleofasa, drzwi były otwarte, a w środku panował straszny bałagan: wszędzie pełno było skrzyń, mebli i słomy. Ojciec Kleofasa, w samej koszuli, rozmawiał z robotnikami, którzy obwiązywali sznurem kredens i mówili mu, żeby się nie przejmował, bo oni mają wprawę.

– To przez te drzwiczki, otwierają się – tłumaczył ojciec Kleofasa.

A potem przyszedł Kleofas i powiedział nam „Cześć". Ojciec Kleofasa odwrócił głowę i zdziwił się, że nas widzi.

– Oooo! – zawołał. – Co tu robicie?

– Przyszli pomagać – wyjaśnił Kleofas.

– Nie stójcie tu, dzieci – powiedział jakiś robotnik.

– Tak, tak – powiedział ojciec Kleofasa, który wyglądał na strasznie zdenerwowanego. – Nie stójcie tu. Kleofas, zabierz kolegów do swojego pokoju i sprawdź, czy nic nie zostało w szafach, bo jak skończymy ze stołowym, zajmiemy się twoim pokojem.

I kiedy ojciec Kleofasa udzielał robotnikom mnóstwa rad, poszliśmy z Kleofasem do jego pokoju.

W pokoju Kleofasa był bałagan: wszędzie stały skrzynie pełne słomy – meble, z rozmontowanym łóżkiem, stłoczono w kącie. Szafy były pootwierane i puste w środku.

– Sam wszystko zapakowałeś? – spytałem Kleofasa.

– Nie – odpowiedział Kleofas. – Robotnicy. Widzisz, ładują rzeczy do skrzyń i upychają słomą.

– Popatrz! – krzyknął Maksencjusz. – Twój wóz strażacki!

Wyjęliśmy wóz strażacki, który jest naprawdę super pomimo zużytej baterii, i Kleofas powiedział, że dostał od cioci Eurydyki fort z Indianami, którego nam jeszcze nie zdążył pokazać. Mieliśmy kłopot ze znalezieniem fortu – był na dnie jednej ze skrzyń i dopiero Rufusowi udało się go wyciągnąć.

– Słomę wsadzimy z powrotem do skrzyń – powiedział Kleofas. – A jeśli trochę zostanie na podłodze, to nic nie szkodzi, w końcu już tutaj nie mieszkamy.

Fort Kleofasa był ekstra, z Indianami i kowbojami. Poza tym odkryłem masę samochodzików, których jeszcze nie znałem.

– A statek? Widzieliście mój statek? – spytał Kleofas.

Pomogliśmy Kleofasowi postawić maszt z żaglami, bo oczywiście przed schowaniem do skrzyni trzeba było go zdemontować.

– Zaraz – zawołał Joachim – a gdzie twoja kolejka elektryczna? Nie widzę twojej kolejki. Dobrze, że sprawdziliśmy!

– Nie – odpowiedział Kleofas. – Kolejka jest w jednej ze skrzyń, które robotnicy załadowali już do ciężarówki. Była w szafie w sypialni rodziców, odkąd ojciec mi ją skonfiskował, jak ostatni raz zostałem zawieszony w szkole.

– Ale – powiedział Rufus – jeśli ją tam zostawisz, w nowym mieszkaniu rodzice znów schowają ją do swojej szafy. A jeśli

włożysz ją do którejś ze swoich skrzyń, będziesz mógł ją zatrzymać.

Kleofas przyznał Rufusowi rację i powiedział, żebym zszedł
z nim na dół poprosić robotników, żeby oddali mu kolejkę.
Na chodniku mama Kleofasa wciąż tłumaczyła robotnikom
problem z drzwiczkami od kredensu. Kiedy zobaczyła Kleofasa,
zrobiła wielkie oczy.

– A ty co tutaj robisz? – spytała. – Kto ci pozwolił zejść?

– Przyszedłem po kolejkę – powiedział Kleofas.

– Kolejkę? – zdziwiła się mama Kleofasa. – Jaką kolejkę?

– Kolejkę elektryczną – wyjaśnił Kleofas – bo jeżeli zostanie
w waszej skrzyni, to znów schowacie ją do swojej szafy, a ja chcę,
żeby była w mojej skrzyni, bo to niesprawiedliwe, żebyście w nowym mieszkaniu trzymali rzeczy, które żeście mi skonfiskowali
w starym, a tak będę mógł bawić się kolejką w bawialni.

– Nic z tego nie rozumiem! – krzyknęła mama Kleofasa –
A teraz bądź tak dobry i zostaw mnie w spokoju. Wracaj na górę,
i to szybko!

Ponieważ było widać, że mama Kleofasa nie żartuje, wróciliśmy do mieszkania i usłyszeliśmy krzyki taty Kleofasa. Kiedy weszliśmy do pokoju Kleofasa, tata Kleofasa powiedział do Kleofasa:

– Ach, jesteś! Ty chyba kompletnie zgłupiałeś, słowo daję! Po-
wyciągałeś wszystko ze skrzyń! Spójrz tylko na ten bałagan! Po-
możesz mi włożyć rzeczy na miejsce, a później porozmawiamy!
No już!

Kleofas i jego tata zaczęli z powrotem ładować rzeczy i słomę
do skrzyń, a potem do pokoju weszło dwóch robotników, którzy
nie wyglądali na zadowolonych.

– Co wy wyprawiacie? – spytał jeden z robotników. – Popsu-
liście naszą pracę!

– Włożymy wszystko na miejsce – obiecał tata Kleofasa.

– No to my umywamy ręce – powiedział robotnik. – Nie bierzemy za nic odpowiedzialności, jeżeli to pan pakuje! Bo my, proszę pana, mamy wprawę.

– Nie stójcie tu, dzieciaki – zawołał drugi robotnik.

Tata Kleofasa popatrzył na nas, westchnął ciężko i powiedział:

– Właśnie, właśnie. Wracajcie do domu, dzieci. Zresztą już późno i zaraz pojedziemy do nowego mieszkania. Musimy się wcześnie położyć, Kleofas, bo jutro trzeba będzie wszystko poustawiać.

– Przyjdziemy pomóc, jeśli pan chce – zaproponowałem.

Wtedy tata Kleofasa zachował się bardzo ładnie: powiedział, że jutro niedziela i że dość się już napracowaliśmy, więc da Kleofasowi pieniądze, żeby nas zabrał do kina.

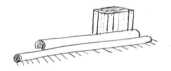

Dwa obozy

Na PRZERWIE bawiliśmy się spokojnie w dyliżans i w Indian. Rufus i Euzebiusz byli końmi, Maksencjusz i ja trzymaliśmy ich za pasek i byliśmy kierowcami dyliżansu. Reszta to byli Indianie i na nas napadali.

Śmialiśmy się na całe gardło, szczególnie po tym, jak Euzebiusz walnął Joachima pięścią w nos, a Joachim zaczął krzyczeć, że konie nie mają prawa dawać innym w nos.

– A to dlaczego? – spytał Rufus.

– Ty, koniu, siedź cicho! – krzyknął Kleofas.

I Rufus dał mu w nos.

Biliśmy się wszyscy, krzyczeliśmy, mieliśmy świetną zabawę, było super.

I wtedy przyszedł Rosół. Rosół to nasz opiekun... Naprawdę nazywa się Dubon, ma wąsy i lepiej z nim nie żartować.

– Spójrzcie mi wszyscy w oczy – powiedział Rosół. – Dlaczego zawsze wymyślacie takie brutalne i głupie zabawy? Na każdej przerwie to samo! Dlaczego nie znajdziecie sobie jakiejś inteligentnej, sportowej gry gwarantującej prawdziwą rozrywkę? Kiedy ja byłem w waszym wieku w szkole (gdzie byłem doskonałym uczniem), nie zachowywaliśmy się z kolegami jak dzikusy i cie-

118

szyliśmy się szacunkiem naszego opiekuna, wobec którego czuliśmy, tak jak być powinno, najwyższy respekt. A mimo to dobrze się bawiliśmy.

– Na przykład w co? – spytał Alcest.

– Co, w co? – powiedział Rosół, robiąc wielkie oczy.

– No w co się pan bawił z kolegami – odpowiedział Alcest i Rosół głęboko westchnął.

– Na przykład – powiedział Rosół – bawiliśmy się w dwa obozy. To bardzo zabawna i wcale nie brutalna gra.

– A jak się w to gra, psze pana? – zapytałem.

– Pokażę wam – powiedział Rosół.

Rosół wyjął z kieszeni kawałek kredy i narysował linię z jednej strony dziedzińca, a potem drugą linię z drugiej strony.

– Dobrze – powiedział Rosół. – Teraz podzielicie się na dwa obozy. Mikołaj, Alcest, Euzebiusz i Gotfryd staną na tamtej linii. Rufus, Kleofas, Joachim i Maksencjusz staną na tej, o tutaj.

Poszliśmy się wszyscy ustawić, oprócz Euzebiusza.

– Idź, Euzebiuszu – powiedział Rosół – czekają na ciebie.

– Nie chcę być w tym samym obozie co Gotfryd – powiedział Euzebiusz. – Wczoraj oszukiwał i wygrał ode mnie dwie kulki.

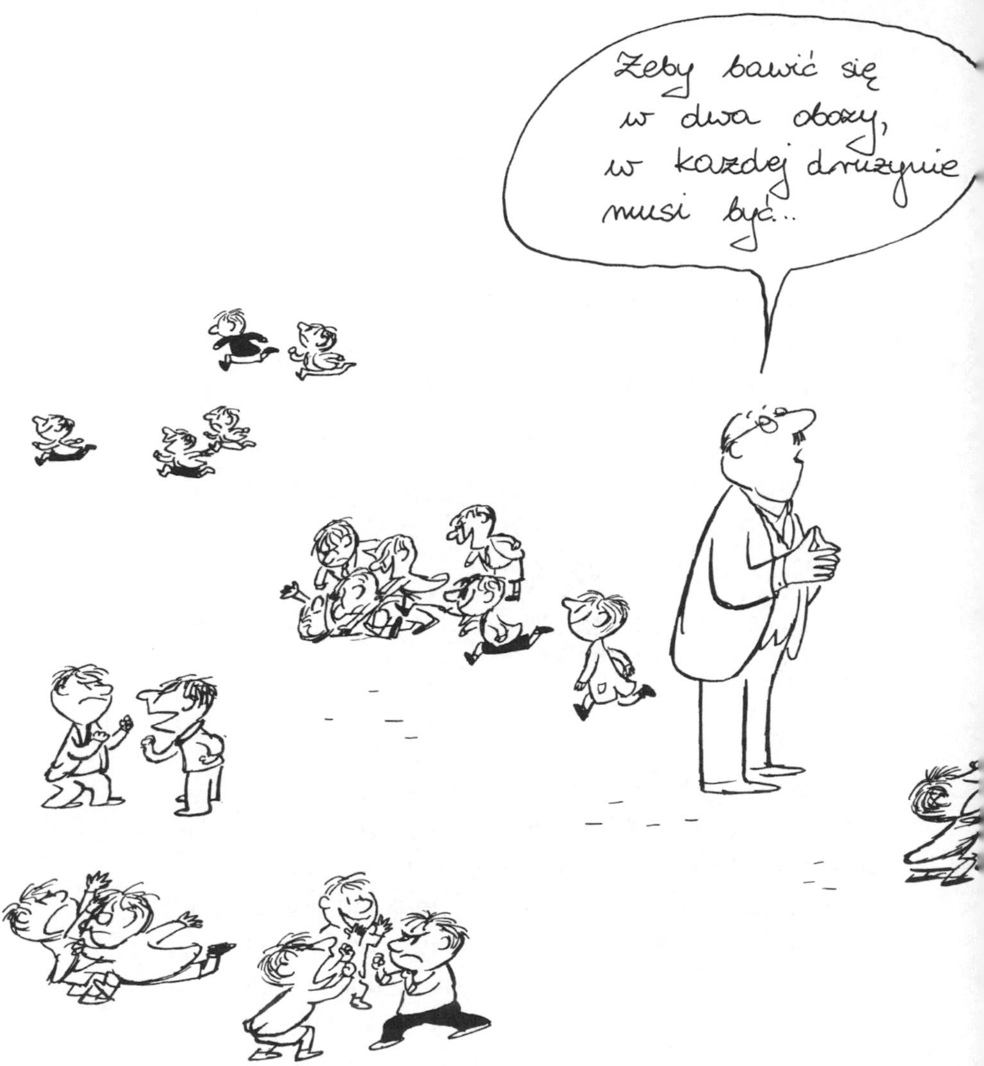
Żeby bawić się
w dwa obozy,
w każdej drużynie
musi być...

– Lepiej powiedz, że nie umiesz grać! – krzyknął Gotfryd.

– Chcesz dostać? – zapytał Euzebiusz.

– Cisza! – krzyknął Rosół. – Dobrze. Więc niech Euzebiusz zajmie miejsce Kleofasa, a Kleofas niech przejdzie do drużyny Gotfryda.

– O nie! – krzyknął Joachim. – Jeśli Euzebiusz ma być w naszej drużynie, to ja nie gram. Jak był koniem, strzelił mnie w nos, a nie miał prawa!

– No to – powiedział Makscencjusz – ja zajmę miejsce Gotfryda, a wtedy Euzebiusz wejdzie do drużyny, gdzie był Gotfryd, ale ponieważ Gotfryda już w niej nie będzie, wszystko będzie w porządku.

– Idę z tobą – powiedział Kleofas – my dwaj trzymamy się razem!

– Ja też – powiedział Joachim. – Maksencjusz szybko biega, wygramy.

– Mam zostać sam? – przeraził się Rufus. – Idę z wami.

I znaleźliśmy się wszyscy na jednej linii. Tworzyliśmy niesamowitą drużynę, ale nie było drużyny przeciwnej, więc nie było jak grać.

– Zaraz, minutę – krzyknął Euzebiusz. – Jeśli Gotfryd chce zostać w drużynie, to niech mi odda kulki, bo jak nie...

– Cisza! – krzyknął Rosół, który był cały czerwony na twarzy.
– Mikołaj, Alcest, Euzebiusz i Gotfryd, na tę linię! Rufus, Kleofas, Joachim i Maksencjusz, na tamtą! Jak który piśnie słowo, każę mu w czwartek siedzieć w szkole! Zrozumiano?

Posłuchaliśmy, bo jak już mówiłem, z Rosołem lepiej nie żartować.

– Dobrze! – powiedział Rosół. – A teraz, jak się gra w dwa obozy: pierwszy gracz z pierwszej drużyny, to znaczy Alcest, wychodzi do przodu, żeby sprowokować pierwszego gracza z drugiej drużyny, to znaczy Rufusa. Rufus goni Alcesta i próbuje wziąć go do niewoli. Wtedy drugi gracz z pierwszej drużyny, Euzebiusz, goni pierwszego gracza z drugiej drużyny, Rufusa, i tak dalej. Zrozumieliście?

– Czy co zrozumieliśmy, psze pana? – spytał Kleofas.

Rosół zrobił się jeszcze bardziej czerwony niż przedtem i powiedział, żebyśmy zaczęli grać, to zaraz się wszystkiego nauczymy.

– Alcest, zaczynaj! – powiedział Rosół.

– Jem teraz kanapkę z dżemem – oświadczył Alcest.

Rosół przejechał sobie ręką po twarzy i powiedział:

– Alceście, ostatni raz mówię, zaczynaj! Bo inaczej zatrzymam cię w szkole przez całe wakacje!

Więc Alcest ruszył w stronę drugiej drużyny, jedząc kanapkę.

– Dobrze, Rufus, biegnij za nim – krzyknął Rosół. – Spróbuj go wziąć do niewoli, chwytając go za ramię.

Rufus podbiegł do Alcesta i chwycił go za ramię.

– A teraz co z nim robię, psze pana? – spytał Rufus.

– Ależ, Alceście, trzeba było uciekać! – krzyknął Rosół. – Teraz jesteś w niewoli! Ruszajcie się, do diabła!

– Psze pana, Euzebiusz mnie bije! – krzyknął Gotfryd.

– Nie dość, że jesteś oszustem, to jeszcze skarżypytą! – krzyknął Euzebiusz.

Rosół pobiegł ich rozdzielać, a Kleofas razem z nim.

– Co tutaj robisz? – spytał Rosół.

– Zrozumiałem pana grę – powiedział Kleofas. – Sprowokuję Mikołaja, który zacznie mnie gonić...

I bęc! piłka uderzyła Kleofasa w plecy.

– Kto rzucił tę piłkę? – krzyknął Rosół.

– Ja! – powiedział Joachim. – Kleofas jest moim jeńcem.

– Idiota – powiedział Kleofas – tak jest w zbijaku! A nie w dwóch obozach. Zresztą nie musisz mnie brać do niewoli, jesteśmy w jednej drużynie!

– Nie chcę być z tobą w jednej drużynie! – krzyknął Joachim.

Wtedy Kleofas odwrócił się, żeby pogadać z Joachimem, a ja z tego skorzystałem: podbiegłem i chwyciłem go za ramię, żeby go wziąć do niewoli.

– Dobra robota! – powiedział Rufus.

– Ty, koniu, się zamknij! – krzyknął Kleofas, który nie chciał, żebym go ze sobą zabrał – straszny z niego oszust! – i który mnie uderzył.

– Zjadłem swoją kanapkę, możemy zaczynać – powiedział Alcest.

Ale nikt go nie słuchał: biliśmy się wszyscy i śmialiśmy. A potem zadzwonił dzwonek.

– Ustawić się w pary i żebym was więcej nie słyszał! – powiedział Rosół, któremu nawet białka oczu zrobiły się czerwone.

Dziwne, wydaje mi się, że ta przerwa była dużo krótsza od innych – może dlatego, że tak dobrze się bawiliśmy.

Bo gra w dwa obozy jest super! Tylko że, między nami mówiąc, przy takich grach opiekun Rosoła nie miał chyba łatwego życia!...

Cukierek

Dziś PO POŁUDNIU, KIEDY WRÓCIŁEM ZE SZKOŁY, mama powiedziała:

– Mikołaj, bądź tak dobry i po podwieczorku idź kupić mi pół kilo cukru pudru.

Mama dała mi pieniądze i poszedłem do sklepu bardzo zadowolony, bo lubię pomagać mamie, a poza tym pan Compani, właściciel sklepu, jest strasznie fajny i kiedy mnie widzi, zawsze mi coś daje – najbardziej lubię ciasteczka, które są na dnie dużego pudełka, połamane, ale jeszcze bardzo dobre.

– O, Mikołaj! – powiedział pan Compani. – Przychodzisz w dobrym momencie. Dam ci coś fantastycznego!

Pan Compani schylił się za swoim kontuarem, a kiedy się podniósł, trzymał w rękach kotka. Małego kotka, ślicznego jak nie wiem co, który spał.

– To synek Bułeczki – powiedział pan Compani. – Bułeczka urodziła czworo dzieci i nie mogę ich wszystkich zatrzymać. A ponieważ nie lubię zabijać zwierząt, wolę oddawać je takim grzecznym chłopcom jak ty. Więc zatrzymam trzy pozostałe, a tobie podaruję Cukierka. Będziesz mu dawał mleko i będziesz o niego dbał.

Bułeczka to kotka pana Companiego. Jest bardzo gruba i cały czas śpi na wystawie, nigdy nie przewraca puszek, a kiedy się ją głaszcze, zachowuje się bardzo miło: nie drapie, tylko mruczy: „mrrrr".

Ucieszyłem się tak, że nie potrafię wam tego opisać. Wziąłem Cukierka na ręce, był cały ciepły, i wybiegłem. Potem wróciłem po pół kilo cukru pudru.

Kiedy wszedłem do domu, zawołałem:

– Mamo! Mamo! Zobacz, co dostałem od pana Companiego!

Kiedy mama zobaczyła Cukierka, otworzyła szeroko oczy, uniosła brwi i powiedziała:

– Ależ to jest kot!

– Tak – wyjaśniłem. – Nazywa się Cukierek, jest synem Bułeczki, pije mleko i nauczę go różnych sztuczek.

– Nie, Mikołaj – powiedziała mama. – Mówiłam ci sto razy, że nie życzę sobie w domu zwierząt. Już kiedyś przyniosłeś mi psa, a potem kijankę i za każdym razem był dramat. Powiedziałam nie i koniec! Odniesiesz to zwierzę panu Companiemu!

– Och, mamo! Mamusiu! – krzyknąłem.

Ale mama nie chciała o niczym słyszeć, więc się rozpłakałem, powiedziałem, że nie zostanę w domu bez Cukierka, że jeśli odniosę Cukierka panu Companiemu, to pan Compani zabije Cukierka, a jeśli pan Compani zabije Cukierka, to ja też się zabiję, że w domu nigdy mi niczego nie wolno i że kolegom pozwalają na mnóstwo rzeczy, których mnie się zabrania.

– A więc – powiedziała mama – to bardzo proste. Skoro twoim kolegom wszystko wolno, daj tego kota któremuś z nich. Bo tutaj nie może zostać i jeśli dalej będziesz mi zawracał głowę, pójdziesz spać bez kolacji. Zrozumiano?

Ponieważ zorientowałem się, że nic już się nie da zrobić, wyszedłem z domu z Cukierkiem, który spał, i zacząłem się zastanawiać, którego kolegę poprosić, żeby się nim zaopiekował. Gotfryd i Joachim mieszkają za daleko, natomiast Maksencjusz ma psa i wątpię, czy Cukierek polubiłby psa Maksencjusza. W końcu poszedłem do Alcesta, dobrego kumpla, który bez przerwy je. Alcest otworzył mi drzwi: miał pełne usta i zawiązaną pod brodą serwetkę.

– Właśnie jem podwieczorek – powiedział, plując wszędzie okruchami. – Czego chcesz?

Pokazałem mu Cukierka, który zaczął ziewać, i powiedziałem, że mu go daję, że nazywa się Cukierek, że pije mleko i że będę go często odwiedzał.

– Kot? – zdziwił się Alcest. – Nie. Rodzice się nie zgodzą. Poza tym taki kot łazi po kuchni i zjada mnóstwo rzeczy, jak się go nie pilnuje. Wystygnie mi czekolada, cześć!

I Alcest zamknął drzwi. Więc razem z Cukierkiem poszliśmy do Rufusa. Drzwi otworzyła mi mama Rufusa.

– Chcesz rozmawiać z Rufusem, Mikołaju? – spytała, patrząc na Cukierka. – Właśnie odrabia lekcje... Ale dobrze, poczekaj, zawołam go.

Poszła, a potem przyszedł Rufus.

– Och! Jaki śliczny kotek! – powiedział Rufus na widok Cukierka.

– Nazywa się Cukierek – wyjaśniłem. – Pije mleko. Daję ci go, ale pozwolisz mi czasem do niego przychodzić.

– Rufus! – zawołała z domu mama Rufusa.

– Poczekaj, zaraz wrócę – powiedział Rufus.

Wszedł do domu, słyszałem, jak rozmawia z matką, a kiedy wrócił, miał niewesołą minę.

– Nie – powiedział.

I zamknął drzwi. Nie miałem pojęcia, co zrobić z Cukierkiem, który znowu zasnął. Więc poszedłem do Euzebiusza i to on mi otworzył.

– Nazywa się Cukierek – powiedziałem. – To kot, pije mleko, daję ci go, ale pozwolisz mi go odwiedzać, a Rufus i Alcest go nie chcą z powodu rodziców.

– Pfff! – prychnął Euzebiusz. – Ja tam robię w domu, co chcę. Nie muszę pytać o pozwolenie. Jak chcę trzymać kota, to go trzymam!

– No to go trzymaj – powiedziałem.

– Jasne – powiedział Euzebiusz. – A jak!

Dałem mu kota, który jeszcze raz ziewnął, i sobie poszedłem.

Kiedy wróciłem do domu, byłem strasznie smutny, bo bardzo polubiłem Cukierka. Poza tym wyglądał na wyjątkowo mądrego.

– Słuchaj, Mikołaj – powiedziała mama. – Nie masz co robić takiej miny, to zwierzątko nie byłoby tutaj szczęśliwe. A teraz bardzo cię proszę, nie myśl o tym więcej i idź odrabiać lekcje. Na kolację będzie dobry deser. I przede wszystkim ani słowa ojcu o tej całej sprawie. Ostatnio jest bardzo zmęczony i nie chcę, żebyś zawracał mu głowę bzdurami, kiedy wraca do domu. Przynajmniej raz spędźmy spokojny wieczór.

Przy stole, podczas kolacji, tata spojrzał na mnie i spytał:

– Co z tobą, Mikołaj? Jesteś jakiś smutny. Co się dzieje? Masz kłopoty w szkole?

Mama spojrzała na mnie groźnie, więc powiedziałem tacie, że nic mi nie jest, tylko ostatnio jestem bardzo zmęczony.

– Ja też – powiedział tata. – Pewnie to ta zmiana pogody.

A potem ktoś zadzwonił do drzwi i chciałem iść otworzyć – bardzo lubię otwierać drzwi – ale tata oświadczył:

– Nie, siedź, ja pójdę.

Tata wyszedł, a potem wrócił, trzymając obie ręce za plecami, uśmiechnął się szeroko i powiedział:

– Zgadnijcie, co Kleofas przyniósł dla Mikołaja?

Nie narobiono
nam wstydu

Dziś po południu nasi rodzice mają odwiedzić szkołę, więc na lekcji byliśmy strasznie zdenerwowani. Pani wytłumaczyła nam, że dyrektor przyjmie rodziców w swoim gabinecie, że z nimi porozmawia, a potem przyprowadzi ich do nas do klasy.

– Jeżeli obiecacie, że będziecie grzeczni – powiedziała pani – nie będę was pytać przy rodzicach, żeby wam nie narobić wstydu.

No tośmy obiecali i byliśmy bardzo zadowoleni, nie licząc Ananiasza, który jest najlepszym uczniem w klasie i chciałby być pytany na oczach tatusiów i mamuś. Dla niego to żadna sztuka, bo się bez przerwy uczy, więc jasne, że zawsze wszystko umie. A potem pani powiedziała, że odwiedziny rodziców to nie powód, żeby nic nie robić, i kazała nam rozwiązywać zadanie, które napisze na tablicy. Było to strasznie trudne zadanie o gospodarzu, który miał mnóstwo czarnych i białych kur znoszących mnóstwo jajek – powiedziane było, ile znoszą czarne, a ile białe, i trzeba było zgadnąć, ile jajek zniosły wszystkie kury w ciągu godziny i czterdziestu siedmiu minut.

Ledwo pani skończyła pisać zadanie, kiedy otworzyły się drzwi i do klasy wszedł dyrektor z naszymi tatusiami i mamusiami.

– Wstać! – powiedziała pani.

– Siadać! – powiedział dyrektor. – Oto klasa, w której uczą się państwa dzieci. Sądzę, że większość z was zna już ich nauczycielkę...

Pani ściskała dłonie naszych tatusiów i mamuś, którzy się szeroko uśmiechali i na dzień dobry machali do nas ręką, mrugali albo kiwali głową. W klasie zrobił się tłok, chociaż nie wszyscy rodzice byli obecni. Tata Rufusa, który jest policjantem, nie mógł przyjść, bo miał dyżur w komisariacie. Nie było też rodziców Gotfryda, ale tata Gotfryda, który jest bardzo bogaty i bardzo zajęty, przysłał szofera Alberta. Tata Ananiasza nie mógł przyjść, bo podobno bez przerwy pracuje, nawet w sobotę po południu. Ale mój tata i moja mama byli i patrzyli na mnie roześmiani. Mama była cała zaróżowiona i ślicznie wyglądała – byłem okropnie dumny.

– Myślę – powiedział dyrektor – że mogłaby pani powiedzieć państwu kilka słów o postępach pani uczniów... Pogratulować im lub ich zbesztać, zależnie od przypadku.

Wszyscy się roześmiali oprócz taty i mamy Kleofasa, który jest najgorszym uczniem w klasie i u którego w domu szkoła to nie jest temat do śmiechu.

– A więc – powiedziała pani – z przyjemnością mogę powiedzieć, że państwa dzieci bardzo się w tym miesiącu starały zarówno pod względem nauki, jak i sprawowania. Jestem z nich bardzo zadowolona i nie wątpię, że ci, którzy pozostają trochę w tyle, szybko dogonią kolegów.

135

Rodzice Kleofasa groźnie na niego spojrzeli, ale my byliśmy bardzo zadowoleni, bo to, co powiedziała nasza pani, było miłe.

– Proszę dalej prowadzić lekcję – powiedział dyrektor. – Jestem pewny, że rodzice pani uczniów z przyjemnością popatrzą, jak ich pociechy pracują.

– Tak – wytłumaczyła pani – dałam im do rozwiązania zadanie. Właśnie skończyłam pisać dane na tablicy...

– Przeczytałem – powiedział tata Kleofasa. – Nie wygląda na łatwe...

– Wychodzi 362 jajka – powiedział tata Alcesta.

Wszystkie mamusie i wszyscy tatusiowie zwrócili się w stronę taty Alcesta, który jest grubym panem z mnóstwem podbródków. Tata Joachima powiedział:

– Nie chciałbym się z panem spierać, jednak mam wrażenie, że jest pan w błędzie... Pozwoli pan...

Wyjął z kieszeni notes i pióro i zaczął pisać.

– Więc tak... więc tak... – mówił tata Joachima – czarne kury znoszą jajko co cztery minuty... Jest dziewięć czarnych kur...

– 362 jajka – powiedział tata Alcesta.

– 7420 – powiedział tata Joachima.

– A skąd! 412 – powiedział tata Maksencjusza.

– Jak pan uzyskał ten wynik? – zapytał tata Euzebiusza.

– Algebraicznie – odpowiedział tata Maksencjusza.

– Jak to? – spytała mama Kleofasa. – Oni mają algebrę? W ich wieku? Rozumiem teraz, dlaczego nie nadążają.

– Nic podobnego – powiedział tata Alcesta. – To czysta arytmetyka. Dziecinnie łatwa. Wychodzą 362 jajka.

– Może to czysta arytmetyka – powiedział tata Maksencjusza z szerokim uśmiechem. – Jednak się pan pomylił.

– Pomyliłem się? Jak to się pomyliłem? Gdzie się pomyliłem?
– spytał tata Alcesta.

– Proszę pani! Proszę pani! – zawołał Ananiasz, podnosząc
rękę do góry.

– Cicho, Ananiaszu! – krzyknęła pani. – Powiesz to później.
Pani wyglądała na zakłopotaną.

– Mnie wychodzi 412 jajek – powiedział mój tata do taty
Maksencjusza. – Tak samo jak panu.

– No proszę! – powiedział tata Maksencjusza. – Oczywiście,
to proste jak drut... Och... Jedną chwileczkę... Pomyliłem się
w rachunku... Ma być 4120 jajek... Źle postawiłem przecinek!

– Coś podobnego! Ja też! – zawołał tata. – Zgadza się: 4120
jajek. Takie jest rozwiązanie.

– Mówcie sobie, co chcecie, ale to bardzo trudne – westchnęła mama Kleofasa.

– Nic podobnego – powiedział tata Alcesta – zaraz pani wytłumaczę...

– Proszę pani! Proszę pani! – krzyknął Ananiasz. – Rozwią-
załem...

– Cicho, Ananiaszu! – powiedziała pani i groźnie na niego
spojrzała.

To nas zdziwiło, bo rzadko się zdarza, że pani patrzy groźnie na Ananiasza, który jest jej pupilkiem. A potem pani powiedziała naszym tatusiom i mamusiom, że teraz widzieli, jak się odbywa lekcja, i że jest pewna, że wszyscy będziemy dostawać dobre stopnie z wypracowań. Wtedy dyrektor oświadczył, że czas już iść, tatusiowie i mamusie uścisnęli rękę naszej pani i uśmiechnęli się do nas. Rodzice Kleofasa ostatni raz groźnie na niego popatrzyli i wszyscy sobie poszli.

– Byliście bardzo grzeczni – pochwaliła nas pani. – W nagrodę nie musicie rozwiązywać zadania.

I starła tablicę. Potem zadzwonił dzwonek i wyszliśmy na przerwę. Nie wszyscy, bo pani powiedziała Ananiaszowi, żeby został, bo chce z nim porozmawiać.

A na podwórku stwierdziliśmy, że nasza pani zachowała się naprawdę super i dotrzymała obietnicy, że nie narobi nam wstydu przed rodzicami.

Rozdział III
Pan Mouchabière nas pilnuje

Pan Mouchabière
nas pilnuje

KIEDY DZIŚ RANO WYSZLIŚMY na podwórko na przerwę, Rosół, nasz opiekun, powiedział, zanim dał nam się rozejść:

– Spójrzcie mi wszyscy w oczy! Muszę iść popracować w gabinecie Pana Dyrektora. Będzie was pilnował pan Mouchabière. Bardzo was proszę: bądźcie grzeczni, posłuszni i nie wyprowadzajcie go z równowagi. Zrozumiano?

Potem Rosół położył rękę na ramieniu pana Mouchabière i powiedział:

– Odwagi, Mouchabière, mój biedaku!

I sobie poszedł.

Pan Mouchabière spojrzał na nas wielkimi oczyma i słabym głosem powiedział:

– Rozejść się!

Pan Mouchabière jest nowym opiekunem, któremu nie zdążyliśmy jeszcze wymyślić śmiesznego przezwiska. Jest dużo młodszy niż Rosół, wygląda, jakby też niedawno chodził do szkoły, i pierwszy raz pilnuje nas sam w czasie przerwy.

– W co się bawimy? – spytałem.

– Może w samoloty? – powiedział Euzebiusz.

Ponieważ nie wiedzieliśmy, o co chodzi, Euzebiusz nam wytłumaczył: dzielimy się na dwa obozy, przyjaciół i wrogów, i jesteśmy samolotami. Biegamy z rozpostartymi ramionami, wołając „wrrrrr", i próbujemy podstawić nogę wrogom. Ci, którzy się przewrócą, to są zestrzelone samoloty i przegrywają. Pomyśleliśmy, że to fajna zabawa i może obejdzie się bez kłopotów.

– Dobrze – powiedział Euzebiusz – ja będę szefem przyjaciół, kapitanem Williamem, jak w tym filmie, gdzie z palcem w nosie zestrzeliwuje wszystkich wrogów, ratatatata, a potem sam zostaje podstępnie zestrzelony, ale to nic poważnego, kładą go do szpitala, jak mnie na wyrostek, a kiedy już jest zdrowy, rusza walczyć z innymi wrogami i na końcu wygrywa wojnę. To był fantastyczny film.

– Ja – oznajmił Maksencjusz – będę Guynemerem*, on jest najlepszy ze wszystkich.

* Georges Marie Guynemer (1894–1917), legendarny bohater lotnictwa francuskiego (przyp. tłum.).

– A ja – powiedział Kleofas – Michelem Tanguy. To taki lotnik z opowiadania, które czytam na lekcjach w mojej gazecie „Pilote". Niesamowity. Ma pełno wypadków, ale wychodzi z nich cało, bo dobrze pilotuje. I nosi fajny mundur.

– Ja będę Buffalo Billem – powiedział Gotfryd.

– Buffalo Bill to nie lotnik, tylko kowboj, ty idioto! – zawołał Euzebiusz.

– A co, to kowboj nie może być pilotem? – odpowiedział Gotfryd. – I powtórz, co powiedziałeś!

– Co powiedziałem? Co ja takiego powiedziałem? – spytał Euzebiusz.

– No, że jestem idiotą – przypomniał mu Gotfryd.

– Właśnie! – powiedział Euzebiusz. – Jesteś idiotą.

I zaczęli się bić. Ale przybiegł pan Mouchabière i kazał im obu iść do kąta. Więc Euzebiusz i Gotfryd rozpostarli ramiona i poszli stać do kąta, wołając „wrrrrr".

– Byłem pierwszy, Buffalo Bill – krzyknął Euzebiusz.

Pan Mouchabière spojrzał na nich i podrapał się w czoło.

– Chłopaki – powiedziałem – jak się zaczniemy bić, to będzie jak na każdej przerwie, nie starczy nam czasu na zabawę.

– Masz rację – powiedział Joachim. – No to już: dzielimy się na przyjaciół i wrogów i zaczynamy.

Ale oczywiście zawsze jest ten sam problem: tamci nigdy nie chcą być wrogami.

– No to niech wszyscy będą przyjaciółmi – zaproponował Rufus.

– Przecież nie będziemy się zestrzeliwać między przyjaciółmi – skrzywił się Kleofas.

– Dlaczego nie – powiedział Maksencjusz. – Jedni będą przyjaciółmi, a drudzy mniej-przyjaciółmi. Alcest, Mikołaj i Kleofas

to mniej-przyjaciele. Rufus, Joachim i ja to przyjaciele. No to już, zaczynamy!

I Rufus, Joachim i Maksencjusz rozpostarli ramiona i zaczęli biegać, wołając „wrrrrr", z tym że Maksencjusz gwizdał, bo on bardzo szybko biega, więc mówił, że jest samolotem odrzutowym. My z Kleofasem i Alcestem nie zgadzaliśmy się. No bo co w końcu, kurczę blade! Maksencjusz zawsze chce rządzić. Ponieważ staliśmy w miejscu, Maksencjusz, Rufus i Joachim wrócili i wciąż z rozłożonymi ramionami stanęli wokół nas, wołając „wrrrrr", „wrrrrr".

– No co z wami, chłopaki? – zapytał Maksencjusz. – Latacie czy nie?

– Nie chcemy być mniej-przyjaciółmi – powiedziałem.

– No co wy! – krzyknął Rufus. – Przerwa się zaraz skończy i przez was się nie pobawimy!

– Możemy się bawić – zaproponował Kleofas – jeśli to wy będziecie mniej-przyjaciółmi.

– Żartujesz – powiedział Maksencjusz.

– Przekonasz się, czy żartuję! – krzyknął Kleofas i pobiegł za Maksencjuszem, który rozpostarł ramiona i uciekł, gwiżdżąc.

Wtedy Kleofas też rozpostarł ramiona i zaczął wołać „wrrrrr" i „ratatata", ale trudno jest dogonić Maksencjusza, kiedy udaje odrzutowiec, bo on ma bardzo długie nogi z wystającymi brudnymi kolanami. A potem Rufus i Joachim też rozpostarli ramiona i zaczęli gonić mnie.

– Guyenemer do wieży kontrolnej, Guyenemer do wieży kontrolnej – wołał Rufus. – Namierzyłem jednego. Brum!

– To ja jestem Guyenemer! – krzyknął Maksencjusz i przeleciał przed nami, gwiżdżąc, a za nim Kleofas, który wołał „ratatata", ale nie mógł go złapać. Alcest stał z boku i kręcił się w kółko, brum, brum, z wyciągniętą w bok jedną ręką, bo druga mu była potrzebna, żeby jeść kanapkę z dżemem. W kącie Euzebiusz i Gotfryd dalej mieli rozpostarte ramiona i próbowali podstawić sobie nogę.

– Jesteś strącony – krzyknął Kleofas do Maksencjusza. – Strzelam do ciebie z karabinu maszynowego, ratatata, i musisz spaść jak we wczorajszym filmie w telewizji!

– Nie, mój drogi – powiedział Maksencjusz. – Chybiłeś i zaraz potraktuję cię radarem!

Maksencjusz odwrócił się w biegu, żeby wykonać numer z radarem, i bum! wpadł na pana Mouchabière.

– Uważaj – powiedział pan Mouchabière. – I chodźcie tu do mnie na chwilę.

Podeszliśmy, a pan Mouchabière powiedział:

– Obserwuję was od pewnego czasu. Dlaczego to robicie?

– Co, psze pana? – spytałem.

– To – powiedział pan Mouchabière.

Rozpostarł ramiona i zaczął biegać, gwiżdżąc i wołając „wrrrrr" i „ratatata", a potem zatrzymał się przed Rosołem i dyrektorem, którzy weszli na dziedziniec i patrzyli na niego zdziwieni.

– Mówiłem panu, Panie Dyrektorze, że mam pewne obawy – powiedział Rosół. – Nie jest jeszcze dość przystosowany.

Dyrektor wziął pana Mouchabière za ramię, które jeszcze było w powietrzu, i powiedział:

– Niech pan ląduje, kolego, musimy porozmawiać.

Na następnej przerwie pilnował nas Rosół. Pan Mouchabière odpoczywał w gabinecie pielęgniarki. Szkoda, bo kiedy zaczęliśmy się bawić w okręty podwodne, każdy z ręką w powietrzu udającą peryskop, Rosół postawił nas wszystkich do kąta.

A nawet nie zaczęliśmy miotać na siebie torped!

Bum!

W CZWARTEK MUSIAŁEM PRZYJŚĆ DO SZKOŁY z powodu petardy. Siedzieliśmy spokojnie na lekcji i słuchaliśmy pani, która nam tłumaczyła, że Sekwana tworzy mnóstwo meandrów. I właśnie w chwili, kiedy pani odwróciła się do nas tyłem, żeby pokazać Sekwanę na mapie, bum! wybuchła petarda. A potem otworzyły się drzwi i do klasy wszedł dyrektor.

– Co się stało? – zapytał.

– Któryś z uczniów odpalił petardę – odpowiedziała pani.

– No tak – powiedział dyrektor. – A więc niech winny się przyzna, bo inaczej w czwartek cała klasa przyjdzie za karę do szkoły!

Dyrektor skrzyżował ręce na piersi i czekał, ale nikt się nie odezwał.

A potem wstał z miejsca Rufus.

– Psze pana – powiedział.

– Słucham cię, mały – odpowiedział dyrektor.

– To Gotfryd, psze pana – powiedział Rufus.

– Co ty, chory? – zapytał Gotfryd.

– Nie myślisz chyba, że będę odsiadywał karę, bo zachciało ci się bawić petardami! – krzyknął Rufus.

No i się pobili.

Zrobił się straszny hałas, bo wszyscy zaczęliśmy rozmawiać, a dyrektor walił pięścią w biurko naszej pani, krzycząc: „Cisza!".

– Skoro nikt – powiedział dyrektor – nie chce się przyznać, w czwartek cała klasa przyjdzie mi do szkoły!

Dyrektor wyszedł, a Ananiasz, który jest pupilkiem naszej pani, zaczął się tarzać po ziemi, płacząc i krzycząc, że to niesprawiedliwe, że on ani myśli odbywać karę, że poskarży się swoim rodzicom i zmieni szkołę. Najlepsze, że nigdy się nie dowiedzieliśmy, kto podłożył petardę.

W czwartek po południu, kiedy przyszliśmy do szkoły, nie było nam do śmiechu – szczególnie Ananiaszowi, który przedtem nigdy nie był karany. Płakał i miał czkawkę. Na dziedzińcu czekał na nas Rosół. Rosół to nasz opiekun. Nazywamy go tak, bo wciąż mówi: „Spójrzcie mi w oczy", a na rosole są oka. Starsze chłopaki na to wpadły.

– Parami, raz-dwa, raz-dwa! – powiedział Rosół.

I poszliśmy za nim.

Usiedliśmy w klasie i Rosół powiedział:

– Spójrzcie mi wszyscy w oczy! Przez was zmuszony jestem tutaj dzisiaj siedzieć. Uprzedzam, że nie zniosę najmniejszego nieposłuszeństwa! Zrozumiano?

Nic nie powiedzieliśmy, bo czuliśmy, że nie pora na żarty. Rosół mówił dalej:

– Napiszecie mi trzysta razy: „Niedopuszczalne jest odpalać petardy na lekcji, a później nie przyznawać się do winy".

A potem wszyscy wstaliśmy, bo do klasy wszedł dyrektor.

– Jak tam? – zapytał dyrektor. – Jak się mają nasi amatorzy materiałów wybuchowych?

– W porządku, Panie Dyrektorze – odpowiedział Rosół. – Dałem im do napisania po trzysta linijek, tak jak pan postanowił.

– Doskonale – powiedział dyrektor. – Nikt stąd nie wyjdzie, dopóki nie napisze wszystkich linijek. To będzie dla nich nauczka.

Dyrektor mrugnął do Rosoła i wyszedł. Rosół ciężko westchnął i wyjrzał przez okno. Świeciło niesamowite słońce. Ananiasz znowu zaczął płakać. Rosół się rozgniewał i powiedział Ananiaszowi, żeby skończył z tymi numerami, bo pożałuje. Wtedy Ananiasz zaczął się tarzać po ziemi, powiedział, że nikt go nie kocha, a potem twarz mu zsiniała i Rosół musiał wybiec z klasy z Ananiaszem pod pachą.

Rosół dość długo nie wracał, więc Euzebiusz oznajmił:

– Pójdę zobaczyć, co się dzieje.

I wyszedł razem z Joachimem.

Rosół wrócił z Ananiaszem. Ananiasz wyglądał na uspokojonego, od czasu do czasu pociągał nosem, ale bez słowa zaczął pisać linijki.

A potem przyszli Euzebiusz i Joachim.

– O, jest pan – powiedział Euzebiusz do Rosoła. – Wszędzie pana szukaliśmy.

Rosół zrobił się cały czerwony:

– Dosyć mam waszych błazeństw – krzyknął. – Słyszeliście, co powiedział Pan Dyrektor, więc piszcie szybko te linijki, bo inaczej zostaniemy tutaj na noc!

– A co będzie z kolacją? – spytał Alcest, ten gruby kolega, który bardzo lubi jeść.

– Moja mama nie pozwala mi wracać późno wieczorem – wyjaśniłem.

– Myślę, że gdybyśmy mieli mniej linijek, to byśmy wcześniej skończyli – powiedział Joachim.

– Albo gdyby słowa nie były takie długie – dodał Kleofas – bo ja nie umiem napisać „niedopuszczalne".

– Ja to piszę przez u zwykłe – powiedział Euzebiusz.

I Rufus się roześmiał. Rozmawialiśmy wszyscy w najlepsze, kiedy Rosół zaczął walić pięścią w stół.

– Zamiast marnować czas – krzyknął – lepiej pospieszcie się i skończcie pisać te linijki!

Rosół był bardzo zniecierpliwiony, chodził po klasie, od czasu do czasu stawał przy oknie i ciężko wzdychał.

– Psze pana! – powiedział Maksencjusz.

– Cisza! – wrzasnął Rosół. – Żebym was więcej nie słyszał! Ani słowa! Sza!

W klasie słychać już było tylko skrzypienie stalówek na papierze, westchnienia Rosoła i pociąganie nosem Ananiasza.

Ananiasz pierwszy skończył pisać linijki i zaniósł je Rosołowi. Rosół bardzo się ucieszył. Poklepał po głowie Ananiasza i powiedział, że powinniśmy brać przykład z kolegi. Po kolei skończyliśmy pisać i daliśmy nasze linijki Rosołowi. Brakowało tylko Maksencjusza, który nie pisał.

– Czekamy na ciebie, mój chłopcze! – krzyknął Rosół. – Czemu nie piszesz?

– Skończył mi się atrament, psze pana – powiedział Maksencjusz.

Rosół wytrzeszczył oczy.

– Dlaczego mi nie powiedziałeś? – zapytał.

– Próbowałem, psze pana, ale kazał mi pan być cicho – odpowiedział Maksencjusz.

Rosół przejechał sobie ręką po twarzy i powiedział, żeby dać Maksencjuszowi atrament. Maksencjusz zaczął starannie pisać. Jest bardzo dobry w kaligrafii.

– Ile linijek napisałeś? – zapytał Rosół.

– Dwadzieścia trzy, zaczynam dwudziestą czwartą – odpowiedział Maksencjusz.

Rosół przez chwilę się wahał, a potem wziął od Maksencjusza kartkę, usiadł przy swoim stole, wyciągnął pióro i zaczął bardzo szybko pisać, a myśmy się przyglądali.

Kiedy Rosół skończył, był bardzo zadowolony.

– Ananiasz – powiedział – idź powiedzieć Panu Dyrektorowi, że pańszczyzna została odrobiona.

Dyrektor wszedł i Rosół dał mu kartki.

– Świetnie – powiedział dyrektor. – Myślę, że to będzie dla was nauczką. Możecie wracać do domu.

I właśnie w tym momencie – bum! – wybuchła w klasie petarda i za karę wszyscy mamy przyjść do szkoły w następny czwartek.

Kwarantanna

Pani wywołała mnie do tablicy – mieliśmy właśnie geografię – i spytała o stolicę departamentu Pas-de-Calais. Nie wiedziałem. Gotfryd, który siedzi w pierwszym rzędzie, podpowiedział mi „Marsylia", więc powiedziałem „Marsylia", ale to nie była dobra odpowiedź i pani postawiła mi pałę.

Kiedy wyszliśmy ze szkoły, wziąłem Gotfryda za tornister, a wszystkie chłopaki stanęły dookoła nas.

– Dlaczego mi źle podpowiedziałeś? – spytałem Gotfryda.

– Dla zabawy – odpowiedział Gotfryd. – Miałeś taką głupią minę, kiedy pani stawiała ci pałę.

– Nieładnie jest robić sobie żarty, kiedy się podpowiada – powiedział Alcest. – Prawie tak samo brzydko jak podkradać koledze jedzenie!

– Tak, to nie w porządku – powiedział Joachim.

– Odczepcie się ode mnie! – krzyknął Gotfryd. – Po pierwsze, wszyscy jesteście głupi, a po drugie, mój tata ma więcej pieniędzy niż wasi razem wzięci i ja się was nie boję, żebyście wiedzieli!

I Gotfryd sobie poszedł.

To się nam nie spodobało.

– Co mu zrobimy? – spytałem.

– Tak, strasznie nas wkurza – powiedział Maksencjusz.

– To prawda – przyznał Joachim – raz wygrał ode mnie dwie kulki.

– Może jutro dopadniemy go na przerwie? I spuścimy mu lanie! – zaproponował Euzebiusz.

– Nie – powiedziałem. – Bo dostaniemy od Rosoła karę.

– Mam pomysł – powiedział Rufus. – Poddamy go kwarantannie!

To był fantastyczny pomysł. Nie wiem, czy wiecie, co to takiego kwarantanna. Kwarantanna jest wtedy, kiedy przestajemy rozmawiać z kolegą, żeby pokazać mu, że jesteśmy na niego obrażeni. Nie odzywamy się do niego, nie bawimy się z nim, zachowujemy się, jakby go nie było – i dobrze tak Gotfrydowi, dostanie za swoje, no bo co w końcu, kurczę blade.

Zgodziliśmy się co do tego wszyscy, szczególnie Kleofas, który stwierdził, że jak koledzy będą źle podpowiadać, nie pozostanie już nic innego, jak się uczyć.

Dziś rano przyszedłem do szkoły i nie mogłem się doczekać, kiedy nie będę odzywać się do Gotfryda. Czekaliśmy na niego z kolegami, a potem zobaczyliśmy, jak idzie z jakimś pakunkiem pod pachą.

– Gotfryd – powiedziałem – razem z kolegami poddajemy cię kwarantannie.

– Myślałem, że się do niego nie odzywamy – powiedział Kleofas.

– Musiałem się do niego odezwać, żeby mu powiedzieć, że się do niego nie odzywamy – powiedziałem.

– A na przerwie – dodał Rufus – nie damy ci się z nami bawić.

– Phi! – prychnął Gotfryd. – Bardzo się cieszę: sam się będę bawił tym, co przyniosłem w tej paczce.

– A co to? – spytał Alcest.

– Alcest! – krzyknąłem. – Nie rozmawiamy z nim!

– Aha! Pierwszy, który się do niego odezwie, dostanie ode mnie w nos! – powiedział Euzebiusz.

– No – powiedział Kleofas.

Zaczęło się w klasie i było naprawdę super. Gotfryd poprosił Euzebiusza, żeby pożyczył mu temperówkę, tę, która wygląda jak samolot, a Euzebiusz nawet nie spojrzał na Gotfryda, tylko wziął swoją temperówkę i zaczął się bawić, wołając „rrrrr" i lądując nią na ławce. Wszyscy się uśmialiśmy i dobrze tak Gotfrydowi, chociaż pani ukarała Euzebiusza i kazała mu napisać sto razy: „Nie powinienem bawić się temperówką na lekcji arytmetyki, gdyż to przeszkadza mi słuchać lekcji i rozprasza kolegów, którzy także zostaną ukarani, jeśli nadal nie będą uważać".

A potem zadzwonił dzwonek na przerwę i zbiegliśmy na dół. Na dziedzińcu zaczęliśmy wszyscy biegać i krzyczeć:

– Chodźcie! Chodźcie! Bawimy się!

I patrzyliśmy na Gotfryda, który był sam, zyg, zyg, marchewka.

Gotfryd wziął ze sobą swoją paczkę – teraz ją otworzył i wyjął z niej wóz strażacki, czerwony, z drabiną i dzwonkiem. My nadal biegaliśmy we wszystkie strony, krzyczeliśmy i śmialiśmy się, bo w gronie dobrych kolegów zawsze jest strasznie wesoło, a potem Alcest poszedł obejrzeć samochód Gotfryda.

– Co robisz, Alcest? – zapytał Rufus.

– No nic – powiedział Alcest. – Oglądam wóz Gotfryda.

– Nie powinieneś oglądać wozu Gotfryda – powiedział Rufus.
– Nie znamy Gotfryda!
– Nie rozmawiam z Gotfrydem, głupku – powiedział Alcest. – Oglądam jego samochód. Chyba nie muszę prosić cię o pozwolenie, żeby obejrzeć jego samochód.
– Jeżeli stamtąd nie odejdziesz – powiedział Rufus – to też poddamy cię kwarantannie!
– Za kogo ty się uważasz, co? – krzyknął Alcest.
– Chłopaki – powiedział Rufus. – Poddajemy Alcesta kwarantannie!
Zmartwiło mnie to, bo Alcest to dobry kumpel i szkoda, że nie będę mógł z nim rozmawiać. Alcest stał i oglądał samochód Gotfryda, jedząc jedną z trzech bułek z masłem z pierwszej przerwy. Kleofas podszedł do Alcesta i zapytał:
– A ta drabina się rusza?

– Kleofas ma kwarantannę! – krzyknął Rufus.
– Co ty, chory? – spytał Kleofas.
– No – powiedział Euzebiusz – chcemy sobie z Kleofasem obejrzeć wóz Gotfryda, a tobie nic do tego, Rufus!
– Bardzo dobrze – powiedział Rufus. – Wszyscy, którzy wezmą ich stronę, dostaną kwarantannę. Prawda, chłopaki?

Chłopaki to byliśmy Joachim, Maksencjusz i ja. Powiedzieliśmy, że Rufus ma rację, że tamci to nie są koledzy, i zaczęliśmy bawić się w policjantów i złodziei, ale we trzech to żadna przyjemność. Zostało nas tylko trzech, bo Maksencjusz poszedł razem z innymi zobaczyć, jak Gotfryd bawi się swoim wozem. Fajne było to, że zapalały mu się reflektory, zupełnie jak w samochodzie taty, a kiedy się dotknęło dzwonka, to robił dzyń, dzyń.

– Mikołaj! – krzyknął Rufus – wracaj się z nami bawić, bo jak nie, to też dostaniesz kwarantannę... O, rany! Ale szybko jeździ!

I Rufus schylił się, żeby popatrzeć na samochód. Jedynym, który nie miał kwarantanny, był Joachim. Biegał po podwórku, krzycząc:

– Łapcie mnie, chłopaki! Łapcie mnie!

A potem znudziło mu się bawić samemu w policjanta i złodzieja, więc przyszedł do nas.

Staliśmy wszyscy wokół samochodu Gotfryda i pomyślałem sobie, że trochę nieładnie się wobec niego zachowaliśmy, bo w końcu Gotfryd to nasz kumpel.

– Gotfryd – powiedziałem. – Przebaczam ci. Już nie masz kwarantanny. Możesz się z nami bawić, więc ja stanę tutaj, a ty puścisz do mnie wóz...

– A ja – powiedział Alcest – będę udawał, że jest pożar...

– No to ja – powiedział Rufus – postawię drabinę...

– Szybko! Szybko! Zaraz skończy się przerwa! – krzyknął Euzebiusz.

No i klops! Nie mogliśmy pobawić się wozem Gotfryda i to było strasznie niesprawiedliwe! Gotfryd poddał nas wszystkich kwarantannie!

Zamek

W NIEDZIELĘ PO POŁUDNIU Kleofas i Alcest przyszli do mnie, żeby się pobawić. Kleofas przyniósł ołowiane żołnierzyki, a Alcest piłkę do gry w nogę, która była skonfiskowana do końca półrocza, i cztery kanapki z dżemem. Kanapki przyniósł dla siebie, żeby dotrwać do podwieczorku.

Było bardzo ładnie i świeciło niesamowite słońce, więc tata pozwolił nam bawić się w ogrodzie. Powiedział tylko, że jest bardzo zmęczony, chce odpocząć i prosi, żebyśmy mu nie przeszkadzali. Usiadł na leżaku, koło begonii, ze swoją gazetą.

Spytałem taty, czy mogę wziąć stare kartony, które są w garażu.

– Po co? – zapytał tata.

– Po to, żeby zrobić zamek i postawić w nim żołnierzy Kleofasa – wytłumaczyłem.

– Dobrze – powiedział tata. – Tylko nie hałasujcie i nie bałagańcie.

Poszedłem po kartony i kiedy tata czytał gazetę, my stawialiśmy pudła jedne na drugich.

– Chłopcy – skrzywił się tata – niezbyt wam wyszedł ten zamek!

– No bo – wyjaśniłem – on jest tylko na niby.

– Powinniście zrobić drzwi i okna – poradził tata.

Wtedy Alcest powiedział coś z ustami pełnymi drugiej kanapki.

– Co mówisz? – spytał tata.

– On powiedział: „Z czego pan chce, żebyśmy zrobili te okna i te drzwi?" – wytłumaczył Kleofas, a Alcest kiwnął głową, że tak.

– Ciekawe, jak on się porozumiewa, kiedy ciebie nie ma – roześmiał się tata. – A co do drzwi i okien, to bardzo proste. Mikołaj! Idź do mamy i poproś, żeby ci dała nożyczki. Powiedz, że ja cię przysyłam.

Poszedłem do mamy i dała mi nożyczki, ale powiedziała, że mam uważać, żeby się nie skaleczyć.

– Ma rację – powiedział tata, kiedy wróciłem do ogrodu. – Daj, zrobię to.

Tata wstał z leżaka, wziął największy karton i nożyczkami wyciął w nim drzwi i okna. Wyszło super.

– Proszę – ucieszył się tata. – Czy tak nie jest lepiej? Teraz z drugiego kartonu zrobimy baszty.

I nożyczkami zaczął ciąć drugie pudło, a potem krzyknął. Oblizał palec, ale nie chciał, żebym zawołał mamę. Owinął palec chusteczką i dalej pracował. Widać było, że się dobrze bawi.

– Mikołaj – powiedział. – Idź i przynieś klej, który jest w szufladzie w moim biurku!

Przyniosłem klej, tata zrobił z tektury rulony, skleił je i rzeczywiście wyglądały jak baszty.

– Doskonale – uśmiechnął się tata. – Damy po jednej w każdym rogu... O tak... Alcest, nie dotykaj baszt łapami pełnymi dżemu, jak tak można?

Alcest coś na to powiedział, ale nie wiem co, bo Kleofas nie chciał powtórzyć. Tata zresztą i tak nie zwracał uwagi – zajęty był podtrzymywaniem baszt, co nie było łatwe. Chyba mu było gorąco. Twarz miał całą mokrą.

– Wiecie, co powinniśmy zrobić? – spytał. – Powinniśmy wyciąć blanki. Prawdziwy zamek musi mieć blanki.

Tata narysował ołówkiem blanki i zaczął je wycinać, wysuwając język. Zamek robił się niesamowity!

– Mikołaj – powiedział tata – w komodzie, w drugiej szufladzie po lewej, znajdziesz papier, a skoro już idziesz, to przynieś też swoje kredki.

Kiedy wróciłem do ogrodu, tata siedział przed zamkiem na ziemi, pracując jak nie wiem co, a Kleofas z Alcestem siedzieli na leżaku i na niego patrzyli.

– Zrobimy szpiczaste dachy do baszt – wytłumaczył tata – a z papieru zrobimy wieżę. Potem wszystko pomalujemy kredkami...

– Mogę zacząć malować? – spytałem.

– Nie – powiedział tata. – Lepiej ja się tym zajmę. Jeśli chcecie mieć zamek, który będzie do czegoś podobny, trzeba go wykonać starannie. Powiem wam, kiedy będziecie mogli pomóc. O właśnie! Znajdźcie mi jakąś gałązkę, będzie z niej maszt do flagi.

Daliśmy tacie gałązkę, a on wyciął z papieru kwadracik, przykleił do gałązki i wytłumaczył nam, że to będzie flaga. Pokolorował ją na niebiesko i czerwono, z białym pośrodku, jak wszystkie flagi. Była naprawdę bardzo ładna.

– Alcest pyta, czy zamek jest już gotowy – powiedział Kleofas.

– Powiedz mu, że jeszcze nie – odpowiedział tata. – Dobrze wykonywana praca wymaga trochę czasu. Nauczcie się nie odwalać roboty. I zamiast mi przerywać, lepiej popatrzcie, co robię, na przyszłość będziecie umieli.

A potem mama stanęła w drzwiach i zawołała:
– Podwieczorek gotowy! Do stołu!
– Idziemy! – powiedział Alcest, który właśnie skończył kanapkę.

Pobiegliśmy w stronę domu, a tata krzyknął, żebyśmy uważali, że Kleofas o mało co nie przewrócił baszty i że to nie do wiary, jak można być takim niezdarą.

Kiedy weszliśmy do stołowego, mama kazała mi iść do ogrodu po tatę, ale tata powiedział, że nie będzie teraz pił herbaty, jest zbyt zajęty i przyjdzie później, kiedy skończy.

Mama podała nam podwieczorek, bardzo smaczny: czekolada, ciasto i dżem truskawkowy. Alcest był strasznie zadowolony, bo lubi dżem truskawkowy tak samo jak inne dżemy. Kiedy jedliśmy, tata przychodził kilka razy po nitkę i igłę, następny słoiczek kleju, czarny tusz i mały kuchenny nożyk, ten, który jest bardzo ostry.

Po podwieczorku zabrałem chłopaków do mojego pokoju pokazać im samochodziki, które niedawno dostałem, i właśnie urządzaliśmy wyścigi między stołem a łóżkiem, kiedy przyszedł tata. Miał brudną koszulę, plamę od tuszu na policzku, dwa zabandażowane palce i ocierał sobie czoło ramieniem.

– Chodźcie, dzieci, zamek gotowy – powiedział tata.
– Jaki zamek? – spytał Kleofas.
– No przecież wiesz – powiedziałem – zamek!
– Aha, zamek! – powiedział Kleofas.

Więc poszliśmy za tatą, który mówił, że zaraz zobaczymy, zamek jest fantastyczny, nigdy nie widział tak pięknego i że będziemy się dobrze bawić. Przechodząc koło stołowego, tata powiedział mamie, żeby też przyszła.

I rzeczywiście, zamek był naprawdę ekstra! Wyglądał jak prawdziwy, jak te na wystawach sklepów z zabawkami. Miał

maszt z flagą, most zwodzony, jak w telewizji, kiedy są filmy o rycerzach, a na blankach tata poustawiał żołnierzy Kleofasa, jakby trzymali wartę. Tata był strasznie dumny i objął mamę ramieniem. Tata się śmiał, mama się śmiała, patrząc na śmiejącego się tatę, a ja się cieszyłem, patrząc, jak oboje się śmieją.

– No – powiedział tata – zdaje się, że odwaliłem niezły kawał roboty. Zasłużyłem na odpoczynek. Więc siądę sobie teraz na leżaku, a wy pobawcie się waszym pięknym zamkiem.

– Fantastyczny – powiedział Kleofas. – Alcest! Przynieś piłkę!

– Piłkę? – zapytał tata.

– Do ataku! – krzyknąłem.

– Zaczyna się bombardowanie! – zawołał Alcest.

I bum! bum! bum! – trzema rzutami piłki i kilkoma kopniakami zniszczyliśmy zamek i wygraliśmy wojnę!

Cyrk

FANTASTYCZNIE! W czwartek po południu cała nasza klasa była w cyrku. Strasznie się zdziwiliśmy, kiedy dyrektor przyszedł nam powiedzieć, że właściciel cyrku zaprasza klasę z naszej szkoły i że to właśnie nasza została wybrana. Na ogół, kiedy nasza klasa jest zapraszana w czwartek po południu, nie chodzi o pójście do cyrku. Nie rozumiałem tylko, dlaczego nasza pani zrobiła taką minę, jakby się chciała rozpłakać. Przecież też była zaproszona, w końcu to ona miała nas zaprowadzić do cyrku.

W czwartek w autobusie, którym jechaliśmy do cyrku, pani powiedziała, że liczy na to, że będziemy grzeczni. A myśmy się zgodzili, bo bardzo lubimy naszą panią.

Przed wejściem do cyrku pani nas policzyła i zobaczyła, że brakuje jednego – Alcesta, który poszedł kupić sobie watę cukrową. Kiedy wrócił, pani go skrzyczała.

– No co – zdziwił się Alcest – przecież muszę jeść. A wata cukrowa jest pyszna. Chce pani spróbować?

Pani ciężko westchnęła i powiedziała, że czas wchodzić do cyrku, bo i tak już jesteśmy spóźnieni. Ale trzeba było czekać na Gotfryda i Kleofasa, którzy też poszli po watę. Kiedy wrócili, pani była bardzo niezadowolona:

– Zasługujecie na to, żeby nie iść do cyrku! – oświadczyła.

– Alcest narobił nam smaku – wyjaśnił Kleofas. – Nie wiedzieliśmy, że nie wolno.

– Proszę pani – powiedział Ananiasz. – Euzebiusz też chce iść po watę.

– Będziesz cicho, skarżypyto? Chcesz oberwać? – spytał Euzebiusz.

Wtedy Ananiasz zaczął płakać, powiedział, że wszyscy go wykorzystują, że to okropne, że zaraz się rozchoruje, i pani powiedziała Euzebiuszowi, że w następny czwartek za karę będzie siedział w szkole.

– A to dobre! – parsknął Euzebiusz. – Nawet sobie nie kupiłem waty cukrowej i mam być ukarany, a tamci kupili i nic im pani nie mówi.

– Zazdrościsz nam i tyle! – powiedział Kleofas. – Zazdrościsz, bo my mamy watę cukrową, a ty nie!

– Proszę pani – zapytał Joachim – mogę iść po watę cukrową?

– Nie chcę więcej słyszeć o wacie cukrowej! – krzyknęła pani.

– Oni mogą sobie jeść watę cukrową, a mnie nawet nie wolno o niej mówić? To niesprawiedliwe! – powiedział Joachim.

– Żałuj – roześmiał się Alcest – bo wata cukrowa jest przepyszna!

– Nikt się ciebie, grubasie, nie pytał – powiedział Joachim.

– Dać ci w łeb moją watą cukrową? – spytał Alcest.

– Tylko spróbuj! – odpowiedział Joachim.

I Alcest rozmazał mu watę cukrową na twarzy. To się Joachimowi nie spodobało, więc zaczął się z Alcestem bić. Pani na nich krzyczała i przyszedł pracownik cyrku.

– Jeśli chcecie obejrzeć przedstawienie – powiedział – to radzę wchodzić. Zaczęło się kwadrans temu. Zobaczycie, w środku też są klauni.

W cyrku byli muzycy, którzy robili straszny hałas, a potem na arenę wszedł pan ubrany jak kierownik restauracji, w której jedliśmy obiad z okazji urodzin Buni. Pan wytłumaczył, że będzie robić czary, i w jego rękach pojawiło się mnóstwo zapalonych papierosów.

– Phi – powiedział Rufus – na pewno jest jakiś trik. Presgitatorzy to nie są prawdziwi czarodzieje.

– Mówi się prestidigitatorzy – powiedział Ananiasz.

– Nikt się ciebie nie pytał – wkurzył się Rufus – więc nie wygaduj głupstw!

– Słyszała pani? – zapytał Ananiasz.

– Rufusie – powiedziała pani – jeśli nie będziesz grzeczny, wyprowadzę cię stąd.

– Nie mogłaby pani ich wszystkich wyprowadzić? – spytał jakiś pan za nami. – Chciałbym spokojnie obejrzeć przedstawienie. Pani się odwróciła i powiedziała:

– No wie pan, wypraszam sobie.

– A poza tym – dodał Rufus – mój tata jest policjantem i poproszę go, żeby dał panu mnóstwo mandatów.

– Niech pani popatrzy – powiedział Ananiasz – prestidigitator pytał o ochotnika i zgłosił się Joachim.

I rzeczywiście. Joachim stał na arenie koło magika, który mówił:

– Brawo! Oto odważny młody człowiek, proszę o oklaski.

Pani wstała i krzyknęła:

– Joachim, natychmiast wracaj!

Ale prestidigitator, jak mówi Ananiasz, zapowiedział, że Joachim zaraz zniknie. Kazał mu wejść do skrzyni, zamknął wieko, powiedział: „hop!", a kiedy otworzył skrzynię, Joachima już w niej nie było.

– O Boże! – krzyknęła pani.

Wtedy pan, który siedział za nami, powiedział, że byłoby najlepiej, gdyby magik nas wszystkich wsadził do skrzyni.

– Ordynus – powiedziała pani.

– Racja – wtrącił się drugi pan. – Nie widzi pan, że bidulka i bez tego ma dość kłopotów z tymi smarkaczami?

– No – powiedział Alcest.

– Nie będzie mnie pan pouczał – oburzył się pierwszy pan.

– Wyjdziemy porozmawiać? – spytał drugi.

– Dobrze już, dobrze – powiedział pierwszy.

– Mięczak! – powiedział drugi pan, a potem orkiestra zrobiła okropny hałas i wrócił Joachim, i wszyscy bili brawo, a pani powiedziała Joachimowi, że w następny czwartek za karę będzie siedział w szkole.

Potem wniesiono na arenę klatkę, do środka wpuszczono lwy i tygrysy i przyszedł pogromca. Pogromca robił niesamowite rzeczy, wkładał głowę do paszczy lwom, ludzie krzyczeli i wzdychali „ooooch", a Rufus stwierdził, że czarodziej nie był prawdziwy, bo przecież Joachim wrócił.

– Wcale że nie – powiedział Euzebiusz. – Joachim wrócił, ale najpierw zniknął.

– To był jakiś trik – powiedział Rufus.

– A ty jesteś idiotą i mam ochotę ci przyłożyć – powiedział Euzebiusz.

– Cisza! – krzyknął pan za nami.

– Nie będzie pan znowu zaczynał! – zawołał drugi pan.

– Będę, jeśli mi się spodoba – oświadczył pierwszy, a Euzebiusz dał w nos Rufusowi.

Ludzie mówili „ćśśś" i pani wyprowadziła nas z cyrku. Szkoda, bo właśnie na arenę wchodzili klauni.

Kiedy już mieliśmy wsiadać do autobusu, zobaczyliśmy, że do pani podchodzi pogromca.

– Przyglądałem się pani w trakcie swojego numeru – powiedział pogromca. – Jestem pełen podziwu. Przyznam, że nie miałbym odwagi wykonywać pani zawodu!

Jabłko

Dzisiaj przyszliśmy do szkoły strasznie zadowoleni, bo miały być rysunki. Fajnie jest, kiedy są rysunki, bo nie trzeba się uczyć ani odrabiać lekcji, poza tym można rozmawiać i jest trochę tak jak na przerwie. Może właśnie dlatego nie mamy za często rysunków – pani każe nam rysować mapy geograficzne, ale to nie są prawdziwe rysunki. Zresztą Francja jest bardzo trudna do narysowania, głównie z powodu Bretanii, i jedynym, który lubi rysować mapy, jest Ananiasz, z tym że on się nie liczy, bo jest najlepszym uczniem w klasie i pupilkiem naszej pani.

Jednak w zeszłym tygodniu byliśmy bardzo grzeczni i obyło się bez awantur, nie licząc Kleofasa i Joachima, którzy się pobili, i pani nam powiedziała:

– No dobrze, przynieście jutro przybory do rysunków.

I kiedy weszliśmy do klasy, zobaczyliśmy, że na biurku pani leży jabłko.

– Tym razem – powiedziała pani – będziecie rysować z natury. Narysujecie to jabłko. Możecie rozmawiać, tylko proszę bez szaleństw.

A potem Ananiasz podniósł rękę. Ananiasz nie lubi rysunków, bo jak czegoś nie można wkuć na pamięć, nie ma pewności, że będzie najlepszy.

– Proszę pani – powiedział Ananiasz – z daleka nie widzę dobrze tego jabłka.

– To Ananiaszu – powiedziała pani – podejdź bliżej.

Wtedy wszyscy wstaliśmy, żeby obejrzeć jabłko z bliska, ale pani zaczęła walić linijką w biurko i kazała nam wracać na miejsca.

– To co ja mam robić, proszę pani? – spytał Ananiasz.

– Jeśli naprawdę nie widzisz jabłka, Ananiaszu – powiedziała pani – narysuj co innego, ale bądź grzeczny!

– Dobrze – ucieszył się Ananiasz – narysuję mapę Francji. Z górami, rzekami i ich głównymi dopływami.

Ananiasz był okropnie zadowolony, bo mapę Francji umie na pamięć. Wariat z tego Ananiasza!

Gotfryd, ten co ma bardzo bogatego tatę, który wciąż kupuje mu różne rzeczy, wyjął z tornistra pudełko farb – naprawdę niesamowite. Takie, gdzie jest mnóstwo pędzelków i naczynko na wodę. Podeszliśmy wszyscy obejrzeć jego farby. Poproszę tatę, żeby mi takie kupił! Pani jeszcze raz uderzyła linijką w biurko i powiedziała, że jeśli nie przestaniemy, to wszyscy będziemy ry-

sować mapy z górami i rzekami, jak Ananiasz. Więc żeśmy wrócili na miejsca oprócz Gotfryda, który dostał pozwolenie i poszedł po wodę do swojego naczynka. Maksencjusz chciał iść razem z nim, żeby mu pomagać, i za karę będzie pisać linijki.

Euzebiusz podniósł rękę i powiedział, że nie wie, jak się zabrać do rysowania jabłka, i że Rufus, który siedzi obok niego, też nie wie.

– Narysujcie kwadrat – poradziła pani. – W kwadrat łatwiej wpiszecie wasze jabłko.

Euzebiusz z Rufusem przyznali, że to dobry pomysł, wzięli linijki i zaczęli rysować swoje jabłka.

Kleofas był niezadowolony. Kleofas to najgorszy uczeń w klasie i nie potrafi niczego zrobić, jeśli nie ściąga od kumpla, z którym siedzi. A siedzi z Joachimem, który jest obrażony, bo Kleofas wygrał od niego kulki, i żeby mu zrobić na złość, zamiast jabłka rysował samolot.

Alcest, który siedzi koło mnie, patrzył na jabłko i się oblizywał. Bo musicie wiedzieć, że Alcest to ten gruby kolega, który bez przerwy je.

– Moja mama – powiedział Alcest – robi fantastyczny placek z jabłkami. Co niedziela. Z dziurkami na wierzchu.

– Jak to z dziurkami? – spytałem.

– Zwyczajnie – powiedział Alcest. – Pokażę ci kiedyś, jak do mnie przyjdziesz. Albo zaczekaj.

I zaczął rysować placek, ale musiał przerwać, żeby zjeść jedną z kanapek z przerwy. Śmieszny jest ten Alcest: jak tylko coś zobaczy, od razu ma ochotę na jedzenie! Mnie jabłko kojarzyło się raczej z telewizją, gdzie jest taki człowiek, który nazywa się Wilhelm Tell. Na początku każdego filmu kładzie jabłko na głowie syna i brzdęk! trafia w nie strzałą tuż nad głową syna. Robi tak co tydzień i jeszcze nigdy nie chybił. *Wilhelm Tell* bardzo mi się podoba, szkoda tylko, że mało w nim zamków. Nie to co w innym filmie, gdzie cały czas są zamki z mnóstwem ludzi, którzy atakują, i tych, co zrzucają im na głowę różne rzeczy. Bardzo lubię rysować zamki.

    – No i co z tym Gotfrydem? – spytała pani.

    – Jak pani chce, mogę po niego iść – zaproponował Maksencjusz.

    A pani powiedziała, że jest nieznośny, i zadała mu nowe linijki. A potem przyszedł Gotfryd, cały mokry, z naczynkiem pełnym wody.

    – Długo ci zeszło, Gotfrydzie – powiedziała pani.

    – To nie moja wina – powiedział Gotfryd. – Wszystko przez to naczynko: za każdym razem, kiedy wchodziłem na schody, przewracało się i musiałem wracać napełniać je od nowa.

    – Dobrze – powiedziała pani. – Idź na miejsce i bierz się do pracy.

    Gotfryd poszedł usiąść koło Maksencjusza i zaczął pędzelkami mieszać farby i wodę.

    – Pożyczysz mi farb? – spytał Maksencjusz.

    – Jak chcesz mieć farby, to poproś tatę, żeby ci kupił – powiedział Gotfryd. – Mój nie lubi, jak pożyczam swoje rzeczy.

    Gotfryd ma rację – tatusiowie tego nie lubią.

    – Przez twoje wstrętne farby dwa razy dostałem karę – powiedział Maksencjusz. – A w ogóle to jesteś idiotą!

    Wtedy Gotfryd pędzelkiem, plum, plum, zrobił dwie czerwone linie na kartce Maksencjusza, który zerwał się z miejsca, wściekły jak nie wiem co, zaczepił o ławkę i naczynko z czerwoną wodą przewróciło się na kartkę Gotfryda. Nawet koszulę ochlapało mu na czerwono. Gotfryd był strasznie wkurzony, zaczął tłuc wszystkich dookoła, pani krzyknęła i wszyscy wstaliśmy. Kleofas skorzystał z tego, żeby się pobić z Joachimem, który narysował całą masę samolotów, i wtedy do klasy wszedł dyrektor.

– Brawo! – powiedział. – Brawo! Moje gratulacje! Słyszę was w swoim gabinecie! Co tu się dzieje?

– Właśnie... Właśnie mieliśmy rysunki – powiedziała pani, która jest kochana, bo kiedy przychodzi dyrektor, zawsze się o nas martwi.

– Aha! – powiedział dyrektor. – No to zobaczymy.

Przeszedł się między ławkami, popatrzył na mój zamek, na placek Alcesta, na samoloty Joachima, na białą kartkę Kleofasa, na czerwone kartki Maksencjusza i Gotfryda i na bitwę morską Euzebiusza i Rufusa.

– A co mieli rysować ci młodzi artyści? – spytał dyrektor.

– Jabłko – powiedziała pani.

I dyrektor za karę kazał nam w czwartek przyjść do szkoły.

Lornetka

Joachim PRZYSZEDŁ DZISIAJ do szkoły z lornetką.

– Wczoraj pomagałem matce robić porządki na strychu – wyjaśnił nam – i znalazłem w skrzyni lornetkę. Matka powiedziała, że ojciec kupił ją dla niej, żeby chodziła do teatru i na mecze. Ale zaraz potem kupił telewizor, więc prawie jej nie używała.

– I matka ci pozwoliła zabrać lornetkę do szkoły? – spytałem, bo wiem, że rodzice nie bardzo lubią, kiedy przynosimy rzeczy do szkoły.

– No nie – powiedział Joachim. – Ale w południe odniosę ją do domu, matka o niczym się nie dowie i nie będzie sprawy.

– A co się robi z lornetką w teatrze i na meczach? – zapytał Kleofas, który jest dobrym kumplem, tylko że nigdy nic ale to nic nie wie.

– Ale ty jesteś głupi – powiedział Joachim. – Lornetka jest po to, żeby widzieć z bliska rzeczy, które są bardzo daleko!

– Tak – powiedział Maksencjusz. – Oglądałem raz film, gdzie były okręty wojenne i kapitan patrzył przez lornetkę, widział okręty wrogów i bum, bum, bum, je zatapiał, a kapitanem jednego z nieprzyjacielskich okrętów był jego kumpel, od dawna się nie widzieli, i teraz został uratowany przez kapitana okrętu, któ-

ry miał lornetkę, ale nie chciał mu podać ręki, bo nie podobało mu się, że tamten zatopił jego okręt – powiedział, że zaprzyjaźnią się znowu, dopiero jak skończy się wojna, ale zaprzyjaźnili się wcześniej, bo po zatopieniu okrętu ten drugi kapitan uratował kapitana, który miał lornetkę.

– A w teatrze i na meczach jest tak samo – powiedział Joachim.

– Aha! – powiedział Kleofas.

Ale dobrze znam Kleofasa. Widziałem, że niczego nie zrozumiał.

– Pożyczysz mi? – zawołaliśmy wszyscy.

– Tak – zgodził się Joachim – ale uważajcie, żeby was nie zobaczył Rosół, bo jeszcze mi skonfiskuje lornetkę i będę miał w domu kłopoty.

Rosół to nasz opiekun, ale to nie jest jego prawdziwe nazwisko. Jest jak nasi rodzice: nie lubi, jak przynosimy rzeczy do szkoły.

Joachim pokazał nam, co robić, żeby dobrze widzieć przez lornetkę: trzeba pokręcić takim kółkiem i najpierw prawie nic nie widać, a potem – niesamowite! – widzi się drugi koniec podwórka, jakby był bardzo blisko.

Euzebiusz nas rozśmieszył, bo próbował chodzić, patrząc przez lornetkę. Myśmy też próbowali, ale to bardzo trudne: człowiek ma cały czas wrażenie, że zaraz wpadnie na chłopaków, którzy są bardzo daleko.

– Uważajcie na Rosoła – powiedział Joachim okropnie wystraszony.

– Nic się nie bój – uspokoił go Gotfryd, który miał lornetkę – widzę go i nie patrzy tutaj.

– To fantastyczne – powiedział Rufus. – Przez lornetkę Joachima będziemy pilnować Rosoła, tak żeby nas nie zobaczył. I na przerwach będziemy mieli spokój!

Przyznaliśmy wszyscy, że to niesamowity pomysł, a Joachim powiedział, że lornetka bardzo się przyda, jak będziemy walczyć z nieprzyjaciółmi, bo z daleka będziemy widzieli, co robią.

– Tak samo jak w tej historii z okrętami? – spytał Kleofas.

– Tak – odpowiedział Joachim. – Poza tym jeden z chłopaków z naszej paczki może nam z daleka dawać znaki i będziemy wiedzieli, co się dzieje. Przećwiczmy to sobie teraz.

To też był niesamowity pomysł, więc kazaliśmy Kleofasowi iść na drugi koniec podwórka i dawać nam znaki, żeby sprawdzić, czy dobrze go widzimy.

– Jakie znaki? – spytał Kleofas.

– Wszystko jedno – odpowiedział Joachim. – Będziesz machał rękami, robił miny...

Ale Kleofas nie chciał iść. Mówił, że też chce patrzeć przez lornetkę. Wtedy Euzebiusz mu powiedział, że jak nie pójdzie, to on mu przyleje, bo jak się należy do paczki, nie wolno nie brać udziału w ćwiczeniach wojskowych, więc jeśli Kleofas nie pójdzie, to będzie tchórzem i zdrajcą. No i Kleofas poszedł.

Kiedy Kleofas dotarł na drugi koniec podwórka, odwrócił się w naszą stronę i zaczął wykonywać mnóstwo ruchów, a Joachim patrzył przez lornetkę i się śmiał. Potem ja też patrzyłem i rzeczywiście śmiesznie było widzieć Kleofasa, jak robi miny, zezuje i wystawia język. Miałem wrażenie, że mogę ręką dotknąć jego twarzy. A potem nagle zobaczyłem przy Kleofasie Rosoła i szybko oddałem lornetkę Joachimowi.

Na szczęście z drugiego końca dziedzińca Rosół na nas nie patrzył. Rozmawiał z Kleofasem, a potem odszedł, kiwając mnóstwo razy głową. Kleofas biegiem do nas przyleciał.

– Pytał, czy zwariowałem – powiedział – że sam do siebie robię miny.

– I co, wytłumaczyłeś mu, dlaczego robisz miny? – zapytał Euzebiusz.

– Nie, mój drogi – odpowiedział Kleofas. – Nie jestem ani tchórzem, ani zdrajcą!

Wtedy Alcest, który nie widział jeszcze Kleofasa przez lornetkę, bo kończył drożdżówkę, wytarł ręce i powiedział Kleofasowi, żeby wrócił na drugi koniec podwórka dawać znaki. Ale Kleofas powiedział, że nie, że ma już dość, że teraz jest jego kolej patrzeć, a nasza dawać znaki, i że jak nie pójdziemy, to wszyscy jesteśmy bandą tchórzów i zdrajców. Ponieważ miał rację, Joachim pożyczył mu lornetkę, poszliśmy wszyscy na drugi koniec podwórka i zaczęliśmy dawać Kleofasowi znaki, a potem usłyszeliśmy gruby głos Rosoła:

– Może już starczy, co? Przed chwilą w tym samym miejscu przyłapałem jednego, jak błaznował, a teraz wszyscy to robicie! Spójrzcie mi w oczy! Nie wiem, co knujecie, ale uprzedzam: pilnuję was, urwisy!

Więc żeśmy wrócili do Kleofasa, a Kleofas powiedział, że odkrył coś niesamowitego: pomylił się i patrzył przez lornetkę od grubszej strony. A wtedy widzi się rzeczy bardzo daleko i całkiem małe.

– Żartujesz? – spytał Rufus.

– Nie – powiedział Joachim – to prawda... Daj mi lornetkę, Kleofas... Dobrze... No więc teraz widzę was bardzo, bardzo daleko i jesteście całkiem mali... Tak samo mali i tak samo daleko jak Rosół...

Mamy nadzieję, że po lekcjach Rosół odda lornetkę Joachimowi. Bo po pierwsze, Joachim to dobry kumpel i nie chcielibyśmy, żeby miał w domu problemy, a po drugie, bo na następnej przerwie Rosół cały czas pilnował nas przez lornetkę.

I prawie wszyscy jesteśmy ukarani!

Kara

– Coś ty powiedział? – spytała mnie mama.
A ja byłem strasznie wściekły, więc powiedziałem mamie, co powiedziałem, i mama powiedziała:
– Skoro tak, to nie będzie dzisiaj lodów.

To było naprawdę straszne, bo co dzień o wpół do piątej przejeżdża przed naszym domem sprzedawca lodów na swoim wózku z dzwonkiem i mama daje mi pieniądze, żebym sobie kupił. Lody są różne: czekoladowe, waniliowe, truskawkowe i pistacjowe, a ja najbardziej lubię wszystkie, ale truskawkowo-pistacjowe są ekstra, bo są czerwono-zielone. Lodziarz sprzedaje lody w rożkach, w kubeczkach i na patyku, i zgadzam się z Alcestem, że najlepsze są rożki, bo kubeczków i patyków się nie je i do niczego się nie nadają. Chociaż przy kubeczkach są strasznie fajne małe łyżeczki, a lody na patyku śmiesznie się liże, z tym, że to dość niebezpieczne, bo czasem spadają na ziemię i bardzo trudno je podnieść. No więc się rozpłakałem i powiedziałem, że jak nie dostanę loda, to się zabiję.

– Co tu się dzieje? – spytał tata. – Mordują kogoś, czy co?

– To się dzieje – odpowiedziała mama – że twój syn był dla mnie niegrzeczny i że go ukarałam. Nie dostanie dziś lodów.

– Dobrze zrobiłaś – powiedział tata. – Mikołaj! Cicho bądź! To prawda, że od kilku dni jesteś nieznośny. A teraz przestań płakać, bo to nic nie da. Będziesz miał nauczkę na przyszłość.

Więc wyszedłem z domu, usiadłem w ogrodzie i powiedziałem sobie, że wcale nie mam ochoty na ich wstrętne lody, że na myśl o ich lodach po prostu chce mi się śmiać i że ucieknę z domu, stanę się bardzo bogaty, kupując ziemię – Gotfryd mi mó-

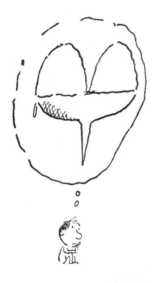

wił, że jego ojciec zarobił mnóstwo pieniędzy, kupując ziemię – i kiedyś wrócę własnym samolotem i wejdę do domu, jedząc loda wielkiego jak nie wiem co, truskawkowo-pistacjowego, no bo co w końcu, niech sobie nie myślą!

Tata przyszedł do ogrodu z gazetą, spojrzał na mnie i usiadł na leżaku. Od czasu do czasu opuszczał gazetę, żeby na mnie popatrzyć, a potem powiedział:

– Ale dzisiaj gorąco.

Nic nie odpowiedziałem, więc tata westchnął, wrócił do czytania gazety, a potem znów spojrzał na mnie i powiedział:

– Nie siedź w słońcu, Mikołaj. Idź do cienia.

Podniosłem z alejki kamień i rzuciłem nim w drzewo, ale nie trafiłem. Więc wziąłem następny – i też nie trafiłem.

– Dobrze, dobrze – powiedział tata. – Możesz się dąsać, mnie to nie przeszkadza, ale nic tym nie zyskasz, mój chłopcze. I przestań rzucać kamieniami!

Wyrzuciłem kamienie, które miałem w ręce, i patyczkiem zacząłem pomagać mrówkom nosić pakunki.

– O której przejeżdża ten nieszczęsny lodziarz? – zapytał tata.

– O wpół do piątej – powiedziałem.

Tata spojrzał na zegarek, westchnął, wziął swoją gazetę, a potem ją opuścił i powiedział:

– Dlaczego jesteś niegrzeczny, Mikołaj? Widzisz, do czego to prowadzi? Myślisz, że oboje z mamą lubimy cię karać?

Wtedy się rozpłakałem, powiedziałem, że to niesprawiedliwe i że ja nie chciałem. Tata wstał z leżaka, podszedł do mnie, schylił się, powiedział, że jestem mężczyzną, że mężczyźni nie płaczą, wytarł mi nos, pogłaskał po głowie i oświadczył:

– Słuchaj, Mikołaj, porozmawiam z twoją matką. Potem ty pójdziesz ją przeprosić i obiecasz, że to się więcej nie powtórzy. Zgoda?

– Och tak! – powiedziałem.

No i tata – on jest naprawdę kochany – wszedł do domu, a ja pomyślałem, że kupię waniliowo-pistacjowe, bo biały z zielonym też wygląda ładnie, a potem usłyszałem dochodzące z domu krzyki i tata wrócił do ogrodu, cały czerwony, usiadł na leżaku, wziął gazetę, a potem ją zmiął i rzucił na ziemię. Potem spojrzał na mnie i krzyknął:

– I daj mi wreszcie spokój z tymi lodami! Trzeba było być grzecznym. Więcej o tym nie mówmy! Zrozumiano?

No więc się rozpłakałem, a pan Blédurt (nasz sąsiad) wsunął swoją wielką głowę przez żywopłot.

– Co się dzieje? – zapytał.

– Ty – krzyknął tata – lepiej pilnuj swojego nosa!

– O, przepraszam – powiedział pan Blédurt. – Pilnowałem swojego nosa, ale moją uwagę zwróciły nieludzkie wrzaski. A kiedy obok mnie obdzierają kogoś żywcem ze skóry, uważam za swój obowiązek dowiedzieć się, o co chodzi, zanim zadzwonię po policję.

– Bardzo śmieszne – powiedział tata. – Ha! Ha!

– Nie chcą mi kupić loda! – krzyknąłem.

– Sytuacja finansowa rodziny tak się ostatnio pogorszyła? – zapytał pan Blédurt.

– Mikołaj jest ukarany i mówię po raz ostatni: zajmij się swoimi sprawami, Blédurt! – krzyknął tata.

– Bez żartów – powiedział pan Blédurt. – Nie sądzisz, że trochę zbyt surowo traktujesz to biedne dziecko?

– To moja żona go ukarała! – krzyknął tata.

– Ach, skoro to twoja żona... – powiedział pan Blédurt, śmiejąc się.

– Po raz ostatni, Blédurt – powiedział tata – wracaj do swojej nory, chyba że chcesz dostać te wciry, które ci obiecuję od dawna? Uprzedzam, że nie żartuję!

– Chciałbym to zobaczyć – powiedział pan Blédurt.

A potem z domu wyszła mama z siatką na zakupy.

– Pójdę coś kupić na kolację – powiedziała.

– Słuchaj – powiedział tata – nie sądzisz, że...

– Nie, nie i jeszcze raz nie! – krzyknęła mama. – To bardzo ważne! Jeżeli mu teraz ustąpimy, niczego się nie nauczy! Musi zrozumieć raz na zawsze, że nie wszystko mu wolno! Musimy go wychowywać, zanim będzie za późno. Nie chcę wyrzucać sobie potem, że twój syn jest wykolejeńcem, bo byliśmy dla niego za łagodni! Nie, nie i jeszcze raz nie!

– Myślę, że zrozumiał – powiedział pan Blédurt. – Może nie jest konieczne...

Mama odwróciła się nagle do pana Blédurt i aż się przestraszyłem, bo nigdy nie widziałem jej takiej złej.

– Przykro mi, że muszę to panu mówić – powiedziała mama – ale ta sprawa dotyczy tylko nas. Proszę więc, żeby się pan nie mieszał!

– Ale – wyjaśnił pan Blédurt – ja chciałem tylko...

– A ty – krzyknęła mama do taty – stoisz bez słowa, podczas gdy twój przyjaciel...

– To nie jest mój przyjaciel – krzyknął tata – i...

– Nie jestem niczyim przyjacielem! – krzyknął pan Blédurt. – Radźcie sobie sami, bo między nami skończone! I to raz na zawsze!

Pan Blédurt sobie poszedł, a mama zwróciła się do taty.

– Dobrze, teraz pójdę zrobić zakupy – powiedziała. – I żebym się nie dowiedziała, że w czasie mojej nieobecności kupiłeś swojemu synowi lody!

– Nie chcę więcej słyszeć o lodach! – krzyknął tata.

Mama wyszła, a ja usłyszałem dzwonek lodziarza i zacząłem płakać. Tata krzyknął, że jeśli dalej będę robił komedie, to przy-

łoży mi klapsa, i wszedł do domu, trzaskając drzwiami.

W czasie kolacji nikt nic nie mówił, bo wszyscy byli na wszystkich obrażeni. A potem mama spojrzała na mnie i spytała:

– To co, Mikołaj, będziesz teraz grzeczny? Nie będziesz robił mamusi przykrości?

Chlipnąłem i odpowiedziałem, że będę grzeczny i już nigdy nie zrobię mamie przykrości. Bo ja naprawdę bardzo mamę kocham.

Wtedy mama wstała, poszła do kuchni i wróciła roześmiana, przynosząc, no zgadnijcie co? Wielki talerz lodów truskawkowych!

Pobiegłem pocałować mamę, powiedziałem jej, że jest najfajniejszą mamą na świecie, ona mi powiedziała, że jestem jej małym króliczkiem, i dostałem strasznie dużo lodów.

Bo tata nie chciał. Siedział przy stole i patrzył na mamę, robiąc wielkie oczy.

Rozdział IV
Stryjek Eugeniusz

Stryjek Eugeniusz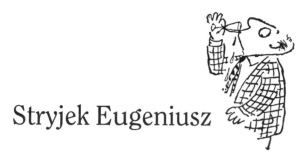

STRYJEK EUGENIUSZ PRZYSZEDŁ DZIŚ DO NAS NA KOLACJĘ. Rzadko go widujemy, bo stale podróżuje – jeździ bardzo daleko: do Saint--Etienne i do Lyonu. Chłopakom opowiadam, że stryjek Eugeniusz jest poszukiwaczem, ale to niezupełnie prawda. Podróżuje, żeby sprzedawać rzeczy, i podobno zarabia mnóstwo pieniędzy. Bardzo lubię, kiedy stryjek Eugeniusz do nas przychodzi, bo jest strasznie śmieszny: cały czas robi różne psikusy i bardzo głośno się śmieje. Opowiada też dowcipy, ale nigdy ich nie słyszałem, bo kiedy zaczyna opowiadać, każą mi wychodzić z pokoju.

Tata otworzył drzwi stryjkowi Eugeniuszowi i pocałowali się w policzki. Zawsze mi trochę głupio, kiedy widzę, jak tata całuje innego pana, ale trzeba powiedzieć, że stryjek Eugeniusz to nie jest prawdziwy pan: to brat mojego taty. A potem stryjek Eugeniusz pocałował mamę i powiedział, że jedyne, co jego brat (tata) zrobił dobrego, to że się z nią ożenił. Mama się głośno roześmiała i powiedziała stryjkowi Eugeniuszowi, że nigdy się nie zmieni. Wtedy stryjek Eugeniusz wziął mnie na ręce, zrobił „Hop-la!", powiedział, że bardzo urosłem i że jestem jego ulubionym bratankiem, a potem dał nam prezenty: dwanaście kra-

watów dla taty, sześć par pończoch dla mamy i trzy swetry dla mnie. Stryjek Eugeniusz zawsze robi takie dziwne prezenty! Weszliśmy do salonu i stryjek Eugeniusz poczęstował tatę cygarem.

– O nie! – powiedział tata. – Znam twoje wybuchające cygara!

– Nic podobnego – powiedział stryjek Eugeniusz. – Zresztą popatrz, sam jedno zapalę. Widzisz? No bierz, przyjechały z Holandii!

– Chyba nie zamierzacie palić przed kolacją? – powiedziała mama.

I paf! cygaro taty wybuchło. Strasznie się uśmialiśmy, szczególnie stryjek Eugeniusz. Tata również się śmiał i podał aperitif. Ale kiedy stryjek Eugeniusz zaczął pić, okropnie się skrzywił i wszystko wyplul na dywan, a tata tak się zaśmiewał, że aż musiał oprzeć się o kominek. Wyjaśnił nam, że to, co było w butelce, to nie był prawdziwy aperitif, tylko ocet. Wtedy stryjek Eugeniusz też się roześmiał, dał tacie kuksańca, a tata oburącz złapał stryjka Eugeniusza za włosy, żeby go rozczochrać. Fajnie jest, kiedy stryjek Eugeniusz przychodzi do nas do domu!

Mama poszła do kuchni kończyć szykować kolację, a tata powiedział stryjkowi Eugeniuszowi, żeby usiadł na niebieskim fotelu.

– Nie ma głupich – powiedział stryjek Eugeniusz i usiadł na zielonym, tym, na którym jest ślad od papierosa i nawet kiedyś rodzice się o to posprzeczali. Stryjek Eugeniusz zerwał się z krzykiem, bo tata położył na poduszce pineskę. Tak się śmiałem, że aż mnie rozbolał brzuch.

– Dosyć! – powiedział stryjek Eugeniusz. – Starczy już tych kawałów. Zgoda?

– Zgoda – powiedział tata, wycierając sobie oczy.

Stryjek Eugeniusz wyciągnął do taty rękę, tata mu ją uścisnął i krzyknął, bo stryjek Eugeniusz miał w ręku takie urządzenie, które robi „bzżt" – niesamowite! Gotfryd przyniósł raz takie samo do szkoły i o mało go nie wyrzucono, bo Ananiasz poleciał na skargę.

– Do stołu! – powiedziała mama.

Stryjek Eugeniusz walnął tatę w plecy i przeszliśmy do stołowego. Stryjek Eugeniusz pokazał mi na migi, żebym nie mówił tacie, że przykleił mu do marynarki metkę z napisem „Przecena". Najpierw stryjek Eugeniusz uważnie obejrzał swoje krzesło, a potem usiadł i mama przyniosła zupę. Tata nalał do kieliszków

wina, ja też troszkę dostałem z dużą ilością wody – ślicznie wygląda, jest różowe – i stryjek Eugeniusz powiedział, że nie będzie pił, dopóki tata nie zacznie. Tata powiedział, że stryjek Eugeniusz jest głupi jak nie wiem co, i wypił łyk, więc stryjek Eugeniusz też zaczął pić, ale jego kieliszek był specjalny, miał dziurki, i pełno wina wylało mu się na krawat i na koszulę.

– Och! – krzyknęła mama – twój krawat, Eugeniuszu! Naprawdę obaj przesadzacie.

– Ależ nie, ależ nie, czarująca bratowo – powiedział stryjek Eugeniusz. – Robi tak, bo jest zazdrosny: wie, że zawsze byłem najbardziej udany z całej rodziny.

I stryjek Eugeniusz wrzucił tacie do zupy solniczkę.

Trudno mi było jeść, bo za każdym razem, jak tata ze stryjkiem Eugeniuszem robili jakiś numer, zachłystywałem się i inni musieli czekać, aż skończę, żeby mama mogła przynieść pieczeń.

Stryjek Eugeniusz miał właśnie zacząć kroić pieczeń, kiedy jego talerz się poruszył. Wiecie dlaczego? Bo tata kupił nowe urządzenie: to rurka, która przechodzi pod obrusem – naciska się gruszkę, a wtedy pęcznieje taki mały balonik i porusza talerzem. Roześmialiśmy się wszyscy i mama powiedziała, że trzeba jeść, zanim ostygnie. Wtedy stryjek Eugeniusz zrzucił na ziemię widelec taty i kiedy tata schylił się, żeby go podnieść, stryjek Eugeniusz nasypał mu na pieczeń mnóstwo pieprzu. Niesamowite! Zastanawiam się, skąd tata i stryjek Eugeniusz biorą te wszystkie pomysły!

Największy ubaw mieliśmy przy serach, bo kiedy stryjek Eugeniusz chciał ukroić kawałek camemberta, rozległo się głośne „piiiii", bo to nie był prawdziwy camembert. A potem był tort czekoladowy, bardzo pyszny, i kiedy stryjek Eugeniusz opowiadał coś tacie na ucho, wziąłem sobie drugi kawałek.

Potem wróciliśmy do salonu, mama podała kawę i zrobiło się śmiesznie, jak cukier w filiżance stryjka Eugeniusza zaczął dymić i mama musiała mu dać drugą filiżankę, a stryjek Eugeniusz pociągnął tatę za krawat i tata rozlał swoją kawę. Tata wyszedł, żeby się umyć, a mama powiedziała, żebym się pożegnał, bo pora iść spać.

– Och mamo – poprosiłem. – Pozwól mi jeszcze trochę zostać.

– Ja też już sobie pójdę – powiedział stryjek Eugeniusz.

– Jak to! – powiedział tata, który wszedł, wycierając sobie ręce. – Już wychodzisz?

– Tak – odpowiedział stryjek Eugeniusz. – Cały dzień prowadziłem, jestem zmęczony. Ale cieszę się, że mogłem spędzić spokojny wieczór w rodzinie, ja, stary kawaler, stale w rozjazdach.

Stryjek Eugeniusz mnie pocałował, pocałował mamę, mówiąc, że nigdy tak dobrze nie jadł i że jego brat ma szczęście, na które nie zasługuje, i tata ze śmiechem odprowadził go do samochodu. Potem usłyszeliśmy straszny hałas – tata przywiązał starą puszkę do samochodu stryjka Eugeniusza.

Śmiałem się jeszcze, kiedy tata wrócił. Za to tata się nie śmiał i zawołał mnie do salonu, żeby mnie skrzyczeć.

Powiedział, że nie chciał nic mówić przy stryjku Eugeniuszu, ale że nie powinienem bez pozwolenia dokładać sobie tortu i chyba jestem już dość duży, żeby przestać zachowywać się jak jakieś nieznośne chłopaczysko.

Wesołe miasteczko

Bawiliśmy się w chowanego z Euzebiuszem, Gotfrydem i Alcestem, ale nie bardzo nam szło, bo w naszym ogrodzie jest tylko jedno drzewo i od razu znajduje się tych, co się za nim schowali. Szczególnie Alcesta, który jest szerszy od drzewa, a nawet gdyby nie był, to i tak byśmy go szybko znaleźli, bo cały czas je i słychać, jak przeżuwa.

Zastanawialiśmy się, co będziemy robić, i tata radził, żebyśmy wygracowali ścieżki, kiedy przyleciał Rufus. Rufus to kolega, który chodzi z nami do szkoły. Jego tata jest policjantem.

– Niedaleko na placu jest wesołe miasteczko! – zawiadomił nas Rufus.

Postanowiliśmy, że zaraz tam pójdziemy, ale tata nie chciał o niczym słyszeć.

– Nie mogę iść z wami do wesołego miasteczka – powiedział. – Muszę pędzić do pracy, a wy jesteście za mali, żeby iść sami.

Ale my się upieraliśmy.

– Chociaż raz niech pan będzie miły – powiedział Alcest.

– Nie jesteśmy znów tacy mali – zapewnił Euzebiusz. – Ja tam na przykład mogę przylać każdemu.

– Mój tata, kiedy go o coś proszę, nigdy mi nie odmawia – pochwalił się Gotfryd.

– Będziemy grzeczni – obiecałem.

Ale tata kręcił głową, że nie.

Wtedy Rufus oświadczył:

– Jeśli będzie pan dla nas miły, powiem to swojemu tacie i mój tata unieważni panu mandaty.

Tata spojrzał na Rufusa, pomyślał chwilę i powiedział:

– No dobrze, żeby sprawić przyjemność wam, a zwłaszcza twojemu tacie, Rufusie, pozwalam wam iść do wesołego miasteczka. Ale nie róbcie głupstw i wróćcie za godzinę.

Strasznie się ucieszyliśmy, a ja pocałowałem mojego tatę. Pieniędzy mieliśmy sporo. Wziąłem ze skarbonki oszczędności przeznaczone na zakup samolotu w przyszłości, kiedy będę duży, a Gotfryd ma mnóstwo pieniędzy – dostaje je od ojca, który jest bardzo bogaty.

W wesołym miasteczku było pełno ludzi. Zaczęliśmy od samochodzików. Ja z Alcestem wsiadłem do czerwonego, Euzebiusz z Gotfrydem do żółtego, a Rufus z gwizdkiem, który dostał od swojego taty, do niebieskiego. Fajnie żeśmy się bawili, zde-

rzając się ze sobą, krzyczeliśmy, śmialiśmy się, a Rufus gwizdał i wrzeszczał:

– Proszę jechać! Proszę jechać! A pan niech się trzyma prawej strony!

Właściciel toru patrzył na nas dziwnie, jakby nas pilnował. Alcest wyjął z kieszeni kawałek piernika i właśnie go wcinał, zadowolony jak nie wiem co, kiedy wjechał w nas samochód Euzebiusza i Gotfryda. Pod wpływem uderzenia Alcest upuścił piernik.

– Poczekaj, zaraz wracam – powiedział do mnie Alcest i wyskoczył z samochodu, żeby iść po piernik.

– Hej, tam – krzyknął Rufus – proszę przechodzić po pasach!

Właściciel toru wyłączył prąd i wszystkie samochodziki stanęły.

– Czyś ty zwariował? – zapytał właściciel Alcesta, który odzyskał swój piernik.

– Proszę jechać! Proszę jechać! – zaczął krzyczeć Rufus.

Właściciel był naprawdę niezadowolony. Powiedział, że hałasujemy, że jesteśmy nieostrożni, i kazał nam się wynosić. Zwróciłem mu uwagę, że zapłaciliśmy za pięć kolejek, a zrobiliśmy dopiero cztery. Euzebiusz chciał mu dać w nos – Euzebiusz jest bardzo silny i lubi dawać wszystkim w nos. Rufus poprosił właściciela, żeby pokazał mu swoje papiery. Ludzie zaczęli narzekać, że samochodziki nie jeżdżą. W końcu dogadaliśmy się: właściciel zwrócił nam pieniądze za pięć kolejek i sobie poszliśmy. Zresztą już nam się odechciało samochodzików, a Alcest strasznie się bał, że zgubi piernik.

Potem kupiliśmy watę cukrową. Wygląda naprawdę jak wata, ale jest lepsza, słodka i przyczepia się do wszystkiego, tak że potem człowiek strasznie się lepi. Kiedy skończyliśmy jeść, poszliśmy na karuzelę z okrągłymi wagonikami, które kręcą się bardzo

szybko. Było strasznie fajnie, tylko przy wyjściu jakiś pan po-
skarżył się, że twarz i garnitur ma całe w wacie cukrowej. Trzeba powiedzieć, że jego wagonik był zaraz za tym, w którym siedział Alcest, a przed pójściem na karuzelę Alcest nakupił sobie
mnóstwo waty, żeby w podróży nie umrzeć z głodu.

Potem Alcest zaproponował, żebyśmy poszukali czegoś dobrego do zjedzenia, bo jest głodny. Kupiliśmy ciastka, frytki, czekoladę, karmelki i kiełbaski. Popiliśmy to wszystko lemoniadą
i potem nie czuliśmy się za dobrze, oprócz Alcesta, który wpadł

na pomysł, żeby iść na samoloty – te, co raz są na górze, a raz na dole. Zgodziliśmy się i to był błąd. Bo w samolotach strasznie się żeśmy pochorowali i pan od karuzeli się denerwował: mówił, że to robi złe wrażenie na klientach.

Żeby trochę odpocząć, zaczęliśmy rozglądać się za czymś spokojniejszym. Postanowiliśmy, że pójdziemy do labiryntu. To bardzo fajna rzecz. Składa się z korytarzy oddzielonych ścianami z przezroczystego szkła, a kiedy się jest w środku, nie widać ścian i bardzo trudno znaleźć drogę. Ludzie, którzy stoją na zewnątrz, widzą, jak próbujecie wyjść, i śmieją się – dużo bardziej niż ci, którzy są w labiryncie.

Najpierw próbowaliśmy iść za sobą, ale potem żeśmy się zgubili. Słyszeliśmy gwizdek Rufusa i Euzebiusza, który krzyczał, że jak stąd nie wyjdziemy, to on zaraz da komuś w nos. Alcest zaczął płakać, bo był głodny i bał się, że nie wyjdziemy na czas i spóźni się na kolację. Nagle zobaczyłem kogoś, kto się nie śmiał: to był mój tata.

– Wychodźcie stamtąd, urwisy! – krzyknął.

My chętnie byśmy wyszli, tylko nie wiedzieliśmy jak. Wtedy tata wszedł po nas do labiryntu. Chciałem do niego iść, ale pomyliłem korytarz i znalazłem się na zewnątrz razem z Acestem, który szedł tuż za mną. Kiedy patrzyłem i próbowałem pomóc tym, co byli jeszcze w labiryncie, tłumacząc im, jak wyszedłem, Alcest poleciał kupić kanapki. Potem wyszedł Rufus z Euzebiuszem i Gotfrydem.

Kłopoty z wyjściem miał tata. Czekając na niego, zrobiliśmy jak Alcest: usiedliśmy na trawie przed labiryntem i jedliśmy kanapki. Wtedy przyszedł tata Rufusa. On też się nie śmiał. Potrząsnął Rufusem, powiedział mu, że jest szósta wieczór i że to nie pora na włóczenie się poza domem, szczególnie bez opieki. Wte-

dy Rufus powiedział, że jesteśmy z moim tatą i właśnie na niego czekamy, bo jest w labiryncie.

Tata Rufusa strasznie się wkurzył i poprosił pana od labiryntu, żeby po tatę poszedł. Pan poszedł, śmiejąc się, i przyprowadził tatę, który wyglądał na obrażonego.

– A więc – powiedział tata Rufusa – tak pan pilnuje dzieci, taki im pan daje przykład?

– Ale – powiedział mój tata – to wszystko przez pana syna, tego urwisa Rufusa: to on zaciągnął chłopców do wesołego miasteczka!

– Ach tak? – zapytał tata Rufusa. – A czy ten szary samochód zaparkowany na przejściu dla pieszych nie należy przypadkiem do pana?

– Tak, i co z tego? – odpowiedział tata.

Wtedy tata Rufusa wlepił mojemu tacie mandat.

Praca domowa

K<small>IEDY TATA WRÓCIŁ DZISIAJ Z BIURA</small>, miał pod pachą wielki tornister i nie wyglądał na zadowolonego.

– Chciałbym, żebyśmy wcześniej zjedli kolację – powiedział tata. – Przyniosłem z pracy robotę, musi być gotowa na jutro rano. Mama ciężko westchnęła i powiedziała, że zaraz poda kolację, a ja zacząłem opowiadać tacie, jak było dzisiaj w szkole. Ale tata mnie nie słuchał. Wyciągnął ze swojego tornistra mnóstwo papierów i zaczął je przeglądać. Szkoda, że tata nie słuchał, bo w szkole miałem dzisiaj świetny dzień: strzeliłem Alcestowi trzy gole. A potem przyszła mama i powiedziała, że podano do stołu.

Jedzenie było super. Zwykle w domu dobrze jadamy: była zupa, befsztyk z piure – piure jest strasznie śmieszne, bo można na nim robić rysunki widelcem – i ciasto, które zostało z obiadu. Szkoda tylko, że nikt nic nie mówił, a kiedy znów próbowałem pochwalić się tacie tymi trzema golami, powiedział mi tylko: „Jedz!".

Po kolacji, kiedy mama zmywała w kuchni naczynia, my z tatą poszliśmy do salonu. Tata rozłożył swoje papiery na stole, na którym stał różowy wazon, zanim się stłukł, a ja bawiłem się samochodzikiem na dywanie. Brum!

– Mikołaj! Przestań hałasować! – krzyknął tata.

Wtedy się rozpłakałem i przybiegła mama.

– Co się dzieje? – spytała.

– To, że mam pracę i potrzebuję spokoju! – odpowiedział tata.

Mama powiedziała, że mam być grzeczny i nie przeszkadzać tacie, jeśli nie chcę zaraz iść do łóżka. Ponieważ nie chciałem zaraz iść do łóżka (wieczorem zwykle nie chce mi się spać), spytałem, czy mogę poczytać książkę, którą dostałem od stryjka Eugeniusza ostatnim razem, jak u nas był. Mama powiedziała, że to bardzo dobry pomysł. Więc poszedłem po książkę od stryjka Eugeniusza – to bardzo fajna książka: o paczce kumpli, którzy szukają skarbu, ale nie mogą znaleźć, bo mają tylko połowę ma-

214

py, która mogłaby ich doprowadzić do skarbu, i ta połowa, którą mają, jest do niczego, jeśli nie znajdą drugiej połowy. Wczoraj, kiedy mama zgasiła światło w moim pokoju, doszedłem do niesamowitego momentu, w którym Dick, szef kumpli, jest w starym domu razem z garbusem.

I tata zaczął krzyczeć:

– Cholerne pióro! Akurat teraz przestało pisać! Mikołaj! Przynieś mi swoje pióro.

Więc zostawiłem książkę na dywanie, poszedłem do pokoju po pióro, które dostałem od Buni, i pożyczyłem je tacie.

Wokół domu garbusa szalała straszna burza z piorunami i błyskawicami, ale Dick wcale się nie bał. A potem z kuchni przyszła mama i usiadła w fotelu naprzeciwko taty.

– Uważam – powiedziała mama – że pan Moucheboume
przesadza. Przy pensji, jaką ci płaci, nie powinien zmuszać cię
do pracy po godzinach.

– Jeśli masz dla mnie lepszą posadę – powiedział tata – to
bądź tak dobra i mi ją wskaż.

– Brawo! – powiedziała mama. – Świetny dowcip!

– Nie staram się być dowcipny! – krzyknął tata. – Staram
się skończyć tę pracę na jutro rano, jeśli moja droga rodzina mi
pozwoli!

– Co do mnie – powiedziała mama – to masz moje pozwolenie. Idę na górę posłuchać radia. Porozmawiamy jutro, kiedy się
uspokoisz.

I mama poszła na górę do swojego pokoju. Wróciłem do
książki od stryjka Eugeniusza, kiedy to Dick, szef kumpli, jest
w domu u garbusa. Na dworze szaleje burza, ale Dick się nie boi.
I jeden z papierów taty spadł na dywan.

– Cholera! – powiedział tata. – Mikołaj! Podnieś mi ten papier
i idź zamknąć drzwi! To niesłychane, że w tym domu nie zamyka się drzwi!

Więc podniosłem papier i poszedłem zamknąć drzwi od stołowego. To prawda, że w domu zawsze zapominamy o zamyka-
niu drzwi i robią się przeciągi. A potem tata krzyknął, że skoro
już tam jestem, to żebym przyniósł mu z kuchni szklankę wody.
Przyniosłem tacie szklankę wody i znów zacząłem czytać fajną
książkę od stryjka Eugeniusza o kumplach, którzy mają pół mapy, żeby znaleźć skarb, ale wtedy drugi papier spadł tacie na dywan i tata kazał mi iść zamknąć drzwi od kuchni.

Kiedy wróciłem, tata spytał, jak napisałbym słowo „przynależeć". Powiedziałem, że ja bym je napisał przez er zet. Tata westchnął i kazał mi iść po słownik, który stoi w biblioteczce. Zanim

mu go przyniosłem, zajrzałem do środka, ale nie znalazłem słowa „przynależeć". Może nie zaczyna się na „pszy" tylko jakoś inaczej.

Dałem słownik tacie, położyłem się na dywanie i doszedłem do momentu, kiedy Dick, w czasie burzy z piorunami i błyskawicami, chodzi po korytarzach domu garbusa, i wtedy ktoś zadzwonił do drzwi.

– Idź otworzyć, Mikołaj – powiedział tata.

Poszedłem i to był pan Blédurt. Pan Blédurt to nasz sąsiad. Bardzo lubi przekomarzać się z tatą, ale tata nie zawsze lubi, jak pan Blédurt się z nim przekomarza.

– Cześć, Mikołaj – powiedział pan Blédurt. – Twój biedny ojciec jest w domu?

– Wracaj do swojej nory, Blédurt – krzyknął tata z salonu. – To nie jest pora na to, żeby mi przeszkadzać! Wynoś się!

Więc pan Blédurt wszedł ze mną do salonu i kiedy znowu czytałem, jak Dick idzie korytarzem w domu garbusa podczas burzy, pan Blédurt powiedział:

– Przyszedłem spytać, czy nie zagrałbyś w warcaby.

– Nie widzisz, że jestem zajęty? – spytał tata. – Mam ważną pracę do skończenia na jutro rano.

– Pozwalasz swojemu szefowi wchodzić sobie na głowę i on to wykorzystuje – powiedział pan Blédurt. – Ja jestem wolnym strzelcem, ale gdybym miał szefa i gdyby mój szef chciał mi dać robotę poza godzinami pracy, to ja bym powiedział mojemu szefowi, to ja bym mu powiedział...

– Nic byś mu nie powiedział – krzyknął tata. – Po pierwsze, bo jesteś tchórzem, a po drugie, bo żaden szef by ciebie nie chciał.

– Kto jest tchórzem i kto by kogo nie chciał? – spytał pan Blédurt.

– Dobrze słyszałeś – powiedział tata. – A jeśli nie rozumiesz, to już nie moja wina. Teraz daj mi pracować.

– Ach tak? – spytał pan Blédurt.

– Tak – odpowiedział tata.

Wtedy podniosłem książkę, wsadziłem ją sobie pod pachę i krzyknąłem:

– Mam tego dość! Idę się położyć!

I wyszedłem, a tata i pan Blédurt, którzy trzymali się za krawaty, patrzyli na mnie wielkimi oczyma, jakby byli zdziwieni. No bo co w końcu, kurczę blade, dwudziesty raz czytałem tę samą stronę w mojej książce!

I wiecie, co wam powiem? Uważam, że naszym tatusiom każą za dużo pracować. I kiedy po całym dniu człowiek wraca zmęczony ze szkoły, nie może znaleźć nawet chwili spokoju!

Plask plask

– Chodź mikołaj! Pora na kąpiel – powiedziała mama, a ja powiedziałem, że nie, że nie warto, że nie jestem znów taki brudny i że w szkole Maksencjusz ma zawsze brudne kolana, a jego mama często go nie kąpie, i że na pewno wykąpię się jutro, a dzisiaj wieczór w ogóle źle się czuję. Wtedy mama powiedziała, że zawsze robię cyrki, że to istna gehenna namówić mnie na kąpiel, za to potem nie można się doprosić, żebym wyszedł z wanny, i że ona ma tego dość. I wtedy przyszedł tata.

– I co, Mikołaj – powiedział tata. – Co to znów za historia? Dlaczego nie chcesz się kąpać? Kąpiel jest bardzo przyjemna!

Więc powiedziałem, że nie, że wcale nie jest przyjemna, że mama przejeżdża mi gąbką po twarzy, plask, plask, że mydło dostaje mi się wszędzie do oczu i do nosa, że to szczypie i że nie jestem znów taki brudny, i że jutro na pewno się wykąpię, bo dzisiaj wieczór naprawdę źle się czuję.

– A gdybyś tak sam się wykąpał? – zapytał tata. – Co ty na to? W ten sposób nie nakładłbyś sobie mydła do oczu.

– Ależ to szaleństwo – powiedziała mama. – On jest za mały! Nigdy sobie sam nie poradzi z kąpielą!

– Za mały? – zdziwił się tata. – Nasz Mikołaj nie jest już nie-mowlęciem! Jest dużym chłopcem i na pewno może się sam wy-kąpać. Prawda, Mikołaj?

– Och tak! – powiedziałem.

Zresztą w szkole chłopaki, Alcest, Rufus i Kleofas, mówili mi, że sami się kąpią. No bo co w końcu, kurczę blade, u nas w do-mu zawsze wszystko musi być inaczej!

Oczywiście nic nie wspomniałem o Gotfrydzie, który twier-dzi, że kąpie go guwernantka. Z tym że nie trzeba wierzyć we wszystko, co mówi Gotfryd – on jest okropnym kłamcą.

– Doskonale! – powiedział tata do mamy. – Napuść temu mężczyźnie wody do wanny. Poradzi sobie jak dorosły.

Mama się chwilę wahała, a potem spojrzała na mnie dziwnie i szybko wyszła, mówiąc, że idzie napuścić wodę do wanny i że-bym się pospieszył, bo wystygnie. Byłem zdziwiony, że mama jest taka zmartwiona.

– To dlatego – wytłumaczył mi tata – że mamie jest czasami przykro, kiedy widzi, że rośniesz. Zresztą kiedyś zrozumiesz, że kobiet nie da się zrozumieć.

Tata mówi czasem dla zabawy takie głupoty. Przejechał mi ręką po włosach i powiedział, żebym się pospieszył, bo mama woła mnie do łazienki. Mama miała jakiś dziwny głos!

Byłem strasznie dumny, że będę się sam kąpał, no bo w koń-cu, co najmniej od dwóch urodzin jestem duży. Poza tym gąbką przejadę sobie nie po twarzy, tylko dookoła. Poszedłem do swoje-go pokoju po rzeczy potrzebne do kąpieli. Wziąłem małą żaglów-kę, która nie ma już żagla – szkoda, będę musiał go doprawić! Wziąłem też metalowy statek, który ma komin i śmigło – nie za dobrze pływa, ale nadaje się do zabawy w tonący statek, jak w fil-mie, który widziałem, gdzie wszystkim udaje się uratować, na-

wet kapitanowi, który nie chce skakać do wody. W takim fajnym mundurze ja też bym nie chciał!

Wziąłem niebieski samochodzik, żeby zrobić wypadek z samochodem wpadającym do morza. Wziąłem okręt wojenny, ten, co miał armaty, zanim go pożyczyłem Alcestowi. Wziąłem też trzech ołowianych żołnierzy i drewnianego konika – to mieli być pasażerowie.

Nie wziąłem misia, bo zostało mu jeszcze trochę sierści – resztę zgoliłem starą maszynką taty, która już nie działa. Bo rzeczywiście, jak raz włożyłem misia do wody, w wannie zostało wszędzie pełno sierści i mama była niezadowolona. Poza tym miś po kąpieli nie wyglądał za ładnie, a ja nie lubię niszczyć zabawek. Bardzo o nie dbam.

Kiedy mama zobaczyła, jak wchodzę do łazienki z zabawkami, zrobiła wielkie oczy.

– Chyba nie masz zamiaru wkładać tych śmieci do wanny? – powiedziała.

– Kochanie – powiedział tata, który przyszedł. – Niech Mikołaj sam sobie radzi. Niech się kąpie, jak mu się podoba. Niech się uczy brać za siebie odpowiedzialność.

– Nie sądzisz, że to niebezpieczne zostawiać go samego? – spytała mama.

– Niebezpieczne? – roześmiał się tata. – Nie myślisz chyba, że się w wannie utopi! Nie trzęsiesz się tak nad nim na plaży, kiedy idzie kąpać się w morzu. No chodź, zostawmy go.

– Nie siedź za długo w wannie, umyj się dokładnie za uszami, zawołaj, jeśli mnie będziesz potrzebował, zaraz do ciebie zajrzę i nie dotykaj kranów – powiedziała mama.

A potem wytarła nos i poszła z tatą, który się śmiał.

Szybko się rozebrałem i wszedłem do wanny. Woda była trochę za gorąca, uau uau, ale człowiek się szybko przyzwyczaja. Zacząłem bawić się mydłem – to strasznie fajne mydło, bardzo mocno się pieni – a potem wziąłem gąbkę i przycisnąłem do szyi. Było śmiesznie, bo wypływała z niej woda, a potem mama otworzyła drzwi:

– Wszystko dobrze? – spytała.

– Zostaw go w spokoju – krzyknął z dołu tata. – Naprawdę przesadzasz! Nie ma już pięciu lat!

I mama sobie poszła. Z powodu mydła woda zrobiła się nieprzezroczysta i nic nie było przez nią widać, zupełnie jak w morzu. Wziąłem statek bez żagla i położyłem na wodzie, w porcie, przy brzegu wanny. Potem zatopiłem statek z kominem razem z trzema żołnierzami i koniem, którzy na nim byli. Zatonął bardzo szybko i tylko koń się uratował – unosił się na wodzie, bo był z drewna, więc zacząłem udawać, że też jest statkiem.

A potem przypomniałem sobie o nurku, którego przysłała mi Bunia, i pomyślałem, że byłoby fajnie, gdyby popłynął po żołnie-

rzy. Wyszedłem z wanny i bez wycierania, żeby było szybciej, pobiegłem do swojego pokoju. Było okropnie zimno.

Ledwie zdążyłem wejść do pokoju, usłyszałem przeraźliwy krzyk dochodzący z łazienki. Poleciałem tam pędem i zobaczyłem, że mama stoi pochylona nad wanną i rusza ręką w wodzie, jakby szukała żołnierzy.

– Co się stało? – spytałem.

I wtedy zrobiła się draka! Mama nagle się odwróciła, krzyknęła, chwyciła mnie w ramiona – przez co zmoczyła sobie całą sukienkę – a potem uderzyła mnie dwa razy, ale nie po buzi, i oboje żeśmy się rozpłakali.

Tata naprawdę ma rację, że mamuś nie da się zrozumieć. Ale najgorsze, że nie ma już mowy o tym, żebym się sam kąpał. I znowu mama pucuje mi gąbką twarz, plask, plask.

Obiad rodzinny

Dziś ZAPOWIADA SIĘ FAJNY DZIEŃ! Są urodziny Buni, która jest mamą mojej mamy. Co roku na urodzinach Buni cała rodzina spotyka się w restauracji na obiedzie i jest mnóstwo zabawy.

Kiedy tata, mama i ja przyszliśmy do restauracji, wszyscy już tam byli. Pośrodku sali stał duży stół, na nim kwiaty, a dookoła tłoczyła się rodzina. Wszyscy krzyczeli, śmiali się i witali z nami. Pozostali goście restauracji nie krzyczeli, ale też się śmiali.

Poszliśmy ucałować Bunię, która siedziała na końcu stołu, i tata powiedział:

– Z każdym rokiem robisz się coraz młodsza, teściowo.

A Bunia odpowiedziała:

– Za to ty, zięciu, wyglądasz na zmęczonego. Powinieneś na siebie uważać.

Był też stryjek Eugeniusz, taty brat, który jest gruby, czerwony i cały czas się śmieje.

– Jak się masz... patafianie? – zapytał tatę i to mnie rozśmieszyło, bo nie znałem tego powiedzenia. Będę musiał powtórzyć je kolegom. Bardzo lubię stryjka Eugeniusza: jest strasznie śmieszny i ciągle opowiada kawały. Szkoda tylko, że jak zaczyna opowiadać, każą mi wychodzić z pokoju. Był wujek Klaudiusz, który się rzadko odzywa, ciocia Matylda, która bez przerwy mówi, ciocia Donata, ta, co jest najstarsza i wszystkim dogaduje, i Marlena, kuzynka mamy, która jest okropnie ładna. Tata jej to powiedział, a mama przyznała, że to prawda, tylko powinna zmienić fryzjera, bo jej trwała jest do niczego. Był też wujek Sylwan i ciocia Amelia, która często choruje: przeszła mnóstwo operacji i wciąż o nich opowiada. Ma rację, że o nich opowiada, bo te operacje niesamowicie się udały – ciocia Amelia naprawdę świetnie wygląda. Poza tym byli moi kuzyni, których rzadko widuję, bo mieszkają bardzo daleko: Roch i Lambert, trochę młodsi ode mnie i strasznie do siebie podobni, bo urodzili się tego samego dnia, ich siostra Klarysa, w moim wieku i w niebieskiej sukience, no i Eligiusz, trochę ode mnie starszy, ale nie za bardzo.

Wszyscy dorośli głaskali nas po głowie, Rocha, Lamberta, Klarysę, Eligiusza i mnie. Mówili, żeśmy urośli, pytali, czy się dobrze uczymy i ile jest 8 razy 12. Stryjek Eugeniusz spytał mnie, czy mam narzeczoną, a mama powiedziała: „Eugeniuszu, ty się nigdy nie zmienisz".

– No dobrze – powiedziała Bunia. – Może byśmy usiedli. Robi się późno.

Więc każdy zaczął szukać, gdzie by tutaj usiąść. Eugeniusz oznajmił, że on wszystkich pousadza.

– Marleno – powiedział – pani siądzie tutaj, koło mnie, Donata koło mojego brata...

Tata mu przerwał, mówiąc, że tak nie jest dobrze, że on myśli... Ale ciocia Donata nie dała mu dokończyć. Powiedziała, że tak nie można, że nieczęsto się widujemy i żeby postarał się być uprzejmiejszy. Marlena się roześmiała, ale tacie było nie do śmiechu: powiedział stryjkowi Eugeniuszowi, że zawsze musi zwracać na siebie uwagę. Bunia powiedziała, że ładnie się zaczyna,

a jeden z kelnerów, który wyglądał na ważniejszego od innych, podszedł do niej i zauważył, że robi się późno. Bunia powiedziała, że szef sali ma rację i żeby wszyscy siadali jak popadnie. I wszyscy usiedli: kuzynka Marlena koło stryjka Eugeniusza, a ciocia Donata koło taty.

– Pomyślałem – powiedział szef sali – że moglibyśmy posadzić dzieci razem na końcu stołu.

– Świetny pomysł – ucieszyła się mama.

Ale Klarysa zaczęła płakać. Upierała się, że chce zostać z dorosłymi i ze swoją mamą, że trzeba jej kroić mięso, że to niesprawiedliwe i że zaraz się rozchoruje. Pozostali goście restauracji przestali jeść i na nas patrzyli. Przyleciał szef sali. Wyglądał na zakłopotanego.

– Proszę państwa – powiedział – proszę państwa.

Wtedy wszyscy wstali, żeby zrobić Klarysie miejsce obok jej mamy, cioci Amelii. Kiedy znowu usiedli, okazało się, że zmienili miejsca. Tylko stryjek Eugeniusz wciąż siedział koło Marleny, a tata między ciocią Donatą i ciocią Amelią, która zaczęła mu opowiadać o jakiejś strasznej operacji.

Ja siedziałem na końcu stołu z Rochem, Lambertem i Eligiuszem. Kelnerzy zaczęli roznosić ostrygi.

– Dzieciom – powiedziała ciocia Matylda – zamiast ostryg proszę dać trochę wędliny.

– Dlaczego nie mogę dostać ostryg? – krzyknął Eligiusz.

– Bo ich nie lubisz, kochanie – odpowiedziała ciocia Matylda, która jest mamą Eligiusza.

– Właśnie że lubię! – krzyknął Eligiusz. – Chcę dostać ostrygi!

Szef sali podszedł, bardzo zakłopotany, i ciocia Matylda powiedziała:

– Proszę dać małemu kilka ostryg.

– Dziwne metody wychowawcze – zauważyła ciocia Donata.
To nie spodobało się cioci Matyldzie.

– Droga Donato – powiedziała. – Pozwól mi wychowywać
moje dziecko tak, jak uważam za stosowne. Ty jako stara pa-
nna i tak nie znasz się na wychowaniu dzieci.

Ciocia Donata się rozpłakała, powiedziała, że nikt jej nie kocha i że jest bardzo nieszczęśliwa, zupełnie jak Ananiasz u nas
w szkole, kiedy mu się powie, że jest pupilkiem naszej pani.
Wszyscy wstali, żeby pocieszać ciocię Donatę, a potem przyszedł
szef sali z kelnerami, którzy nieśli mnóstwo ostryg.

– Siadać! – krzyknął szef sali.

Cała rodzina usiadła i widziałem, że tata próbował przesiąść
się gdzie indziej, ale mu się nie udało.

– Widziałeś? – powiedział Eligiusz. – Mam ostrygi.

Nic nie odpowiedziałem i zacząłem jeść kiełbaskę. Eligiusz
patrzył na swoje ostrygi, ale ich nie jadł.

– I co – spytała ciocia Matylda. – Nie jesz ostryg?

– Nie – powiedział Eligiusz.

– Widzisz, że mamusia miała rację – powiedziała ciocia Matylda. – Nie lubisz ostryg.

– Lubię – krzyknął Eligiusz – ale te są nieświeże!

– Dobra wymówka – powiedziała ciocia Donata.

– To nie jest wymówka – krzyknęła ciocia Matylda. – Skoro
mały mówi, że te ostrygi są nieświeże, to znaczy, że są nieświeże. Zresztą ja też uważam, że mają dziwny smak!

Szef sali przybiegł, bardzo zdenerwowany.

– Proszę pani – powiedział – proszę pani!

– Wasze ostrygi są nieświeże – powiedziała ciocia Matylda. –
Prawda, Klaudiuszu?

– Tak – powiedział wujek Klaudiusz.

231

– Widzi pan? On też tak uważa! – powiedziała ciocia Matylda. Szef sali ciężko westchnął i kazał zabrać ostrygi, oprócz tych cioci Donaty.

Potem przyniesiono pieczeń. Była przepyszna. Stryjek Eugeniusz opowiadał kawały, ale po cichu, a kuzynka Marlena przez cały czas się śmiała. Ciocia Amelia, krojąc mięso, opowiadała coś mojemu tacie i tata przestał jeść, a potem ciocia Amelia musiała lecieć do Rocha i Lamberta, którzy się rozchorowali.

– Oczywiście – powiedziała ciocia Donata – jak się przekarmia dzieci...

Szef sali stał obok naszego stołu. Nie wyglądał dobrze i co chwila wycierał sobie twarz chusteczką.

Przy deserze (był tort!) Eligiusz zaczął mi opowiadać, że w szkole ma fantastycznych kolegów, a sam jest szefem paczki. Rozśmieszyło mnie to, bo moi koledzy są fajniejsi niż jego: Alcesta, Gotfryda, Rufusa, Euzebiusza i innych nie ma nawet co porównywać z kolegami Eligiusza.

– Twoi koledzy to dupki – powiedziałem Eligiuszowi – poza tym ja też jestem szefem paczki, a ty jesteś głupi.

No i się pobiliśmy. Tata, mama i ciocia Matylda przyszli nas rozdzielać, a potem się ze sobą pokłócili. Klarysa się popłakała, wszyscy stali i krzyczeli, nawet pozostali goście i szef sali.

Kiedy wróciliśmy do domu, rodzice nie wyglądali na zadowolonych.

Rozumiem ich! Smutno jest myśleć, że na następny obiad rodzinny trzeba będzie czekać cały rok...

Placek z jabłkami

Po OBIEDZIE mama oznajmiła:
– Dzisiaj wieczór na deser zrobię placek z jabłkami.
Więc zawołałem:
– Juhu!
A tata powiedział:
– Mikołaj, dziś po południu muszę pracować w domu. Więc masz być grzeczny do kolacji, bo inaczej nie dostaniesz placka.

Obiecałem, że nie będę się wygłupiał, bo placki z jabłkami mojej mamy są po prostu przepyszne. Będę musiał uważać, żeby nie robić głupstw – czasem naprawdę chce się być grzecznym, a potem trach! nagle coś się wydarzy. A tata nie żartuje: jak mówi nie dostaniesz placka, to człowiek nie dostanie placka, choćby nie wiem jak płakał i mówił, że ucieknie z domu i będą go żałować.

Więc poszedłem do ogrodu, żeby nie przeszkadzać tacie, który pracował w salonie. A potem przyszedł Alcest. Alcest to kolega ze szkoły, ten gruby, który bez przerwy je.

– Cześć! – powiedział Alcest. – Co robisz?
– Nic – odpowiedziałem. – Muszę być grzeczny do wieczora, jeśli chcę dostać na deser placek z jabłkami.

Alcest zaczął raz po raz przejeżdżać językiem po wargach, a potem przestał, żeby powiedzieć:

– A myślisz, że jak ja będę grzeczny, to też dostanę placek z jabłkami?

Powiedziałem mu, że nie wiem, bo bez pozwolenia rodziców nie wolno mi zapraszać kolegów, a wtedy Alcest powiedział, że spyta mojego tatę, czy nie mógłby zaprosić go na kolację, i kiedy chciał wchodzić do domu, złapałem go za pasek.

– Nie rób tego, Alcest – powiedziałem. – Jeśli będziesz przeszkadzał mojemu tacie, to nikt nie dostanie placka z jabłkami. Ani ty, ani ja.

Alcest podrapał się po głowie, wyciągnął z kieszeni bułeczkę z czekoladą, ugryzł ją i westchnął:

– No trudno, obejdę się. To w co się bawimy?

Powiedziałem Alcestowi, że możemy się pobawić w coś, przy czym nie robi się hałasu, i postanowiliśmy po cichu zagrać w kulki.

Ja w kulkach jestem świetny, a do tego Alcest grał jedną ręką, bo drugą ma zawsze zajętą wkładaniem sobie jedzenia do ust, więc wygrałem mnóstwo kulek i to się Alcestowi nie spodobało.

– Oszukujesz – powiedział.

– Coś ty – powiedziałem – ja oszukuję? Nie umiesz grać, i tyle!

– Ja nie umiem grać? – krzyknął Alcest. – Ja gram najlepiej ze wszystkich, ale nie z oszukańcami, oddaj mi moje kulki!

Powiedziałem Alcestowi, żeby nie krzyczał, bo inaczej z placka z jabłkami będą nici, a wtedy Alcest zagroził, że jak mu nie oddam kulek, to zacznie krzyczeć, a nawet śpiewać. Oddałem mu kulki i powiedziałem, że więcej się do niego nie odezwę.

– To co, gramy dalej? – spytał Alcest.

Powiedziałem mu, że nie, że ze względu na placek z jabłkami lepiej będzie, jak pójdę do pokoju i do kolacji sobie poczytam. Wtedy Alcest zawołał:

– Do jutra.

I sobie poszedł.

Bardzo lubię Alcesta. Fajny z niego kumpel.

W pokoju wziąłem książkę, którą dostałem od Buni, o chłopcu, który szuka taty po całym świecie, więc podróżuje samolotami i okrętami podwodnymi, jedzie do Chin i do kowbojów, ale już ją czytałem i trochę mnie nudziła. Wziąłem kredki i zacząłem kolorować jeden z rysunków, ten, na którym chłopiec siedzi w sterowcu. A potem przypomniałem sobie, że tata nie lubi, jak brudzę książki – mówi, że książki to przyjaciele i trzeba być dla nich do-

brym. Więc wziąłem gumkę i zacząłem ścierać kredki, ale nie chciały schodzić, więc nacisnąłem mocniej i strona się przedarła. Chciało mi się płakać, nie tyle z powodu książki, bo wiedziałem, że w końcu chłopiec odnajdzie swojego tatę na bezludnej wyspie, ile z powodu mojego taty, który mógł wejść w każdej chwili i pozbawić mnie placka z jabłkami. Nie popłakałem się, żeby nie robić hałasu. Oderwałem resztę strony i odłożyłem książkę na miejsce. Może tata nie będzie pamiętał o tym rysunku ze sterowcem!

Otworzyłem drzwi szafy i spojrzałem na swoje zabawki. Pomyślałem, czy by nie pobawić się kolejką elektryczną, ale kiedyś z kolejki buchnęły iskry, w domu zgasło światło i tata strasznie mnie skrzyczał. Szczególnie po tym, jak spadł ze schodów do piwnicy, gdzie szedł naprawić światło. Był tam też samolot, ten z czerwonymi skrzydłami i śmigłem, które nakręca się gumką, ale samolotem zbiłem kiedyś niebieski wazon i była cała afera. Bąk robi straszny hałas. Kiedy rodzice dali mi go na urodziny, powiedzieli:

– Posłuchaj, Mikołaj, jak ten bąk pięknie gra!

A potem, za każdym razem, jak chciałem bawić się bąkiem, tata mówił:

– Skończ z tym piekielnym hałasem!

Oczywiście był też pluszowy miś, ten, co jest do połowy ogolony, bo zanim skończyłem, popsuła się maszynka taty. Ale miś to zabawka dla maluchów, od miesięcy już się nim nie bawię.

Zamknąłem szafę i naprawdę chciało mi się płakać, no bo co w końcu, to niesprawiedliwe mieć zabawki i nie móc się nimi bawić z powodu jakiegoś wstrętnego placka. A zresztą co tam, mogę się obejść bez tego placka, chociaż jest chrupiący, a na wierzchu ma mnóstwo jabłek i cukru pudru! Postanowiłem ustawiać zamki z kart, bo jak się przewracają, robią najmniej hałasu. Z zamkami z kart jest tak jak z obrażaniem się: fajnie jest tylko na początku. Potem przez jakiś czas robiłem przed lustrem miny. Najlepsza jest ta, której Rufus nauczył mnie na przerwie: trzeba przycisnąć nos, tak żeby podniósł się do góry, i pociągnąć za skórę pod oczami, tak żeby zjechały w dół. Wtedy jest się podobnym do psa. Po minach wziąłem książkę do geografii z zeszłego roku i do pokoju wszedł tata.

– Jak to, Mikołaj? – spytał. – Jesteś tu? Nie słychać cię, więc zastanawiałem się, gdzie się podziewasz. Co robiłeś w pokoju?

– Byłem grzeczny – odpowiedziałem tacie.

Wtedy tata wziął mnie w ramiona, ucałował, powiedział, że jestem najposłuszniejszym z synków i że czas na kolację.

Weszliśmy do stołowego, gdzie mama stawiała na stole talerze.

– Mężczyźni są głodni – powiedział tata ze śmiechem. – Mężczyźni mają ochotę na dobrą kolację i placek z jabłkami!

Mama spojrzała na tatę, spojrzała na mnie i pobiegła do kuchni.

– O Boże! – krzyknęła. – Mój placek!

I nie mieliśmy deseru, bo placek z jabłkami spalił się w piecyku.

Opiekunka

Rodzice wybierają się dziś wieczór na kolację do znajomych i ja się zgadzam. Fakt, że moi rodzice rzadko gdzieś wychodzą, a ja cieszę się, jak wiem, że się dobrze bawią. Tylko że nie lubię zostawać bez nich w domu wieczorem i to jest strasznie niesprawiedliwe, bo ja nigdy wieczorem nie wychodzę. Więc się rozpłakałem, ale tata obiecał, że kupi mi samolot, no i się zgodziłem.

– Będziesz bardzo grzeczny – powiedziała mama. – Zresztą miła młoda osoba przyjdzie cię popilnować i nie będziesz się bał. Poza tym mój Mikołaj jest teraz dużym chłopcem.

Ktoś zadzwonił do drzwi i tata powiedział:

– To opiekunka.

I poszedł otworzyć.

Weszła jakaś dziewczyna z książkami i zeszytami pod pachą. Rzeczywiście wyglądała na miłą i była ładna. Miała okrągłe oczy jak mój pluszowy miś.

– To jest Mikołaj – powiedział tata. – Mikołaj, przedstawiam ci panią Brygidę Pastuffe. Będziesz grzeczny i będziesz się jej słuchał, prawda?

– Dzień dobry, Mikołaj – powiedziała dziewczyna. – Ale z ciebie duży chłopiec! I jaki masz piękny szlafrok!

– A pani – powiedziałem – ma takie same oczy jak mój miś.
Dziewczyna się trochę zdziwiła, a jej oczy zrobiły się jeszcze
bardziej okrągłe niż przedtem.

– No dobrze – powiedział tata – to my wychodzimy...

– Mikołaj już jadł kolację – dodała mama – i może się kłaść,
jest już w piżamie. Może pani pozwolić poczytać mu jeszcze
kwadrans, a potem – do łóżka. Jeśli będzie pani głodna, jedzenie
jest w lodówce. Wrócimy nie za późno, najdalej o dwunastej.

Dziewczyna powiedziała, że nie jest głodna, że na pewno będę bardzo grzeczny i że wszystko będzie dobrze.

– Tak, mam nadzieję – powiedział tata.

Potem rodzice mnie ucałowali, wahali się jeszcze chwilę
i wyszli.

Zostałem w salonie sam z opiekunką.

– No tak – powiedziała dziewczyna, która, to śmieszne, wyglądała tak, jakby się mnie trochę bała. – Dobrze się uczysz, Mikołaj?

– Nieźle, a pani? – odpowiedziałem.

– Och! Jakoś idzie, ale mam problemy z geografią. Dlatego przy-
niosłam ze sobą skrypt, muszę zakuwać, teraz to jeden z pisem-
nych przedmiotów na maturze, a nie chcę, żeby mnie oblano!

Dziewczyna była rozmowna – szkoda, że nie rozumiałem, co
mówi. W szkole z gramatyką pewnie też miała problemy.

Ponieważ mama pozwoliła mi jeszcze piętnaście minut posiedzieć, zaproponowałem opiekunce, żebyśmy zagrali w warcaby.
No i wygrałem trzy partie, bo w warcabach jestem bardzo dobry.

– Dobrze, a teraz do łóżka! – powiedziała dziewczyna.

Podaliśmy sobie ręce i poszedłem na górę się położyć. Trzeba
przyznać, że jestem strasznie grzeczny. Rodzice będą zadowoleni.

Ale nie chciało mi się spać. Nie wiedziałem, co robić, więc jak
zwykle postanowiłem, że chce mi się pić.

– Proszę pani – zawołałem – poproszę o szklankę wody!

– Już idę! – odkrzyknęła dziewczyna.

Usłyszałem kran w kuchni, a potem dziewczyna krzyknęła coś, czego nie zrozumiałem.

Dziewczyna weszła ze szklanką wody. Miała przemoczoną bluzkę.

– Trzeba uważać z kranem w kuchni – powiedziałem. – Strasznie pryska, a tacie jeszcze nie udało się go naprawić.

– Zauważyłam – powiedziała dziewczyna, która wyglądała na niezadowoloną.

Zresztą w salonie też coś mówiła, że nie chce, żeby ją oblano.

Wypiłem wodę, co nie było łatwe, bo nie bardzo chciało mi się pić. Dziewczyna powiedziała, że pora spać. Odpowiedziałem, że możliwe, ale mnie nie chce się jeszcze spać.

– To co będziemy robić? – spytała dziewczyna.

– Nie wiem – powiedziałem. – Niech pani spróbuje opowiedzieć mi jakąś historię. Z mamą to się czasem udaje.

Dziewczyna spojrzała na mnie, ciężko westchnęła i zaczęła mi opowiadać historię z mnóstwem słów, których nie rozumiałem. Mówiła, że była sobie kiedyś dziewczynka, która chciała być aktorką i na jakimś festiwalu spotkała bardzo bogatego producenta, a potem jej zdjęcie ukazało się we wszystkich gazetach, no i zasnąłem.

Obudził mnie dzwonek telefonu. Zbiegłem na dół zobaczyć,

o co chodzi, a kiedy wszedłem do salonu, dziewczyna właśnie odkładała słuchawkę.

– Kto dzwonił? – zapytałem.

Dziewczyna, która mnie nie widziała, głośno krzyknęła, a potem powiedziała, że to dzwoniła moja mama, żeby dowiedzieć się, czy śpię.

Nie chciało mi się wracać do łóżka, więc zacząłem rozmowę:

– Co pani robiła?

– Szybko – syknęła dziewczyna – do łóżka!

– Niech mi pani powie, co pani robiła, to pójdę się położyć – powiedziałem.

Dziewczyna ciężko westchnęła i powiedziała, że właśnie uczyła się o potencjale ekonomicznym Australii.

– A co to jest? – spytałem.

Ale dziewczyna nie chciała mi wytłumaczyć. Było tak, jak myślałem: opowiadała mi jakieś bzdury, jak dziecku.

– Mogę dostać kawałek tortu? – poprosiłem.

– No dobrze – powiedziała dziewczyna. – Kawałek tortu i do łóżka!

Poszła do lodówki po tort. Przyniosła dwa kawałki, dla mnie i dla siebie. To był ten dobry, czekoladowy.

Zjadłem swój tort, ale dziewczyna nie tknęła swojego: czekała, aż skończę.

– Dobrze – powiedziała. – A teraz lulu!

– Ale – wytłumaczyłem jej – jak położę się zaraz po zjedzeniu tortu, to będę miał koszmary!

– Koszmary? – zdziwiła się dziewczyna.

– Tak – powiedziałem – często śnią mi się koszmary: widzę złodziei, którzy nocą przychodzą do domu i wszystkich mordują. Są bardzo duzi i bardzo źli, wchodzą do salonu przez okno, które się nie domyka, a tata go jeszcze nie naprawił, i...

– Dosyć! – krzyknęła dziewczyna, a jej twarz zrobiła się biała (bardziej mi się podobała na różowo).

– Dobrze – powiedziałem. – No to idę się kłaść, zostawiam panią samą.

I wtedy dziewczyna zrobiła się bardzo miła, powiedziała, że nie ma pośpiechu i że w końcu możemy posiedzieć sobie razem kilka minut.

– Opowiedzieć pani inne koszmary, które miałem? – spytałem. Ale dziewczyna powiedziała, że nie, że starczy już tych koszmarów, i spytała, czy nie znam innych historii. Więc opowiedziałem jej historię z książki, którą dostałem ostatnio od mamy, o tym, jak była sobie kiedyś piękna królewna, ale jej mama, która nie jest jej mamą, jej nie kocha i jest złą wróżką, a potem daje jej coś do zjedzenia i piękna królewna zasypia na mnóstwo lat, i właśnie kiedy zaczęło być ciekawie, zobaczyłem, że opiekunka zrobiła to samo co królewna i też zasnęła.

Przestałem opowiadać i jedząc jej kawałek tortu, zacząłem oglądać książkę do geografii, którą ze sobą przyniosła. I wtedy wrócili rodzice. Zdziwili się na mój widok, a mnie zrobiło się przykro, bo chyba nie za dobrze bawili się na tej kolacji: nie wyglądali na zadowolonych.

Poszedłem się położyć, ale słyszałem, jak na dole, w salonie, tata, mama i opiekunka dyskutują ze sobą, krzycząc. I na to już się nie godzę!

Bo dobrze, niech rodzice wychodzą sobie wieczorem, ale przynajmniej niech dadzą mi spać spokojnie!

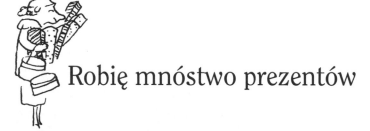

Robię mnóstwo prezentów

Dziś RANO listonosz przyniósł tacie list od stryjka Eugeniusza. Stryjek Eugeniusz to taty brat. Wciąż podróżuje, żeby sprzedawać rzeczy i jest strasznie fajny. Kiedy mama robiła śniadanie, tata rozerwał kopertę, a w środku oprócz listu był dziesięciofrankowy banknot. Tata bardzo się zdziwił, widząc banknot. Potem przeczytał list, roześmiał się, a kiedy przyszła mama z kawą, powiedział:

– Eugeniusz pisze, że nie może odwiedzić nas w tym miesiącu, tak jak zapowiadał. I – uśmiejesz się – kończy swój list słowami... Zaczekaj... Tak, już mam: „... i załączam dziesięciofrankowy banknot, żeby Mikołaj kupił swojej ślicznej mamie jakiś prezencik...".

– Juhu! – krzyknąłem.

– Też pomysł! – powiedziała mama. – Zastanawiam się czasem, czy twój brat nie jest trochę stuknięty.

– Dlaczego? – zapytał tata. – Ja, przeciwnie, uważam, że to uroczy pomysł. Eugeniusz, jak wszyscy mężczyźni w mojej rodzinie, jest bardzo hojny, ma gest... Ale oczywiście, kiedy chodzi o moją rodzinę...

– Dobrze już, dobrze – odpowiedziała mama. – Przyjmijmy, że nic nie powiedziałam. Myślę jednak, że najlepiej będzie, jak Mikołaj wrzuci te pieniądze do swojej skarbonki.

– O nie! – krzyknąłem. – Kupię ci prezent! Jesteśmy w rodzinie strasznie hojni i mamy gest!

Wtedy rodzice się roześmiali, mama mnie pocałowała, tata
rozczochrał mi ręką włosy i mama powiedziała:

– No dobrze, Mikołaj. Ale jeśli się zgodzisz, pójdę do sklepu
razem z tobą. W ten sposób wspólnie wybierzemy mój prezent.
Jutro jest czwartek i miałam właśnie zamiar iść na zakupy.

Ucieszyłem się jak nie wiem co. Bardzo lubię robić prezenty,
ale nie mogę ich robić często, bo w skarbonce nie mam dużo
pieniędzy. Mam mnóstwo pieniędzy w banku, ale będzie mi wolno je podjąć, dopiero jak będę duży, żeby kupić sobie samolot.
Prawdziwy. I co jeszcze jest fajne, kiedy idę z mamą do sklepu,
to że jemy podwieczorek w herbaciarni, gdzie mają niesamowite ciastka, szczególnie te czekoladowe.

– A więc – powiedział tata ze śmiechem – dziś po południu idziecie robić zakupy?

– Mikołaj będzie robił zakupy – powiedziała mama ze śmiechem. – Ja tylko mu towarzyszę!

I oboje roześmiali się jeszcze bardziej i ja też się roześmiałem, bo zawsze chce mi się śmiać, kiedy oni się śmieją.

Po obiedzie (był krem czekoladowy) tata wrócił do biura, a my z mamą ubraliśmy się do wyjścia. Oczywiście pamiętałem o tym, żeby włożyć dziesięciofrankowy banknot do kieszeni, ale nie do tej, w której noszę chusteczkę, bo kiedyś, jak byłem mały, zgubiłem w ten sposób pieniądze.

W sklepie było dużo ludzi. Zaczęliśmy się rozglądać, co byśmy mogli kupić.

– Myślę, że w tej cenie znajdziemy bardzo ładne apaszki – powiedziała mama.

Powiedziałem, że apaszka nie wydaje mi się dostatecznie fajnym prezentem, ale mama mnie zapewniła, że właśnie ona sprawi jej największą przyjemność.

Podeszliśmy do stoiska z apaszkami. Całe szczęście, że była ze mną mama, bo sam nigdy nie potrafiłbym wybrać. Leżały wszędzie, porozrzucane, było ich pełno.

– W jakiej są cenie? – zapytała mama sprzedawczynię.

– Dwanaście franków – odpowiedziała sprzedawczyni.

Zmartwiłem się, bo miałem tylko dziesięć franków stryjka Eugeniusza. Mama powiedziała, że trudno, pójdziemy poszukać innego prezentu.

– Ale mówiłaś, że chcesz apaszkę – powiedziałem.

Mama się trochę zaczerwieniła i pociągnęła mnie za rękę.

– Nie szkodzi, Mikołaj, nie szkodzi – powiedziała. – Chodź, na pewno znajdziemy coś ładnego.

– Nie! Chcę ci kupić apaszkę – krzyknąłem.

No bo co w końcu, kurczę blade, nie warto robić ludziom prezentów, jeśli nie można im kupić tego, na co mają ochotę.

Mama spojrzała na mnie, spojrzała na sprzedawczynię, uśmiechnęła się (sprzedawczyni też się uśmiechnęła) i powiedziała:

– Wiesz, co zrobimy, Mikołaj? Dam ci te brakujące dwa franki: w ten sposób będziesz mógł kupić mi tę piękną apaszkę.

Mama otworzyła torebkę i dała mi dwa franki. Wróciliśmy do stoiska, mama wybrała sobie fajną niebieską apaszkę, a ja dałem dziesięć franków i dwa franki sprzedawczyni.

– Płaci ten pan – oznajmiła mama.

Sprzedawczyni z mamą się roześmiały. Byłem strasznie dumny. Sprzedawczyni powiedziała, że jestem najrozkoszniejszym króliczkiem, jakiego widziała. Dała mi paczuszkę, ja dałem ją mamie, mama mnie pocałowała i żeśmy sobie poszli.

Ale nie wyszliśmy ze sklepu, bo mama powiedziała, że skoro tu już jesteśmy, to ona chce obejrzeć bluzki i że bluzka jest jej potrzebna.

– Ale ja nie mam już pieniędzy – oświadczyłem.

Mama lekko się uśmiechnęła i powiedziała, żebym się nie martwił, że coś wymyślimy. Poszliśmy do stoiska z bluzkami, mama wybrała sobie jedną, a potem dała mi mnóstwo pieniędzy, a ja dałem je sprzedawczyni, która się roześmiała i powiedziała mi, że jestem słodki i że można by mnie schrupać. W sklepach przyjemne jest to, że sprzedawczynie są bardzo miłe.

Mama była bardzo zadowolona i podziękowała mi za piękną bluzkę i apaszkę, które jej ofiarowałem.

Potem poszliśmy obejrzeć sukienki. Usiadłem na krześle, a w tym czasie mama przymierzała sukienki. Długo to trwało, ale sprzedawczyni dała mi czekoladowego cukierka. Kiedy mama wróciła, była bardzo zadowolona. Poszła ze mną do kasy, żebym zapłacił za sukienkę. Cukierek był za darmo.

Kupiłem jeszcze mamie rękawiczki, pasek i buty. Byliśmy oboje strasznie zmęczeni, tym bardziej że mama się nie spieszyła i przymierzała mnóstwo rzeczy, zanim wybrała moje prezenty.

– Może pójdziemy na podwieczorek? – powiedziała mama.

Pojechaliśmy ruchomymi schodami. Było super, bo herbaciarnia jest na ostatnim piętrze.

Zjedliśmy niesamowity podwieczorek, z czekoladą i czekoladowymi ciasteczkami. Ja bardzo lubię czekoladę.

Za podwieczorek zapłaciła mama.

Kiedy wróciliśmy do domu, tata już tam był.

– No, no! – powiedział. – Długo wam zeszło! To jak, Mikołaj, kupiłeś mamie ładny prezent?

– Och tak! – odpowiedziałem. – Mnóstwo fajnych prezentów! Ja za wszystko płaciłem i sprzedawczynie były dla mnie bardzo miłe!

Kiedy tata zobaczył pakunki mamy, zrobił wielkie oczy, a mama mu powiedziała:

– Muszę przyznać, kochanie, że miałeś rację. Wszyscy mężczyźni w twojej rodzinie są bardzo hojni, począwszy od Mikołaja!

I mama poszła do swojej sypialni z paczkami pełnymi prezentów.

Zostałem w salonie z tatą, który usiadł w fotelu i westchnął.

A potem tata wziął mnie na kolana, poczochrał mi włosy, roześmiał się i powiedział:

– To prawda, Mikołaj. Mężczyźni z rodziny twojego ojca mają wiele zalet... Ale w pewnych sprawach dużo się jeszcze mogą nauczyć od kobiet z rodziny twojej matki!

Rozdział V
Nowi sąsiedzi

Nowi sąsiedzi

Od dzisiaj rana mamy nowych sąsiadów.

Mieliśmy już jednego sąsiada, pana Blédurt, który jest bardzo miły i który cały czas kłóci się z tatą, ale po drugiej stronie stał pusty dom do sprzedania. Tata korzystał, że nikt tam nie mieszka, i przerzucał przez płot suche liście z naszego ogrodu, a czasem też papiery i inne rzeczy. Ponieważ nie było nikogo, nie było żadnych problemów, nie tak jak wtedy kiedy tata rzucił skórkę od pomarańczy do ogrodu pana Blédurt, a potem pan Blédurt przez miesiąc się do niego nie odzywał.

No i w zeszłym tygodniu mama nam powiedziała, że sprzedawczyni jej powiedziała, że dom obok nas kupił pan Courteplaque, że pan Courteplaque jest kierownikiem działu z butami w domu towarowym „Mały Ciułacz", na trzecim piętrze, że ma żonę, która lubi grać na fortepianie, i że mają dziewczynkę w moim wieku. Poza tym sprzedawczyni nic nie wiedziała, słyszała tylko, że przeprowadzką zajmuje się firma Van den Pluig i Spółka i że będzie za pięć dni, czyli dzisiaj.

– Przyjechali! Przyjechali! – krzyknąłem, kiedy zobaczyłem wielką ciężarówkę, na której ze wszystkich stron pisało Van den Pluig.

Tata i mama podeszli razem ze mną do okna w salonie.

Za ciężarówką zatrzymał się samochód, z którego wysiadł pan z mnóstwem krzaczastych brwi nad oczami, pani w sukience w kwiaty, z pakunkami i klatką z ptakiem i dziewczynka, w podobnym wieku co ja, która trzymała lalkę.

– Widziałeś sąsiadkę, jaka wyfiokowana? – spytała tatę mama. – Wygląda, jakby się ubrała w zasłonę!

– Tak – powiedział tata. – Myślę, że ich samochód to starszy model od mojego.

Z ciężarówki wysiedli robotnicy i kiedy pan otwierał furtkę do ogrodu i drzwi do domu, pani coś im tłumaczyła, wymachując klatką. Dziewczynka skakała wokół niej, a potem pani jej coś powiedziała i dziewczynka przestała skakać.

– Mogę wyjść do ogrodu? – spytałem.

– Tak – odpowiedział tata. – Ale nie przeszkadzaj nowym sąsiadom.

– I nie patrz na nich jak na jakieś dziwadła – dodała mama. – Nie można być niedyskretnym!

I wyszła razem ze mną, bo powiedziała, że koniecznie trzeba podlać begonie.

Kiedy weszliśmy do ogrodu, robotnicy wyciągali z ciężarówki mnóstwo mebli i stawiali je na chodniku, gdzie pan Blédurt mył swój samochód. Zdziwiło mnie to, bo kiedy pan Blédurt myje samochód, zwykle robi to w garażu. Szczególnie kiedy pada deszcz, tak jak dzisiaj.

– Uwaga na mój fotel Ludwik XVI! – krzyczała pani. – Przykryjcie go, żeby się nie zamoczył, tapicerka jest niezwykle cenna!

Potem robotnicy wynieśli wielki fortepian, który wyglądał na strasznie ciężki.

– Ostrożnie! – krzyknęła pani. – To koncertowy Dreyel. Jest bardzo drogi!

Najbiedniejszy musiał być ptak, bo pani bez przerwy machała klatką.

Potem robotnicy zaczęli wnosić meble do domu. Pani chodziła za nimi i cały czas tłumaczyła, że nie wolno im niczego uszkodzić, bo to są bardzo wartościowe rzeczy. Nie rozumiałem tylko, dlaczego tak głośno krzyczy – może dlatego że robotnicy nie słuchali i cały czas robili sobie żarty.

Podszedłem do płotu i zobaczyłem dziewczynkę, która podskakiwała raz na jednej, raz na drugiej nodze.

– Cześć – powiedziała – jestem Jadwinia, a ty?

– Ja jestem Mikołaj – powiedziałem i, głupia sprawa, zrobiłem się cały czerwony.

– Chodzisz do szkoły? – spytała.

– Tak – odpowiedziałem.

– Ja też – powiedziała Jadwinia. – I miałam świnkę.

– A umiesz tak zrobić? – zapytałem i fiknąłem koziołka.
Dobrze, że mama nie patrzyła, bo od mokrej trawy robią się
na koszuli plamy.

– Tam gdzie przedtem mieszkałam – powiedziała Jadwinia –
był taki chłopak, co potrafił fiknąć trzy, jeden po drugim!

– Phi! – powiedziałem. – Ja mogę fiknąć, ile zechcę, zaraz zobaczysz!

I zacząłem fikać koziołki, ale tym razem miałem pecha, bo
mama mnie zobaczyła.

– Czemu się tarzasz po trawie? – krzyknęła mama. – Spójrz,
jak ty wyglądasz! A w ogóle to co to za pomysł tkwić na dworze
w taką pogodę!

Wtedy z domu wyszedł tata i zapytał:

– Co się dzieje?

– Nic! – powiedziałem. – Fikałem koziołki, jak wszyscy.

– Pokazywał mi – powiedziała Jadwinia. – Jest niezły.

– Jadwiniu! – krzyknął pan Courteplaque. – Co tam robisz
pod płotem?

– Bawiłam się z chłopczykiem, który mieszka obok – wyjaśniła Jadwinia.

Pan Courteplaque podszedł ze swoimi krzaczastymi brwiami
i powiedział Jadwini, że ma zaraz iść do domu, żeby pomagać
mamie.

Tata podszedł do płotu z szerokim uśmiechem na twarzy:

– Trzeba dzieciakom wybaczyć – powiedział. – To miłość od
pierwszego wejrzenia.

Pan Courteplaque poruszył brwiami, ale się nie roześmiał.

– To pan jest nowym sąsiadem? – spytał.

– He! he! – zaśmiał się tata. – Niezupełnie. Nowym sąsiadem
jest pan, he! he!

– Taaak – powiedział pan Courteplaque. – To niech pan będzie tak dobry i przestanie wrzucać mi swoje paskudztwa przez płot!

Tata przestał się śmiać i zrobił wielkie oczy.

– Owszem – mówił dalej pan Courteplaque. – Mój ogród to nie wysypisko śmieci!

To się tacie nie spodobało.

– Zaraz – powiedział tata. – Czego się pan mnie czepia? Rozumiem, że jest pan zdenerwowamy przeprowadzką, ale jednak...

– Nie jestem zdenerwowany – krzyknął pan Courteplaque – ale jeśli nie chce pan kłopotów, to niech pan przestanie traktować tę posiadłość jak śmietnik. To przechodzi ludzkie pojęcie!

– A pan niech nie zgrywa ważniaka, ze swoją starą landarą i dziadowskimi meblami, myślałby kto! – krzyknął tata.

– Ach tak? – spytał pan Courteplaque. – No to zobaczymy! A póki co, zwracam, co do pana należy!

Pan Courteplaque się schylił i zaczął przerzucać do naszego ogrodu zeschnięte liście, papiery i trzy butelki. A potem poszedł do swojego domu.

Tata stał chwilę z otwartymi ustami. Potem odwrócił się do pana Blédurt, który na chodniku wciąż pucował samochód, i powiedział:

– Coś takiego! Widziałeś, Blédurt?

A pan Blédurt skrzywił się z niesmakiem i powiedział:

– Tak, widziałem. Odkąd masz nowego sąsiada, ja przestałem istnieć. Och! Wszystko jasne.

I poszedł do siebie do domu.

Podobno pan Blédurt jest zazdrosny.

Miła niespodzianka

TATA WSZEDŁ DO DOMU uśmiechnięty od ucha do ucha.

– Moja rodzinka się ucieszy – oznajmił. – Mam dla niej miłą niespodziankę. Wyjrzyjcie przez okno i powiedzcie, co widzicie.

– Widzę policjanta, który stoi przy zielonym samochodzie i wypisuje mandat – powiedziała mama.

Wtedy tata przestał się uśmiechać i wybiegł z domu. A my z mamą za nim.

Tata stał na chodniku i rozmawiał z policjantem, który pisał mnóstwo rzeczy na niebieskiej karteczce z taką samą miną jak Rosół, nasz opiekun, kiedy notuje nasze nazwiska, żeby nas ukarać.

– Ale panie władzo – mówił tata – nie rozumiem...

– Ten samochód zaparkowany jest przed wjazdem do garażu – odpowiedział policjant.

– Ale to jest mój garaż i to jest mój samochód! – krzyknął tata.

– Jak to, twój samochód? – spytała mama.

– Wytłumaczę ci później – powiedział tata – widzisz, że jestem zajęty.

– Czy garaż jest pański, czy nie, to nie ma nic do rzeczy – powiedział policjant. Kodeks drogowy ujmuje to jednoznacznie. Chyba zna pan kodeks?

– Chciałabym jednak, żebyś mi powiedział, co to za samochód! – krzyknęła mama.

– Bardzo dobrze znam kodeks. Jeżdżę od wielu lat i uprzedzam, że mam wysoko postawionych przyjaciół! – powiedział tata.

– To dobrze – ucieszył się policjant. – Może pożyczą panu pieniędzy na zapłacenie tego mandatu. Proszę ich ode mnie pozdrowić.

Policjant zaśmiał się i sobie poszedł.

Tata został, cały czerwony, ze swoją niebieską karteczką.

– A więc? – spytała mama, która wyglądała na zdenerwowaną.

– A więc – powiedział tata – wymieniłem nasz stary samochód na ten. Chciałem wam sprawić miłą niespodziankę, tobie i Mikołajowi, ale coś nie mam szczęścia!

Mama założyła ręce na piersiach – robi tak, kiedy jest bardzo zła.

– Co? – powiedziała. – Dokonujesz tak poważnego zakupu bez uzgodnienia ze mną?

– Gdybym go z tobą uzgadniał, to już nie byłaby niespodzianka – powiedział tata.

– Och, wiem – powiedziała mama. – Nie jestem dość inteligentna, żeby doradzać ci w sprawie kupna samochodu. Kobiety nadają się tylko do kuchni. Tylko że jak sam idziesz kupić garnitur, to skutki są opłakane! Przypomnij sobie ten w prążki!

– Czego chcesz od mojego garnituru w prążki? – spytał tata.

– Niczego! Nie nadaje się nawet na szmaty! A poza tym się marszczy! I mogłeś chociaż uzgodnić ze mną kolor samochodu. Ta zieleń jest obrzydliwa. Zresztą wiesz, że nie znoszę zielonego! – powiedziała mama.

– Od kiedy? – zapytał tata.

– Nie udawaj spryciarza. Wracam do kuchni, skoro tylko do tego się nadaję! – odpowiedziała mama i sobie poszła.

– I pomyśleć, że chciałem jej zrobić przyjemność – westchnął tata, a potem poradził mi, żebym się nigdy nie żenił, i ja się zgadzam, chyba że z Jadwinią, sąsiadką, która jest bardzo fajna.

– Co to za hałasy? – spytał pan Blédurt, który podszedł do nas niezauważony.

Pan Blédurt to taty sąsiad, który się stale z tatą kłóci. Tata odwrócił się gwałtownie.

– Ach – powiedział. – Zdziwiłoby mnie, gdybyś nie przyszedł tu szpiegować!

– Co to jest? – spytał pan Blédurt, pokazując palcem samochód.

– To mój nowy samochód – odpowiedział tata. – Bo co?

Pan Blédurt obszedł samochód dookoła i wysunął do przodu dolną wargę.

– Dziwny pomysł, żeby to kupić – powiedział. – Wszyscy wiedzą, że jest muławaty i że nie trzyma się drogi.

Tata parsknął śmiechem.

– Tak – powiedział – zupełnie jak w bajce o lisie i winogronach, są za zielone.

Znam tę bajkę, to historia o lisie, co chce jeść winogrona, ale nie może, bo są za zielone, więc idzie poszukać czegoś innego

do zjedzenia na innym drzewie. Uczyliśmy się tej bajki w szkole tydzień temu, no i dostałem pałę, bo kiedy Alcest ma pełne usta, nie można zrozumieć, co podpowiada.

– Tak, są zdecydowanie za zielone – powiedział ze śmiechem pan Blédurt. – Ten twój gruchot wygląda jak krowie łajno!

– No to ci powiem, ciemniaku, że ten kolor – przejrzysty szmaragd – jest teraz najbardziej modny. A to, że mój gruchot, jak go nazywasz, ci się nie podoba, nie ma żadnego znaczenia. Póki żyję, nigdy do niego nie wsiądziesz!

– Ty, jeśli chcesz nadal żyć, też lepiej do niego nie wsiadaj – powiedział pan Blédurt. – Przy prędkości dwadzieścia na godzinę wylatuje z zakrętu i dachuje.

– A ty chcesz, żeby ci przyłożyć w ten tłusty zazdrosny pysk – spytał tata. – Chcesz?

– Tylko spróbuj – powiedział pan Blédurt.

– Ach, tak? – upewnił się tata.

– Tak – odpowiedział pan Blédurt i zaczęli się popychać, jak to często robią dla zabawy.

Kiedy się tak wygłupiali, wsiadłem do samochodu, zobaczyć, jak jest w środku. Było super, wszystko było nowe i strasznie ładnie pachniało. Usiadłem za kierownicą i zacząłem robić brum, brum. Poproszę tatę, żeby nauczył mnie prowadzić. Kłopot tylko, że pedały są za nisko.

– Mikołaj! – krzyknął tata.

Tak mnie przestraszył, że aż zatrąbiłem kolanem.

– Wysiadaj natychmiast – powiedział tata. – Kto ci pozwolił?

– Chciałem zobaczyć, jak jest w środku – powiedziałem. – Nie wiedziałem, żeście już skończyli z panem Blédurt!

I rozpłakałem się.

Z domu wybiegła mama.

– Co tu się dzieje? – zawołała. – Bijesz się z sąsiadami, doprowadzasz dziecko do płaczu, a wszystko przez ten samochód, który kupiłeś bez porozumienia ze mną.

– Powtarzasz się – powiedział tata. – A swoją drogą ciekawe, jak tyś to wszystko zobaczyła z kuchni, która jest po drugiej stronie domu.

– Och! – powiedziała mama i rozpłakała się, mówiąc, że nigdy w życiu nie słyszała czegoś tak obraźliwego, że powinna była słuchać swojej mamy, która jest moją Bunią, i że jest bardzo nieszczęśliwa.

Ponieważ ja też płakałem, zrobił się straszny hałas. A potem nadszedł policjant.

– Założę się, że to pan trąbił – powiedział i wyjął swój notes.

– Nie – wyjaśniłem. – To ja trąbiłem.

– Cicho bądź, Mikołaj! – krzyknął tata.

Więc znowu zacząłem płakać, no bo co w końcu, to niesprawiedliwe, a mama wzięła mnie za rękę i zaprowadziła do domu.

Odchodząc, usłyszałem, jak policjant mówił do taty:

– A pan wciąż stoi przed wjazdem do garażu. Brawo! Będzie pan miał mnóstwo do opowiadania swoim wysoko postawionym przyjaciołom!

Nadeszła pora kolacji, a tata wciąż siedział z samochodem w garażu. Więc zrobiło nam się z mamą przykro i żeśmy po niego poszli. Mama powiedziała tacie, że właściwie kolor samochodu nie jest taki zły, a ja, że fajnie będzie dachować na zakrętach.

I tata się bardzo ucieszył, bo zobaczył, żeśmy mu wybaczyli.

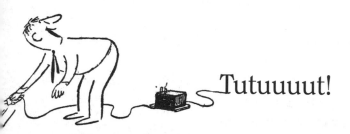

Tutuuuut!

Wczoraj wieczorem, po tym, jak wróciłem ze szkoły i zjadłem podwieczorek – bułeczki z masłem – ktoś zadzwonił do drzwi. Poszedłem otworzyć i zobaczyłem wielkie pudło, a za nim mojego kolegę Alcesta, który też nie jest mały.

– Co tutaj robisz, Alcest? – spytałem.

Alcest powiedział, że przyszedł się ze mną pobawić, że przyniósł kolejkę elektryczną i że tata pozwolił mu zostać do kolacji.

Poszedłem spytać mamę o pozwolenie, a ona powiedziała, że dobrze, tylko mamy być bardzo grzeczni „i idźcie do pokoju i żebym was nie słyszała".

Strasznie się ucieszyłem, bo lubię bawić się kolejką elektryczną, a poza tym Alcest to dobry kumpel. Znamy się od małego – to już mnóstwo miesięcy.

Nigdy jeszcze nie widziałem kolejki Alcesta. Dostał ją od Świętego Mikołaja, a ja nie byłem u niego od Bożego Narodzenia. Ale sądząc po wielkości pudła, kolejka na pewno jest super. Musiałem nawet pomóc Alcestowi je wnieść, bo już na trzecim schodku zaczął sapać i zląkłem się, że kolejka nie dotrze do mojego pokoju.

W pokoju Alcest postawił pudło na podłodze i je otworzył. Najpierw wyjął z niego trzy kanapki – musicie wiedzieć, że Alcest bardzo lubi jeść. A pod kanapkami były niesamowite rzeczy. Mnóstwo szyn ze zwrotnicami, krzyżownicami i szynami, które zakręcają, a poza tym dworzec, przejazd ze szlabanem, dwie krowy, tunel i kanapka z szynką, która wpadła do tunelu. W oddzielnym pudełku była sama kolejka z zieloną lokomotywą, dwoma wagonami pasażerskimi, jednym wagonem towarowym, drugim do przewożenia drewnianych bali, no i wagon restauracyjny, taki sam jak w pociągu, kiedy jedziemy na wakacje, ale my tam nie chodzimy, bo mama zabiera banany, jajka na twardo i kiełbasę, a tata mówi, że to lepsze od jedzenia, które tam dają, i kłóci się z panem, który sprzedaje oranżadę – mówi, że jest letnia, ale ja uważam, że jest fajna, bo dostaje się do niej słomki.

– Więc tak – powiedział Alcest, jedząc pierwszą kanapkę – tutaj położymy szyny, tam będą skręcać, potem przeprowadzimy je pod łóżkiem i pod szafą. Tu postawimy tunel, tam dworzec z przejazdem, a obie krowy tutaj.

– Może by jedną postawić tutaj? – spytałem.

– Czyja to kolejka, twoja czy moja? – powiedział Alcest.

Miał rację, więc postawiliśmy krowy tam, gdzie chciał Alcest, który ma szczęście, że Mikołaj przynosi mu takie prezenty, bo w końcu wcale nie jest za grzeczny i dostaje kary częściej ode mnie, a ja nie jestem aż takim złym uczniem jak on i jestem od niego dużo milszy, i to niesprawiedliwe, więc dałem mu w zęby.

Alcest spojrzał na mnie, zdziwiony – wyglądał śmiesznie, bo od mojego uderzenia kanapka, którą właśnie jadł, ześlizgnęła się na bok i umazany był masłem aż do ucha – i kopnął mnie w nogę. Krzyknąłem i do pokoju weszła mama.

– Grzecznie się bawicie? – zapytała.

– Tak, a bo co – odpowiedział Alcest.

– Och tak, mamo, dobrze się bawimy – powiedziałem i to była prawda, bo bardzo lubię bawić się z moim kolegą Alcestem.

Mama popatrzyła na nas i powiedziała:

– Zdawało mi się, że słyszę... No dobrze, bądźcie grzeczni.

I sobie poszła.

– Mam nadzieję, że twoja rodzina zostawi nas w spokoju – powiedział Alcest. – Nie mogę wrócić za późno, wieczorem na kolację jest sztukamięs i mam obiecaną kość ze szpikiem.

Więc szybko wszystko zmontowaliśmy razem z elektryczną skrzynką, gdzie wciska się guziki i wtedy pociąg sam jeździ.

– A wypadek gdzie zrobimy? – spytałem.

Bo jak człowiek bawi się kolejką, fajnie jest robić wypadki.

– Można by wyjąć jedną szynę w tunelu – powiedział Alcest.

Uznałem, że to dobry pomysł, i już miałem to zrobić, ale Alcest wolał sam wyjąć szynę.

– Dobra – powiedziałem – to ja przez ten czas poustawiam wagony na szynach.

I poszedłem wyciągnąć je z pudła.

– Nie dotykaj, bo popsujesz! – krzyknął Alcest, parskając na wszystkie strony kawałkami szynki z kanapki, którą właśnie jadł.

– To mój dom i wolno mi dotykać twojego pociągu – powiedziałem Alcestowi.

– Dom może jest twój, ale pociąg jest mój, więc zostaw ten wagon! – powiedział Alcest i dałem mu po głowie wagonem pasażerskim, a on oddał mi restauracyjnym. Okładaliśmy się wagonami, kiedy tata wszedł do pokoju i groźnie na nas spojrzał.

– Widzisz, że ciągle nam przeszkadzają! – powiedział Alcest.

Tata stał z otwartymi ustami i patrzył na Alcesta.

– Bawimy się – wytłumaczyłem tacie. – Alcest przyniósł swoją kolejkę elektryczną i mama nam pozwoliła.

– Tak – powiedział Alcest.

– Czy to tak trudno, Alceście, powiedzieć mi dzień dobry? – zapytał tata.

– Cześć! – powiedział Alcest.

Tata ciężko westchnął, a potem zobaczył szyny i kolejkę i gwizdnął.

– No, no – powiedział tata – co za piękna kolejka!

– Święty Mikołaj przyniósł ją Alcestowi w zeszłym roku – wyjaśniłem tacie – kiedy ja byłem taki grzeczny.

Ale tata usiadł na podłodze i bardzo zadowolony zaczął oglądać kolejkę.

– Jak byłem w waszym wieku, marzyłem o takiej kolejce – powiedział – ale zbyt absorbowała mnie nauka, nie miałem czasu na zabawy.

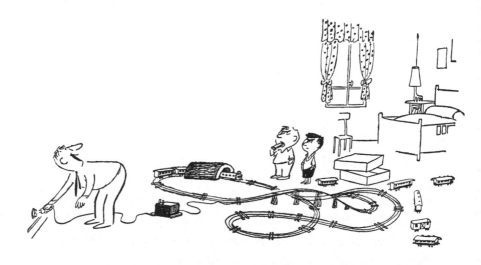

– Niech pan nie dotyka dworca – uprzedził Alcest – łatwo go popsuć. Tata pozwolił mi przynieść tutaj kolejkę, żebyśmy się z Mikołajem pobawili, a nie żeby ją psuć.

Tata powiedział, że niczego nie popsuje i że pokaże nam, jak bawić się kolejką elektryczną.

– Daj mi lokomotywę i wagony – powiedział tata do Alcesta – postawię je na szynach.

Alcest spojrzał na tatę, jakby tata zjadł mu kanapkę, ale dał mu kolejkę, bo jest ostrożny: nigdy nie bije się z większym od siebie.

– Pociąg gotowy do odjazdu! – krzyknął tata dziwnym głosem. – Proszę wsiadać! Tutuuuut!

I tata wcisnął guziki, ale kolejka ani drgnęła.

– No co się dzieje? – spytał tata strasznie rozczarowany, a potem rozejrzał się wokół siebie i uderzył się w czoło.

– Głuptasy – powiedział – nie włączyliście jej do kontaktu!
Jak chcecie, żeby działała? Całe szczęście, że przyszedłem!

Tata zaczął się śmiać i poszedł włączyć wtyczkę do kontaktu.

– Dobrze – powiedział. – Teraz pojedzie. Tutuuuut!

I wcisnął guziki, a wtedy zrobiła się piękna iskra i w całym domu zgasło światło.

– No masz! – powiedział Alcest. – Zupełnie jak u nas. Myślałem, że to u nas nie działa prąd, ale tata kazał mi sprawdzić
u jakiegoś kolegi, to przekonam się, że z kolejką jest coś nie
tak. Miał rację.

Mój tata nic nie mówił. Siedział na podłodze i patrzył nieruchomo na Alcesta.

– No dobra – powiedział Alcest – muszę wracać, mama nie
lubi, jak jestem poza domem, kiedy zaczyna się ściemniać.
Cześć!

Jedliśmy z mamą kolację przy świecach, było strasznie fajnie.
Szkoda tylko, że nie było z nami taty. Siedział wciąż w moim pokoju obrażony. Nie przypuszczałem, że będzie aż tak rozczarowany, że nie zobaczył, jak działa kolejka Alcesta.

Warcaby

Jadwinia mieszka w domu obok nas. Jej rodzice to pan i pani Courteplaque. Jadwinia ma żółte włosy, różową buzię, niebieskie oczy. Jest bardzo ładna i jest dziewczyną. Nie widuję jej często, bo państwo Courteplaque nie za bardzo się lubią z moimi rodzicami, a poza tym Jadwinia jest strasznie zajęta: wciąż ma lekcje fortepianu i mnóstwa innych rzeczy.

Więc dzisiaj bardzo się ucieszyłem, kiedy po podwieczorku Jadwinia poprosiła, żebym przyszedł pobawić się z nią w ogrodzie. Poszedłem spytać o pozwolenie mamę, która powiedziała:

– Proszę bardzo, Mikołaj, ale masz być miły dla swojej koleżanki. Nie życzę sobie kłótni. Wiesz, że pani Courteplaque jest bardzo nerwowa – zachowuj się tak, żeby nie musiała się na ciebie skarżyć.

Obiecałem i pobiegłem do ogrodu Jadwini.

– W co się bawimy? – zapytałem.

– No – odpowiedziała – możemy pobawić się w pielęgniarkę. Ty będziesz bardzo chory i będziesz się bardzo bać, a ja będę cię pielęgnować i cię uratuję. Albo, jak wolisz, będzie wojna, ty zostaniesz bardzo ciężko ranny, a ja znajdę się na polu bitwy i będę cię pielęgnowała pomimo niebezpieczeństwa.

278

Wybrałem wojnę i położyłem się na trawie, a Jadwinia usiadła przy mnie i mówiła:

– Ojojoj! Mój biedaku! W jakim ty jesteś stanie! Całe szczęście, że jestem tutaj, żeby cię ratować pomimo niebezpieczeństwa. Ojojoj!

Nie bardzo mi się podobała ta zabawa, ale nie chciałem się kłócić, tak jak mi kazała mama. A potem Jadwinia znudziła się udawaniem, że mnie pielęgnuje, i powiedziała, że możemy pobawić się w coś innego, a ja powiedziałem:

– Zgoda!

– Może urządzimy wyścigi? – spytała Jadwinia. – Kto pierwszy dobiegnie do drzewa, o tam, ten wygra.

To był fajny pomysł, tym bardziej że jestem niesamowity w biegu na sto metrów. Na placu biję na głowę wszystkich kolegów oprócz Maksencjusza, ale on się nie liczy, bo ma strasznie długie nogi z wystającymi kolanami. Plac nie ma stu metrów długości, ale my udajemy, że ma.

– Dobra – powiedziała Jadwinia – policzę do trzech. Na trzy ruszamy!

Zaczęła biec, a kiedy była już bardzo blisko drzewa, zawołała: „Raz, dwa, trzy!".

– Wygrałam! Wygrałam... – śpiewała.

Wytłumaczyłem jej, że w wyścigach wszyscy muszą startować jednocześnie, bo inaczej to nie są prawdziwe wyścigi. Więc powiedziała, że zgoda, zaczniemy jeszcze raz.

– Ale musisz dać mi pobiec trochę przed tobą – powiedziała Jadwinia – bo to jest mój ogród.

Wystartowaliśmy jednocześnie, ale Jadwinia była dużo bliżej drzewa niż ja, więc znowu wygrała. Po kilku razach powiedziałem jej, że mam dość. Jadwinia zdziwiła się, że tak szybko się zmęczyłem, ale – przyznała – wyścigi są mało zabawne, więc pobawimy się w coś innego.

– Mam kule – oznajmiła. – Potrafisz grać w kule?

Odpowiedziałem, że w grze w kule jestem niesamowity i wygrywam nawet z dorosłymi.

To prawda, raz grałem z tatą i panem Blédurt, który jest naszym drugim sąsiadem, i ich pobiłem. Obaj się strasznie śmiali, ale ja wiem, że wcale nie przegrali specjalnie! Szczególnie pan Blédurt!

Jadwinia przyniosła śliczne drewniane kule w różnych kolorach.

– Biorę czerwone – powiedziała. – To ja rzucam świnkę i ja pierwsza zaczynam.

Rzuciła świnkę, rzuciła kulę – nie najlepiej – a potem ja rzuciłem swoją, dużo bliżej niż ona.

– O, nie! O, nie! – powiedziała Jadwinia. – Nie liczy się. Poślizgnęłam się. Rzucam jeszcze raz.

Rzuciła kulę na nowo, ale znów powiedziała, że się poślizgnęła. Więc rzuciła jeszcze raz i jej kula zatrzymała się bliżej świnki niż moja. Graliśmy dalej. Jadwinia rzucała kule po kilka razy, a ja

coraz bardziej chciałem wracać do domu, bo grać w ten sposób w kule to żadna zabawa, szczególnie jak nie wolno się kłócić, no bo co w końcu, kurczę blade!

– Uf! – powiedziała Jadwinia. – Może pobawimy się w coś mniej męczącego? Poczekaj, mam różne gry w pokoju, zaraz je przyniosę!

Poczekałem i Jadwinia wróciła do ogrodu z dużym tekturowym pudłem pełnym różnych rzeczy: były tam karty, żetony, kości do gry, popsuta mała maszyna do szycia, chińczyk (w domu mam trzy), ręka od lalki i jeszcze cała masa innych rzeczy.

– Może zagramy w karty? – zaproponowała Jadwinia. – Umiesz grać w karty?

Powiedziałem, że umiem grać w wojnę, że czasem grywam w domu z tatą i że to bardzo fajna gra.

– Ja znam o wiele lepszą – powiedziała Jadwinia. – Sama ją wymyśliłam. Zobaczysz, jest fantastyczna.

Gra Jadwini była strasznie skomplikowana i nie za dobrze ją rozumiałem. Jadwinia dała każdemu z nas mnóstwo kart i wolno jej było zaglądać mi w karty i wymieniać swoje karty na moje. Potem było trochę tak jak przy grze w wojnę, tylko że bardziej zawile, bo na przykład zdarzało się, że trójką zabierała mi króla. Podobno trójka karo jest mocniejsza od króla trefl. Gra Jadwini wydawała mi się strasznie głupia, ale nic nie mówiłem, żeby nie było kłótni, tym bardziej że pani Courteplaque stanęła w oknie i przyglądała się, jak gramy.

Kiedy Jadwinia wygrała ode mnie wszystkie karty, zapytała, czy mam ochotę na rewanż, a ja odpowiedziałem, że wolę pobawić się w coś innego, bo jej gra jest za trudna. Zacząłem grzebać w pudle i na samym dnie znalazłem – no zgadnijcie co? – warcaby! A w warcabach jestem niesamowity! Po prostu jestem mistrzem!

– Gramy w warcaby! – zawołałem.

– Dobrze! – powiedziała Jadwinia. – Ale ja biorę białe i ja zaczynam.

Położyliśmy szachownicę na trawie, pionki na szachownicy
i Jadwinia zaczęła. Dałem sobie zabrać dwa pionki, Jadwinia była strasznie zadowolona, a potem bach, bach, bach, zabrałem jej
trzy.

Jadwinia spojrzała na mnie i zrobiła się cała czerwona. Pod-
bródek zaczął jej się trząść, jakby miała się rozpłakać. W oczach
miała łzy. Wstała, z całej siły kopnęła szachownicę i poszła do
domu, krzycząc:

– Oszukaniec! Nie chcę cię więcej widzieć!

Wróciłem do domu strasznie zmartwiony. Mama, która słyszała krzyki, czekała na mnie w drzwiach. Opowiedziałem jej,
jak było. Wtedy mama podniosła do góry oczy, pokręciła głową,
jakby chciała powiedzieć „nie", i stwierdziła:

– Jakbym słyszała twojego ojca! Wy, mężczyźni, jesteście
wszyscy tacy sami!... Nie potraficie przegrywać!...

Trąbka

Ponieważ w tym tygodniu prawie nie narozrabiałem, tata dał mi pieniądze i powiedział:

– Idź do sklepu z zabawkami i kup sobie, na co będziesz miał ochotę.

Więc poszedłem i kupiłem sobie trąbkę.

To była śliczna trąbka, która robiła straszny hałas, kiedy się w nią dmuchało. Wracając do domu, byłem pewny, że będę się dobrze bawił, a tata będzie zadowolony.

Kiedy wszedłem do ogrodu, zobaczyłem tatę, jak sekatorem przycina żywopłot. Żeby mu zrobić niespodziankę, podszedłem cicho od tyłu i bardzo głośno zatrąbiłem. Tata krzyknął, ale nie z powodu trąbki. Krzyknął, bo skaleczył się sekatorem w palec.

Odwrócił się, ssąc palec. Spojrzał na mnie i zrobił wielkie oczy:

– Kupiłeś trąbkę – powiedział.

A potem dodał, po cichu:

– Mogłem się tego spodziewać.

I poszedł do domu opatrzyć sobie palec.

Mój tata jest bardzo, bardzo kochany, ale jest straszną niezdarą – może dlatego nie lubi pracować w ogrodzie.

Wszedłem do domu, dmuchając w trąbkę. Mama wybiegła z kuchni.

– Co się dzieje? Co się dzieje? – krzyknęła.

Kiedy zobaczyła moją trąbkę, nie była zadowolona.

– Skąd to wytrzasnąłeś? – spytała. – Co za nieodpowiedzialny człowiek dał ci tę zabawkę?

Odpowiedziałem mamie, że trąbkę kupił mi tata. Wtedy wszedł tata. Chciał, żeby mama pomogła mu zabandażować palec. Mama powiedziała, że gratuluje mu pomysłu, żeby mi kupić trąbkę, ale tata jest bardzo skromny, więc zrobił się cały czerwony i zaczął mówić, że niezupełnie tak było. Wtedy ja powiedziałem, że to był naprawdę dobry pomysł i że ja też tacie gratuluję. A potem zatrąbiłem. Mama poprosiła, żebym poszedł grać na dwór, bo musi z tatą porozmawiać. Pewnie chciała mu jeszcze raz pogratulować.

Wyszedłem do ogrodu, usiadłem pod drzewem i zacząłem płoszyć wróble, dmuchając w trąbkę. Zanim tata skończył przyjmować gratulacje, w ogrodzie nie było ani jednego ptaka. Ponieważ bardzo lubię ptaszki, pomyślałem, że możliwie jak najczęściej będę grał w domu przy zamkniętych oknach.

Tata wyszedł z domu z zakłopotaną miną.

– Mikołaj – powiedział – muszę z tobą porozmawiać.

Spytałem, czy to pilne, bo teraz gram na trąbce. W domu coś się rozbiło – zdziwiłem się, bo mama rzadko kiedy coś tłucze. Tata powiedział, że to bardzo pilne i że musimy porozmawiać jak mężczyzna z mężczyzną.

– Mów głośno – powiedziałem – to będę mógł dalej grać na trąbce, a mimo to będę cię słyszał.

Nie chciałem tracić czasu.

– Mikołaj! – krzyknął tata, czegoś nagle podenerwowany.

Zrozumiałem, że tata ma ochotę pograć sobie na trąbce, ale głupio mu mnie poprosić. Dmuchnąłem w trąbkę z całej siły i już miałem dać ją tacie, kiedy pan Blédurt, nasz sąsiad, wsunął głowę przez płot i zawołał:

– Może starczy już tych hałasów?

Pan Blédurt bardzo lubi przekomarzać się z tatą, ale źle trafił, bo tata chciał przede wszystkim pograć na trąbce.

– W tył zwrot, Blédurt! – powiedział tata.

– Z byka spadłeś? – powiedział pan Blédurt. – Nikt do mnie tak nie mówił od czasu, kiedy byłem w wojsku!

– Ty byłeś w wojsku? Akurat ci uwierzę, dekowniku – powiedział tata i zaśmiał się, jak wtedy, kiedy jest niezadowolony.

Nie wiem, co znaczy słowo „dekownik", ale nie spodobało się panu Blédurt, który przeskoczył przez płot i wszedł do naszego ogrodu.

– Ja jestem dekownikiem? – spytał. – Ja walczyłem na wojnie, nie tak jak niektórzy!

Bardzo lubię, kiedy pan Blédurt mówi o swoich przeżyciach wojennych: raz opowiedział mi, jak sam jeden wziął do niewoli podwodny okręt pełen wrogów. Niestety tym razem niczego nie opowiedział, bo obaj z tatą zmienili temat rozmowy.

– Ach tak? – zapytał tata.

– Tak! – odpowiedział pan Blédurt i popchnął tatę, który potknął się i usiadł na trawniku.

Pan Blédurt nie czekał, aż tata wstanie – przeskoczył przez płot do siebie i krzyknął:

– I żebym więcej nie słyszał odgłosu głupich zabawek, które kupujesz swojemu biednemu dziecku!

Tata wstał i powiedział do mnie:

– Daj mi tę trąbkę!

Miałem rację, tego właśnie chciał tata: pograć sobie na trąbce.

Bardzo kocham swojego tatę, więc pożyczyłem mu trąbkę. Miałem tylko nadzieję, że niedługo mi odda, bo nie skończyłem jeszcze grać.

Tata podszedł do płotu, który oddziela nasz ogród od ogrodu pana Blédurt, nabrał mnóstwo powietrza, wstrzymał oddech i zaczął dmuchać w trąbkę. Dmuchał, aż zrobił się cały czerwony. To było niesamowite! Nie przypuszczałem, że taka mała trąbka może robić aż tyle hałasu. Kiedy tata przestał, żeby znów zacząć oddychać, usłyszeliśmy, że coś się tłucze u państwa Blédurt, a potem otworzyły się drzwi ich domu i wybiegł pan Blédurt. W tej samej chwili drzwi naszego domu też się otworzyły i zobaczyliśmy mamę, która niosła walizkę, jakby wybierała się w podróż. Tata kręcił głową na wszystkie strony: wyglądał na zdziwionego.

– Jadę do mamy – powiedziała mama.

– Do Buni? – spytałem. – Mogę jechać z tobą? Będę jej grał na trąbce i będziemy się dobrze bawili!

Mama spojrzała na mnie i zaczęła płakać. Tata chciał ją pocieszyć, ale nie zdążył: pan Blédurt wskoczył do naszego ogrodu. To u niego jakaś mania. Kiedyś tata zawołał go, a pod płotem postawił kocioł do gotowania bielizny. Strasznie się uśmialiśmy, kiedy pan Blédurt wpadł do środka. Ale tym razem nikt się nie śmiał: pan Blédurt też chciał grać na trąbce.

– Daj mi tę trąbkę! – krzyknął.

Tata odmówił.

– Tym instrumentem – powiedział pan Blédurt – przestraszyłeś moją żonę: upuściła cały stos talerzy!

– Phi! – powiedział tata. – I tak kupujesz najtańsze, więc to niewielka strata. I wynoś się stąd, to sprawa rodzinna.

Pan Blédurt odpowiedział, że to już nie jest sprawa rodzinna, bo jak się tak hałasuje, to sprawa całej dzielnicy. Miał rację: z okien domów wyglądało mnóstwo ludzi, którzy robili „ćśśś!...".

– Dasz mi tę trąbkę – powiedział pan Blédurt, który koniecznie chciał grać.

– Chodź i sobie weź – powiedział tata, który jest miły.

Dla zabawy tata udawał, że nie chce puścić trąbki. Ciągnęli każdy w swoją stronę i tak się wygłupiali, że w końcu upadła im na ziemię. A potem tata popchnął pana Blédurt, który upadł na trąbkę. Kiedy poszedłem ją podnieść, trąbka była płaska. Nie dało się na niej grać.

Wtedy się rozpłakałem. No bo co w końcu, jak chcieli grać na trąbce, to mogli sobie kupić!...

Ponieważ bardzo płakałem, tata, mama i pan Blédurt chcieli mnie pocieszyć. Mama mówiła:

– Mój duży chłopiec kupi sobie jakąś inną zabawkę.

Tata mówił:

– No, no, no, no...

A pan Blédurt przeskoczył do swojego ogrodu, pocierając sobie spodnie, bo musiało go zaboleć, kiedy upadał na trąbkę.

Teraz jest już wszystko dobrze. Za pieniądze, które mi dała mama, kupiłem sobie bębenek, ale nie wiem, czy będziemy mieć z nim tyle samo zabawy co z trąbką.

Mama zdaje egzamin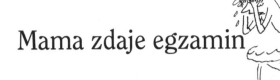

Siedzieliśmy w salonie po kolacji, kiedy mama uniosła głowę znad robótki i powiedziała do taty:

– Kochanie, wpadł mi dzisiaj do głowy pewien pomysł: może zrobiłabym prawo jazdy? Mogłabym wtedy korzystać z samochodu: nie stałby i nie rdzewiał w garażu.

– Nie – powiedział tata.

– Ale dlaczego? – zapytała mama. – Wszystkie moje przyjaciółki prowadzą: Klemencja i Berta mają nawet swoje samochody. Nie widzę powodu, żeby...

– Pójdę się położyć – powiedział tata. – Miałem ciężki dzień w pracy.

I wyszedł.

Następnego dnia jedliśmy właśnie kolację. Na deser był pyszny tort czekoladowy i to mnie zdziwiło, bo we wtorek zwykle mamy kompot. I mama powiedziała do taty:

– Zastanowiłeś się nad samochodem?

– Nad jakim samochodem? – spytał tata.

– No przecież wiesz – powiedziała mama. – Rozmawialiśmy o tym wczoraj... Nie, nie, pozwól, że skończę, odpowiesz mi później...

Mama dołożyła tacie tortu i mówiła dalej:

– Pomyśl tylko, gdybym miała prawo jazdy, mogłabym wieczorem przyjeżdżać po ciebie do pracy. Nie musiałbyś tłoczyć się w tych okropnych autobusach, które cię tak męczą. Nie mówiąc już o dziecku: odwoziłabym go do szkoły, kiedy jest deszcz, nie zapadałby nam wciąż na anginę...

– Juhu! – krzyknąłem. – I byśmy podwozili kolegów!

– Oczywiście – powiedziała mama. – To samo z zakupami, za jednym razem mogłabym kupić wszystko, czego potrzebuję na cały tydzień. A w drodze na wakacje, wiesz, jaki senny bywasz po

obiedzie: mogłabym wtedy przejąć kierownicę. Poza tym znasz mnie, jestem bardzo ostrożna. Wiem, wiem, co mi odpowiesz: że pani Blédurt miała wypadek. Ale znasz przecież panią Blédurt: to urocza kobieta, tylko że strasznie roztrzepana. Zresztą – chociaż zakład ubezpieczeń się z tym nie zgadza – wytłumaczyła mi, że to naprawdę nie była jej wina...

– Mama Rufusa jeździ samochodem taty Rufusa – powiedziałem – i Rufus mi mówił, że jest niesamowita.

– No widzisz? – powiedziała mama, nakładając mi tortu. – To co o tym myślisz?

– Fakt – powiedział tata – że te autobusy są straszne. Nie sposób nawet otworzyć gazety.

Wtedy mama wstała, pocałowała tatę, który się roześmiał, pocałowała mnie i nałożyła nam obu tortu.

– Zaraz! – powiedział tata. – Jeszcze nie powiedziałem tak!

Następnego dnia wieczorem tata się nie odzywał, a mama miała czerwone i zapuchnięte oczy. Piłem po cichu kompot, bo widziałem, że nie pora na żarty. A potem tata westchnął ciężko i powiedział do mamy:

– No dobrze, zgoda. Może się trochę zdenerwowałem dziś po południu, ale co ci poradzę? Po prostu nie masz do tego drygu.

– O, przepraszam! – powiedziała mama. – Przepraszam, przepraszam. Pani Blédurt mnie uprzedzała: nigdy nie uczyć się z mężem! Denerwujesz się, boisz o swój samochód, krzyczysz, więc oczywiście tracę głowę! Żeby się nauczyć, trzeba iść na kurs prawa jazdy.

– Co? – krzyknął tata. – Zdajesz sobie sprawę, ile taka zabawa kosztuje? Nie, nie, nie i jeszcze raz nie!

– Idź spać, Mikołaj – powiedziała mama. – Jutro masz szkołę.

Następnego dnia wieczorem mama była strasznie zadowolona.
– Świetnie mi poszło, kochanie – pochwaliła się tacie. – Instruktor powiedział, że bardzo dobrze trzymam kierownicę. Z początku trochę się bałam, ale potem zaczęło mnie to bawić. Naprawdę miło jest prowadzić samochód! Jutro wrzucamy trójkę.

Bardzo się cieszyłem, że mama uczy się jeździć, bo będzie mnie odwoziła do szkoły razem z kolegami, wieczorem będziemy jeździć po tatę, a jak już znajdziemy się razem w aucie, to może zamiast wracać do domu, pojedziemy do restauracji, a potem do kina.

Szkoda tylko, że czasem mama wracała z lekcji bardzo zdenerwowana, jak wtedy, kiedy nie udało się jej zaparkować i wszyscy w domu chodzili źli, a kolacja nie była gotowa.

Tego wieczoru, kiedy mama płakała z powodu ruszania na wzniesieniu, tata zaczął krzyczeć, że ma tego dość, że nie tylko drogo go to kosztuje, ale jeszcze atmosfera w domu stała się nie do wytrzymania i że lepiej dać sobie z tym spokój.

– Będziesz zadowolony, kiedy przyjadę po ciebie do biura – powiedziała mama. – I kiedy nie będziesz już musiał wozić mojej matki.

A potem, pewnego wieczoru, mama powiedziała, że za tydzień zdaje egzamin i instruktor radził jej brać dodatkowe lekcje aż do ostatniego dnia.

– No proszę! – powiedział tata. – Niegłupi ten twój instruktor!

Przez ostatni tydzień w domu nie było za wesoło, bo mama się coraz bardziej denerwowała, tata też, i nawet raz tata wyszedł z domu, trzaskając drzwiami, ale od razu wrócił, bo padało.

No a już dzień przed egzaminem było naprawdę strasznie. Zjedliśmy kolację bardzo szybko – na deser była resztka kompotu z obiadu – a potem w salonie mama powtarzała lekcje.

– To w końcu – krzyknął tata – czego cię uczą na tym kursie? Naprawdę nie wiesz, co to za znak?

– Mówiłam ci już – krzyknęła mama – że kiedy krzyczysz, nie mogę myśleć. Oczywiście, że wiem, co to za znak, ale teraz sobie nie przypominam. Po prostu!

– No to brawo! – powiedział tata. – Mam nadzieję, że twój egzaminator okaże się dość wyrozumiały, żeby przyjąć takie tłumaczenie!

– To znak oznaczający szyny kolejowe – powiedziałem.
– Mikołaj! – krzyknęła mama. – O nic cię nie pytałam! I powinieneś już leżeć w łóżku! Jutro masz szkołę!

Wtedy się rozpłakałem, no bo co w końcu, kurczę blade, to niesprawiedliwe: znak oznacza szyny kolejowe, a oni zamiast mi gratulować, każą mi iść do łóżka. I tata powiedział mamie, że to nie powód, żeby krzyczeć na dziecko, mama zaczęła płakać i mówić, że ma tego dość, dość, dość, że woli nie iść na egzamin, że i tak nie jest gotowa, że powinna wziąć jeszcze mnóstwo dodatkowych lekcji i że już nie może.

Tata podniósł ręce do sufitu, zaczął chodzić dookoła stołu, a potem poprosił mamę, żeby się uspokoiła, powiedział jej, że no, no, oczywiście, że jest gotowa, że na pewno pójdzie jej bardzo dobrze, że jego koledzy dopiero zrobią oczy, jak przyjedzie po niego do biura, i że będziemy z niej strasznie dumni. Wtedy mama roześmiała się przez łzy, powiedziała, że jest głupia, pocałowała mnie, pocałowała tatę, tata poszedł po podręcznik nauki jazdy, który wpadł za kanapę, a ja poszedłem się położyć.

Następnego dnia w szkole strasznie się niecierpliwiłem, bo mama miała zdawać o dziesiątej. Koledzy też się niecierpliwili,

bo im zapowiedziałem, że mama będzie ich wozić do szkoły. Jak tylko zadzwonił dzwonek, pędem poleciałem do domu, a kiedy wszedłem, zobaczyłem rodziców, którzy się śmiali i pili aperitif, jak wtedy, kiedy mamy gości. Mama była cała różowa – lubię, kiedy tak wygląda, bo to znaczy, że jest bardzo zadowolona.

– Ucałuj swoją matkę – powiedział tata. – Celująco zdała egzamin. Za pierwszym podejściem!

– Juhu! – krzyknąłem.

I pocałowałem mamę, a ona mi pokazała papier, gdzie było napisane, że udało jej się dostać prawo jazdy, i wyjaśniła, że na dwudziestu zdających przeszło tylko dziewięciu.

– Uff! – powiedział tata. – W każdym razie bardzo się cieszymy, że jest już po wszystkim. Prawda, Mikołaj?

– Och, tak! – powiedziałem.

– A co dopiero ja! – powiedziała mama. – Nie macie pojęcia, ile się nacierpiałam! Ale teraz, kiedy mam to za sobą, powiem wam jedną rzecz: nigdy więcej nie siądę za kierownicą!

Wypracowanie

TATA PRZYSZEDŁ DO DOMU, pocałował mamę, pocałował mnie, powiedział, że „oj! miał dzisiaj w pracy ciężki dzień", włożył kapcie, wziął gazetę, usiadł w swoim fotelu, a ja powiedziałem mu, że musi mi pomóc w lekcjach.

– Nie, nie i jeszcze raz nie! – krzyknął tata, jak wtedy, kiedy się z czymś nie zgadza, rzucił gazetę na ziemię i powiedział, że to nie do pomyślenia, żeby człowiek nie miał w domu chwili wytchnienia.

Wtedy się rozpłakałem. Mama przybiegła z kuchni i zapytała, co się dzieje. Powiedziałem, że jestem bardzo nieszczęśliwy, że nikt mnie nie kocha, że ucieknę bardzo, bardzo daleko, że będą mnie strasznie żałować, i inne rzeczy, które zwykle mówię, kiedy jestem niezadowolony. Mama wróciła do kuchni, prosząc tatę, żeby mnie jakoś uspokoił, bo ona właśnie piecze suflet i potrzebuje ciszy. Byłem bardzo ciekawy, jak tata się zabierze do uspokajania mnie.

Tata zabrał się do tego bardzo dobrze. Wziął mnie na kolana, wytarł mi twarz swoją chustką do nosa, powiedział, że jego tata nigdy mu nie pomagał w odrabianiu lekcji, ale że ostatecznie, po raz ostatni, on mi pomoże. Mój tata jest strasznie kochany!

Usiedliśmy przy stoliku w salonie.

– To o co chodzi – zapytał mnie tata – w tej nieszczęsnej pracy domowej?

Odpowiedziałem, że chodzi o wypracowanie: „Przyjaźń: scharakteryzuj swojego najlepszego przyjaciela".

– Ależ to bardzo, bardzo ciekawe – powiedział tata. – Poza tym jestem bardzo dobry w pisaniu wypracowań, nauczyciele mówili, że mam w sobie coś z Balzaka.

Nie wiem, dlaczego nauczyciele tak tacie mówili, ale to musiało być coś fajnego, bo tata był z tego strasznie dumny.

Tata kazał mi wziąć pióro i zacząć pisać.

– Działajmy metodycznie – powiedział. – Po pierwsze, kto jest twoim najlepszym przyjacielem?

– Mam masę najlepszych przyjaciół – odpowiedziałem. – Reszta to w ogóle nie są przyjaciele.

Tata spojrzał na mnie, jakby był trochę zdziwiony, powiedział: „Dobrze, dobrze", poprosił, żebym wybrał spośród nich jednego najlepszego przyjaciela i wypisał na kartce cechy, za które go lubię. To posłuży nam jako plan wypracowania, potem już pójdzie łatwo.

Więc zaproponowałem tacie Alcesta, który bez przerwy je i nigdy nie choruje. To najgrubszy z moich przyjaciół: jest bardzo fajny. Po Alceście opowiedziałem tacie o Gotfrydzie, który ma mnóstwo interesujących cech: jego tata jest bardzo bogaty i kupuje mu zabawki, a Gotfryd czasem daje je kolegom, żeby je do końca popsuli. Poza tym jest Euzebiusz, który jest bardzo silny i często daje w nos, ale tylko przyjaciołom, bo jest bardzo nieśmiały. Jest też Rufus, który tak samo jak inni ma dużo zalet: ma gwizdek z kulką, a jego tata jest policjantem. No i Maksencjusz, który bardzo szybko biega i ma wystające brudne kolana. No

301

i Joachim, który nie lubi pożyczać swoich rzeczy, ale ma zawsze mnóstwo pieniędzy na karmelki, a my patrzymy, jak je. Przerwałem, bo oczy taty zrobiły się okrągłe.

– To będzie trudniejsze, niż myślałem – powiedział.

Ktoś zadzwonił do drzwi i tata poszedł otworzyć. Wrócił z panem Blédurt. Pan Blédurt to nasz sąsiad, który lubi się z tatą przekomarzać.

– Przychodzę spytać, czy nie zagrałbyś w warcaby – powiedział pan Blédurt.

– Nie mogę – odpowiedział tata. – Odrabiam za małego lekcje.

Pan Blédurt strasznie się zainteresował moimi lekcjami, a kiedy usłyszał, jaki jest temat wypracowania, powiedział, że trzeba się za to wziąć i że zaraz to załatwimy.

– Chwileczkę – powiedział tata. – To ja odrabiam lekcje syna.

– Nie kłóćmy się – powiedział pan Blédurt. – We dwóch napiszemy tę pracę szybciej i lepiej.

I usiadł z nami przy stole w salonie, podrapał się w głowę, spojrzał przed siebie, powiedział: „Tak, tak, tak", i zapytał mnie, kto jest moim najlepszym przyjacielem. Już miałem mu odpowiedzieć, ale tata był szybszy. Powiedział panu Blédurt, żeby zostawił nas w spokoju i że go nie potrzebujemy.

– Dobrze – powiedział pan Blédurt. – Chciałem, żeby raz, dla odmiany, twój syn dostał dobry stopień.

To się tacie nie spodobało.

– Właściwie, Blédurt – powiedział – to przydasz mi się do tego wypracowania. Scharakteryzuję cię. Zacznę tak: „Blédurt to mój najlepszy przyjaciel. Jest zarozumiały, brzydki i głupi".

– O, nie! – krzyknął pan Blédurt. – Tylko bez obelg! Zabraniam ci mówić, że jestem twoim najlepszym przyjacielem! A żeby pisać wypracowania, trzeba choć trochę umieć pisać. Więc daj mi pióro.

Ponieważ widziałem, że tata jest niezadowolony, postanowiłem go bronić i powiedziałem panu Blédurt, że tata bardzo dobrze pisze, a jego nauczyciele mówili, że ma w sobie coś z Balzaka.

Pan Blédurt zaczął się śmiać. Wtedy tata pobrudził mu krawat atramentem.

Pan Blédurt był bardzo zły.

– Wyjdź, jeśli jesteś mężczyzną – powiedział tacie.

– Jak skończę wypracowanie Mikołaja, chętnie wyjdę, żeby ci przyłożyć – odpowiedział tata.

– To prędko nie wyjdziemy – powiedział pan Blédurt.

– Idź – powiedział tata – i poczekaj na mnie na dworze, przecież widzisz, że jesteśmy zajęci.

Ale pan Blédurt powiedział tacie, że pewnie boi się z nim wyjść, i tata zapytał:

– Ach, tak?

A pan Blédurt powiedział:

– Tak.

I wyszli do ogrodu.

Zrozumiałem, że lepiej będzie, jak napiszę wypracowanie sam, bo teraz tata i pan Blédurt zaczną się popychać i to zajmie im trochę czasu. Nawet mnie to urządzało, bo w salonie panował spokój i napisałem fajne wypracowanie, w którym mówiłem, że moim najlepszym przyjacielem jest Ananiasz. To niezupełnie prawda, ale spodoba się pani, bo Ananiasz jest jej pupilkiem. Kiedy skończyłem, mama powiedziała, że suflet jest gotowy i trudno, tata będzie jadł jajecznicę, bo suflet nie może czekać i naprawdę nie warto wracać wcześnie do domu, jeśli się nie przychodzi w porę na kolację.

Naprawdę szkoda, że suflet nie mógł na tatę poczekać: był pyszny.

W szkole dostałem z wypracowania bardzo dobry, a pani napisała mi w dzienniczku:

„Praca bardzo osobista, temat oryginalny".

Tylko że od czasu tego wypracowania o przyjaźni tata i pan Blédurt przestali się do siebie odzywać.

Oswajamy
pana Courteplaque

Bardzo żeśmy się zdziwili, kiedy dziś rano pan Courteplaque zadzwonił do nas do drzwi. Pan Courteplaque to nasz nowy sąsiad, podobno jest kierownikiem działu butów w domu towarowym „Mały Ciułacz", na trzecim piętrze, ma żonę, która bez przerwy gra na fortepianie, i dziewczynkę w moim wieku, Jadwinię, która jest bardzo ładna i może kiedyś się z nią ożenię. Zaraz po tym, jak się wprowadził, pan Courteplaque pokłócił się z tatą i od tego czasu w ogóle się do nas nie odzywa – dlatego tak żeśmy się zdziwili, kiedy dziś rano zadzwonił do naszych drzwi.

– Mogliby państwo pożyczyć mi drabinę? – spytał pan Courteplaque. – Chciałbym zawiesić na ścianach obrazy i lustra.

– Ależ oczywiście, drogi panie, z przyjemnością – powiedział tata i poszedł z panem Courteplaque do garażu, żeby mu dać dużą drabinę, tę, na którą nie wolno mi wchodzić, kiedy na mnie patrzą.

– Dziękuję – powiedział pan Courteplaque i się uśmiechnął. Zrobił to po raz pierwszy, odkąd zamieszkał obok nas.

– Nie ma za co, to zwykła sąsiedzka przysługa! – powiedział tata.

Kiedy pan Courteplaque sobie poszedł, tata był bardzo zadowolony:

– Widzisz – powiedział do mamy – nasz sąsiad powoli nabiera ludzkich cech. Przy odrobinie uprzejmości całkiem go oswoimy.

Ja też się cieszyłem, bo jeśli jej tata się oswoi, będę mógł bawić się z Jadwinią.

A potem znowu zadzwonił dzwonek i to był znowu pan Courteplaque.

– Proszę wybaczyć – zaczął – że jeszcze raz przeszkadzam, ale haczyki, które kupiłem do powieszenia obrazów, w ogóle się nie nadają. A dzisiaj jest niedziela, sklepy pozamykane i...

– Chodźmy do piwnicy – powiedział tata. – Mam skrzynkę pełną gwoździ i haczyków, na pewno znajdziemy w niej, co panu potrzeba.

Tata i pan Courteplaque zeszli do piwnicy, a kiedy wrócili, obaj byli bardzo zadowoleni. Pan Courteplaque trzymał w rękach pełno haczyków.

– Jest pan pewien, że nie będą panu potrzebne? – spytał pan Courteplaque.

– Nie ma o czym mówić, to zwykła sąsiedzka przysługa – odpowiedział tata i pan Courteplaque sobie poszedł.

– W gruncie rzeczy – powiedział tata do mamy – on nie jest taki zły, to typ niedźwiedzia o złotym sercu.

I poszedł się przebrać, bo w piwnicy poślizgnął się na węglu i miał całą czarną koszulę.

Kiedy znowu zadzwonił dzwonek, tata zawołał:

– Idź otworzyć, Mikołaj, to na pewno pan Courteplaque.

– Proszę wybaczyć – powiedział pan Courteplaque, kiedy mu otworzyłem – naprawdę nadużywam...

– Skądże znowu – zapewnił tata.

– Niech pan sobie wyobrazi – powiedział pan Courteplaque – że nie mogę znaleźć młotka. Wie pan, jak to jest, w tym bałaganie po przeprowadzce...

– Och, wiem aż za dobrze – powiedział tata. – Żona może panu opowiedzieć: zaraz po wprowadzeniu się do tego domu o mało nie zgubiliśmy Mikołaja!

Tata, mama, pan Courteplaque i ja roześmialiśmy się.

– Chwileczkę, pójdę po młotek – powiedział tata.

Wszedł na strych, a potem zszedł z młotkiem i dał go panu Courteplaque.

– I proszę się nie wahać – powiedział tata – jeśli będzie pan czegoś jeszcze potrzebował.

– Nie wiem, jak panu dziękować – powiedział pan Courteplaque i poszedł sobie z młotkiem.

Tata zatarł ręce.

– To całkiem uroczy człowiek – stwierdził. – Nie trzeba ufać pierwszemu wrażeniu. Zresztą ja od początku czułem, że ta jego pozorna szorstkość wynika z nieśmiałości.

– Ciekawe – powiedziała mama – czy razem z żoną grają w brydża.

Kiedy znów do nas zadzwonił, pan Courteplaque zaśmiał się zawstydzony.

– Doprawdy – zaczął – uzna mnie pan za bardzo kłopotliwego sąsiada, drogi panie.

– Ależ skąd, trzeba sobie pomagać – odpowiedział tata. – I proszę nie mówić do mnie pan.

– W takim razie proszę mówić do mnie Courteplaque – powiedział pan Courteplaque.

– Z przyjemnością, Courteplaque, czego pan tym razem potrzebuje? – spytał tata.

– No właśnie – odpowiedział pan Courteplaque – kiedy pańskim młotkiem wbijałem w moją ścianę pańskie haki, na ziemię

spadło sporo tynku, a odkurzacz żony przestał działać po tym, jak go użyła do zebrania pozostawionej przez robotników słomy...

– Ani słowa więcej – przerwał mu tata. – Idę po odkurzacz żony.

Tata dał odkurzacz panu Courteplaque, który zapewnił, że zaraz wszystko odniesie i że tata jest naprawdę niezwykle uprzejmy.

– Widzisz – powiedział do mnie tata – jak dzięki drobnym grzecznościom można zjednać sobie przyjaciół.

– Zastanawiam się – powiedziała mama – czy tynk jest taki dobry dla odkurzacza.

– Gotów jestem poświęcić odkurzacz, żeby zyskać przyjaciela – oświadczył tata.

A potem pan Courteplaque przyszedł odnieść drabinę.

– Gdzie ją postawić? – zapytał.

– Niech pan zostawi, zaraz zaniosę ją do garażu – odpowiedział tata.

– Dobrze, idę po odkurzacz – powiedział pan Courteplaque.

– A może pani Courteplaque chciałaby zatrzymać go na kilka dni, zanim jej nie zostanie zreperowany – zaproponował tata, patrząc mamie w oczy.

Ale pan Courteplaque powiedział, że nie, że to byłaby przesada, zresztą pani Courteplaque i tak już się nim posłużyła, żeby usunąć resztę słomy.

Kiedy pan Courteplaque przyniósł odkurzacz, palnął się w głowę.

– Ale ze mnie gapa!... – zawołał. – Zapomniałem oddać panu młotek!

– Ależ nie ma pośpiechu, Courteplaque, mój stary... – uspokoił go tata.

– Nie, nie, już i tak nadużyłem pańskiej uprzejmości, zaraz panu oddam ten młotek – powiedział pan Courteplaque.

– Jeśli pan chce – zaproponował tata – Mikołaj pójdzie po niego z panem.

– Nie ma mowy – odpowiedział pan Courteplaque. – Każę Jadwini go odnieść. Mnie już dosyć oglądaliście!...

Obaj z tatą zaczęli się śmiać i na pożegnanie bardzo mocno uścisnęli sobie ręce.

– I pomyśleć, że wszystkim nam wydawał się niesympatyczny – powiedział tata. – Może powinniśmy zaprosić ich któregoś dnia na herbatę.

– Och tak! – krzyknąłem, bo kiedy mamy gości na herbacie, mama piecze tort.

A potem Jadwinia, która jest bardzo ładna, przyszła odnieść nam młotek, a tata dał jej cukierka.

No i państwo Courteplaque nie przyjdą do nas na herbatę.

Pan Courteplaque pogniewał się na tatę i przestał z nim rozmawiać.

Zadzwonił tylko, żeby mu powiedzieć, że kto to widział dawać dzieciom cukierki tuż przed obiadem.

Rozdział VI
Jestem najlepszy

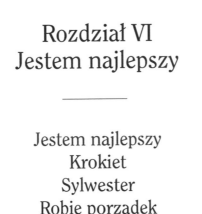

Jestem najlepszy

Wczoraj byłem najlepszy w klasie. Jak bum-cyk-cyk!
Pani zrobiła nam dyktando i miałem siedem błędów. Po mnie
był Ananiasz, który miał siedem i pół – przecinki liczą się jako
połówka, a Ananiasz nie postawił przecinka przed słowem
„gdzie", gdzie trzeba było go postawić.

Ponieważ Ananiasz jest najlepszym uczniem w klasie i pupilkiem naszej pani, okropnie mu się nie spodobało, że nie jest najlepszy z dyktanda. Powiedział pani, że to niesprawiedliwe i że właś-

nie miał postawić ten przecinek, ale mu przeszkodzono. Pani kazała mu być cicho, a wtedy Ananiasz się rozpłakał, powiedział, że
poskarży się swojemu tacie, że jego tata pójdzie na skargę do dy-

rektora, że nikt go nie kocha i że to straszne, a kiedy pani powiedziała, że postawi go do kąta, Ananiasz się rozchorował.

Wyszedłem ze szkoły z moim dyktandem, na którym pani zaznaczyła czerwonym atramentem: „Mikołaj napisał dyktando najlepiej z całej klasy. Bardzo dobry".

Chłopaki chciały, jak zawsze, żebym poszedł z nimi do piekarni obejrzeć wystawę i kupić czekoladę, ale im powiedziałem, że muszę szybko wracać do domu.

– Co ty – powiedział Alcest, mój dobry kumpel – dlatego że jesteś najlepszy z dyktanda, nie chcesz się już z nami bawić?

Nawet nie odpowiedziałem Alcestowi, który zrobił dwadzieścia osiem i pół błędu. I pobiegłem do domu.

– Jestem najlepszy! – zawołałem od progu.

Kiedy mama zobaczyła moje dyktando, pocałowała mnie, powiedziała, że jest ze mnie bardzo dumna i że tata też się ucieszy.

– Dostanę tort czekoladowy na deser? – spytałem.

– Dziś wieczór? – zdziwiła się mama. – Ależ kochanie, nie starczy mi czasu, muszę jeszcze uprasować tacie koszule.

– To było dyktando z niesamowitymi słowami – powiedziałem – i pani pochwaliła mnie przy wszystkich.

Mama spojrzała na mnie i westchnęła:
– No dobrze, kochanie, w nagrodę dostaniesz swój tort czekoladowy.

I poszła do kuchni. No bo co w końcu!

Kiedy tata otworzył drzwi do domu, pobiegłem do niego z dyktandem.

– Popatrz tato, co pani napisała na moim dyktandzie! – krzyknąłem.

Tata popatrzył i powiedział:

– To świetnie, chłopie.

Zdjął marynarkę, usiadł w fotelu w salonie i zaczął czytać gazetę.

– Jestem najlepszy! – pochwaliłem się tacie.

– Uhm – odpowiedział tata.

Więc poszedłem do kuchni i powiedziałem mamie, że to niesprawiedliwe, że tata nie chce patrzeć na moje dyktando, i odstawiłem scenę złości z tupaniem nogami i krzyczeniem bez otwierania ust.

– Mikołaj – powiedziała mama – uspokój się. Tatuś przyszedł z pracy zmęczony i pewnie dobrze nie zrozumiał. Wytłumaczymy mu i na pewno cię pochwali.

I wróciliśmy z mamą do salonu.

– Kochanie – powiedziała mama. – Mikołaj świetnie się dzisiaj spisał w szkole. Myślę, że powinieneś go pochwalić.

Tata uniósł głowę znad gazety, zrobił zdziwione oczy i powiedział:

– Przecież już go chwaliłem, powiedziałem mu, że to świetnie. I poklepał mnie po głowie, a mama wróciła do kuchni.

– Chcesz przeczytać moje dyktando? – zapytałem. – Jest niesamowite!

– Później, kochanie, później – odpowiedział tata i z powrotem zaczął czytać gazetę.

Wróciłem do kuchni i powiedziałem mamie, że tata nie chce przeczytać mojego dyktanda, że nikt się mną nie zajmuje i że ucieknę z domu i będą mnie żałowali, szczególnie teraz, kiedy jestem najlepszy.

Poszedłem za mamą do salonu:

– Uważam – powiedziała mama do taty – że mógłbyś poświęcić małemu trochę uwagi, odniósł dziś taki sukces.

Mama poprosiła, żeby jej więcej nie przeszkadzać, bo nigdy nie skończy tego tortu. I sobie poszła.

– To co – spytałem – przeczytasz moje dyktando?

Tata wziął dyktando i powiedział:

– Ho, ho, ho! Ale trudne! No, tak. Ho, ho, ho... Brawo!

I znowu wziął gazetę.

– A dostanę wrotki? – spytałem.

– Wrotki? Jakie wrotki? – zdziwił się tata.

– No przecież wiesz – powiedziałem. – Obiecałeś mi wrotki, jak będę najlepszy w klasie.

– Słuchaj, Mikołaj – powiedział tata – porozmawiamy o tym kiedy indziej, dobrze?

No i masz! Obiecują mi wrotki, piszę najlepsze dyktando w klasie, pani mnie przy wszystkich chwali, a potem mówią, że porozmawiamy o tym kiedy indziej! Usiadłem na dywanie i zacząłem walić w podłogę pięściami.

– Chcesz klapsa? – spytał tata, a ja się rozpłakałem i przybiegła mama.

– Co znowu? – spytała.

Więc wytłumaczyłem jej, że tata powiedział, że da mi klapsa.

– Ciekawy sposób zachęcania dziecka do nauki – powiedziała mama.

– Tak – powiedziałem. – Jak nie dostanę wrotek, to będę strasznie zniechęcony.

– Jakich wrotek? – spytała mama.

– Podobno – powiedział tata – mam zapłacić za to dyktando parą wrotek.

– Wysiłek powinien być nagrodzony – powiedziała mama.

– Mikołaj ma szczęście, że jego ojciec jest milionerem – stwierdził tata – więc z radością podaruję mu parę wrotek ze złota w nagrodę za siedem błędów ortograficznych.

Nie wiedziałem, że mój tata jest milionerem. Będę musiał powiedzieć o tym Gotfrydowi, bo on wciąż opowiada o swoim tacie, który jest bardzo bogaty. A chłopaki zemdleją z wrażenia, jak na przerwie zobaczą mnie na wrotkach ze złota!

– Dobrze – powiedziała mama – jeśli chcecie dostać kolację, dajcie mi spokojnie wrócić do kuchni.

– Pospiesz się – powiedział tata. – Wiesz, że po kolacji muszę iść do szefa, który przyjmuje klientów.

– O Boże! – krzyknęła mama – przez ten tort Mikołaja nie wyprasowałam ci koszuli.

– Brawo! – powiedział tata. – Brawo! No cóż, skoro się w tym domu nie liczę, pójdę w tej, którą mam na sobie. Brawo!

Wtedy mama się rozpłakała i tata ją pocałował, a ja byłem bardzo smutny, bo zawsze mi okropnie przykro, kiedy mama ma jakieś zmartwienie.

Przy kolacji nikt nic nie mówił i nawet nie miałem ochoty na dokładkę tortu.

Za to dzisiaj było naprawdę super. Wróciłem ze szkoły z pałą z arytmetyki, a tata, zamiast mnie skrzyczeć, powiedział:

– To jest mój duży chłopiec.

I zabrał nas z mamą do kina.

Tak jak mi powiedział Alcest w piekarni, gdzie poszliśmy po szkole kupić czekoladę: „Rodziców nie da się zrozumieć".

 Krokiet

Dzisiaj poznałem nową niesamowitą grę: krokieta. Pan Blédurt, nasz sąsiad, wszedł do nas do ogrodu z dużą drewnianą skrzynką w ramionach.

– Zobacz, co sobie kupiłem – powiedział do taty.

Otworzył skrzynkę i zobaczyliśmy z tatą, że w środku są drewniane kule, rodzaj młotków z długimi uchwytami i metalowe bramki.

– No co! – powiedział tata. – Po prostu zestaw do krokieta, nie ma się czym przechwalać.

– Co to jest krokiet? – spytałem.

– Wcale się nie przechwalam, tylko ci pokazuję i pytam, czy byś nie zagrał – powiedział pan Blédurt.

– Dobrze – zgodził się tata.

– Mnie też dacie zagrać? Co? Dacie mi? – zapytałem, ale tata nie odpowiedział.

Zajęty był krzyczeniem na pana Blédurt, który wbijał w ziemię jedną z bramek na trawie w naszym ogrodzie.

– Ejże! – powiedział tata. – Nie będziesz mi dziurawił trawnika!

– Trawnika? – zdziwił się pan Blédurt. – Nie rozśmieszaj mnie! To jest w najlepszym razie bujna i chaotyczna plantacja chwastów, zupełnie jak na tym opuszczonym placu niedaleko nas.

Pan Blédurt nie miał racji: nasz ogród wcale nie przypomina placu, który jest strasznie fajny, stoi na nim samochód bez kół i my tam chodzimy, robimy „brum" i dobrze się bawimy.

Tacie nie spodobało się to, co powiedział pan Blédurt, więc krzyknął, że nikt go tu nie zapraszał, żeby poszedł sobie robić dziury we własnym ogrodzie i że gdyby miał psa, to by go nim poszczuł.

– Dobrze już! Dobrze! – powiedział pan Blédurt, zabrał swoją skrzynkę z bramkami, kulami i młotkami i sobie poszedł.

My zostaliśmy w ogrodzie. Tata spojrzał na trawnik, podrapał się po głowie i powiedział, że w przyszłym tygodniu będzie musiał koniecznie coś z nim zrobić. Ja wychyliłem się przez płot i zobaczyłem pana Blédurt, który wbijał bramki w ziemię w swoim ogrodzie, a potem zaczął popychać drewnianą kulę jednym ze swoich młotków.

– Świetnie się bawię – podśpiewywał sobie pan Blédurt – świetnie się bawię!

I rzeczywiście widać było, że pan Blédurt, sam jeden, dobrze się bawi: co chwila gwizdał i mówił:

– Och! Ale mi się udało strzelić, ho, ho, ho!

Ja też bardzo chciałem się bawić: oczywiście nie umiem grać w krokieta, ale uczę się bardzo szybko, nie licząc gramatyki, arytmetyki, geografii i historii, a jak coś nam zadają na pamięć, nie zawsze pamiętam wszystkie słowa.

– Mogę iść pograć z panem Blédurt? – spytałem taty.

– Nie, Mikołaj – powiedział tata bardzo głośno. – Od razu byś wygrał i pan Blédurt oskarżyłby cię, że oszukiwałeś.

Pan Blédurt wsunął swoją wielką czerwoną głowę przez płot.

– Jak jesteś taki mądry – krzyknął – to załóżmy się o sto franków, że cię pobiję!

Tata zaczął się śmiać i powiedział, że to by była kradzież, a pan Blédurt powiedział tacie, że jest mięczakiem i pewnie nie dysponuje stoma frankami. Wtedy tata powiedział:

– Ja jestem mięczakiem? Zaraz się przekonasz, czy jestem mięczakiem!

I poszedł do ogrodu pana Blédurt, a ja poszedłem za nim.

– Ja biorę niebieską kulę – powiedział pan Blédurt – a ty weź czerwoną.

– A ja biorę zieloną! – zawołałem.

Ale tata powiedział, że nie umiem grać w krokieta i że nie chce, żebym grał na pieniądze. Więc się rozpłakałem, powiedziałem, że to niesprawiedliwe i że wszystko powiem mamie. Wtedy tata obiecał, że zagram następnym razem, a teraz mam uważnie patrzeć i się uczyć, i że będę mógł pójść po kulę pana Blédurt,

kiedy on bardzo daleko wybije ją swoją kulą, i że za sto franków od pana Blédurt kupi mi ciastka.

A ja powiedziałem, że dobrze, że się godzę.

Krokiet to dziwna gra, bardzo trudna do zrozumienia. Na początku gracze kłócą się, który będzie grał pierwszy. Zaczyna ten, który mówi: „A zresztą to moja gra i jak ci się nie podoba, to chowam wszystko do skrzynki i możesz się pocałować".

Pan Blédurt wziął swój młotek i bum! – strzelił niebieską kulą w żółte kwiaty pani Blédurt.

Wtedy drugi gracz, tata, śmieje się, a pani Blédurt otwiera okno i mówi panu Blédurt mnóstwo rzeczy, ale to nie należy do gry. Pani Blédurt w każdym razie nie była w nastroju do zabawy.

Kiedy tata skończył się śmiać, uderzył delikatnie w swoją czerwoną kulę, która zbliżyła się do bramki. Wtedy tata lekko kopnął kulę nogą, ale na to przybiegł pan Blédurt i powiedział:

– Nie liczy się! Nie liczy się! Dwa razy uderzyłeś młotkiem!

– Nieprawda! – krzyknąłem. – Za drugim razem to było nogą!

No i tata – nie mogę tego zrozumieć – zezłościł się, że go bronię.

– Mikołaj! – krzyknął. – Siedź cicho albo zaraz wrócisz do domu!

Więc się rozpłakałem, powiedziałem, że chcę nauczyć się grać w krokieta i że to niesprawiedliwe.

– Lepiej byś grał uczciwie – powiedział pan Blédurt – zamiast krzyczeć na swoje biedne dziecko!

Tu gra strasznie się komplikuje, bo gracze rzucają na ziemię młotki, chwytają się za koszule i zaczynają sobą potrząsać.

Pani Blédurt otworzyła okno i zawołała pana Blédurt, a pan Blédurt zrobił się cały czerwony i powiedział tacie, że trzeba mówić ciszej, bo pani Blédurt ma na herbacie koleżanki.

– To gramy od nowa – powiedział pan Blédurt, podnosząc swój młotek.

– Nie ma mowy! – powiedział tata. – Mam dobrą pozycję, nie będę grał od nowa.

W tym momencie robi się śmiesznie, bo graczom wolno zmienić kulę w trakcie rozgrywki. Pan Blédurt walnął w czerwoną kulę taty i powiedział:

– Proszę! Teraz ty też masz złą pozycję!

Kula uderzyła w ścianę domu, buch! i pani Blédurt jeszcze raz otworzyła okno, bardzo niezadowolona. Przód sukienki miała cały zalany herbatą i krzyczała, że obraz w salonie spadł ze ściany. Ale tata i pan Blédurt nie przerwali partii – strasznie ich ta gra wciągnęła. Strzał pana Blédurt musiał być bardzo dobry, bo tata wyglądał na wściekłego.

– Taki z ciebie cwaniak? – powiedział tata. – No to zaraz zobaczymy, kto wygra!

I z całej siły walnął młotkiem w nogę pana Blédurt, który zawołał „Au, au!" i chciał walnąć młotkiem w głowę taty.

Niektórych rzeczy w grze w krokieta nie zrozumiałem: na przykład, do czego służą bramki i kule. Ale nie szkodzi, obejdziemy się bez nich. Spróbuję znaleźć młotki i jutro w szkole nauczę chłopaków grać w krokieta.

W ten sposób na przerwie będziemy się dobrze bawić.

Sylwester

A DLACZEGO nie mogę iść bawić się z kolegami na placu? Jest taka ładna pogoda! – spytałem mamy.

– Nie, Mikołaj – odpowiedziała mama. – Powtarzam: chcę, żebyś został w domu.

– Ale chłopaki mówiły, że na plac przyniesiono mnóstwo skrzynek, więc będzie strasznie fajnie: zrobimy sobie z nich autobus albo pociąg! – powiedziałem.

– Właśnie! – powiedziała mama. – Nie chcę, żebyś bawił się odpadkami, które ludzie wyrzucają na tym strasznym placu! Wracasz potem umorusany jak nieboskie stworzenie! A teraz bądź grzeczny! Pani Marcellin odwiedzi mnie ze swoim nowym dzidziusiem i proszę, żebyś się przed nią nie popisywał!

– Ale chłopaki na mnie czekają, a sam co będę robił w domu? – spytałem.

– Jak to co? – odpowiedziała mama. – Będziesz się bawił z dzidziusiem pani Marcellin. Na pewno jest bardzo miły.

Dzidziuś pani Marcellin może i jest bardzo miły, ale z dzidziusiem nie można się powygłupiać. Wiem to, bo mam kuzyna, który jest dzidziusiem, i jak się go przypadkiem dotknie, od razu jest straszna draka.

Próbowałem trochę popłakać, na próbę, ale mama powiedziała, że jak nie przestanę, to ona się pogniewa.

Więc poszedłem do ogrodu i zacząłem tupać, no bo co w końcu, to niesprawiedliwe. Jest czwartek, w szkole byłem dwunasty z geografii i nie warto się tyle uczyć i mieć dobre stopnie, jeśli potem nie pozwalają wam iść na plac pobawić się z kolegami...

Byłem obrażony i grałem w kule – jak się gra sam ze sobą, to żadna zabawa – kiedy ktoś zadzwonił do furtki i mama wybiegła z domu otworzyć. To była pani Marcellin z dziecięcym wózkiem. Pani Marcellin mieszka w naszej dzielnicy, ale od pewnego czasu nie było jej widać: podobno poszła po dzidziusia do szpitala.

Mama i pani Marcellin zaczęły coś wykrzykiwać – chyba były strasznie zadowolone, że się spotykają. A potem mama schyliła się, żeby zajrzeć do wózka.

– Jaka śliczna – powiedziała mama.

– To chłopiec – powiedziała pani Marcellin. – Nazywa się Sylwester.

– Oczywiście – powiedziała mama. – A jaki do pani podobny!

– Tak pani uważa? – spytała pani Marcellin. – Moja teściowa mówi, że to wykapany tatuś. Fakt, że ma niebieskie oczy, jak Jerzy. Ja mam piwne.

– Ale oczy często zmieniają barwę – powiedziała mama. – I na ogół robią się piwne. Poza tym ma pani rysy!

Potem mama powiedziała:

– Tiutiutiutiutiu, ci-ci-ci, lalalala.

Podszedłem, żeby zobaczyć, i musiałem stanąć na palcach, bo wózek był bardzo wysoki. Ale nawet tak nie było wiele widać.

– Tylko go nie dotykaj! – krzyknęła mama.

– Niech sobie popatrzy – powiedziała pani Marcellin ze śmiechem.

Wzięła mnie pod pachy i uniosła w górę, żebym lepiej widział. Miał duże oczy, które nigdzie nie patrzyły, buzię, z której wydobywało się mnóstwo bąbelków, i małe rączki zaciśnięte i czerwone. Co do rysów, to nie znalazłem dużego podobieństwa do pani Marcellin, bo przez te bąbelki trudno było ocenić.

Pani Marcellin postawiła mnie na ziemi i powiedziała, że Sylwester i ja jesteśmy już kumplami, ponieważ się do mnie uśmiechnął. Ale to pic na wodę: przez cały czas Sylwester tylko puszczał bąbelki.

Mama i pani Marcellin usiadły na leżakach koło begonii, a ja wróciłem do gry w kule.

– Mikołaj! Masz natychmiast przestać! – krzyknęła mama.

– Bo co? – spytałem.

Mama okropnie mnie przestraszyła.

– Nie widzisz, że tymi wielkimi kulami możesz zrobić dziecku krzywdę? – powiedziała mama.

– Och, proszę na niego nie krzyczeć – powiedziała pani Marcellin. – Na pewno będzie uważał.

– Nie wiem, co mu się dzisiaj stało – westchnęła mama. – Jest nie do zniesienia!

– Ależ nie – powiedziała pani Marcellin. – Jest bardzo grzeczny. A ponieważ jest dużym chłopcem, dobrze wie, że lepiej nie grać w kule blisko Sylwestra. Prawda, Mikołaj?

Więc przestałem grać, włożyłem ręce do kieszeni, oparłem się o drzewo i zacząłem się dąsać. W gardle miałem wielką gulę i chciało mi się płakać. Nic tylko Sylwester i Sylwester. Jemu wszystko wolno, a mnie nic!

A potem pani Marcellin spytała mamę, czy może podgrzać mleko dla Sylwestra, bo zbliża się pora karmienia.

– Poprosimy Mikołaja, żeby popilnował Sylwestra. W ten sposób mu pokażemy, że mamy do niego zaufanie – jest przecież mężczyzną! – powiedziała pani Marcellin.

Ja nic nie powiedziałem, ale mama groźnie na mnie spojrzała, więc powiedziałem, że popilnuję Sylwestra, a pani Marcellin się roześmiała i weszła z mamą do domu.

Podszedłem do wózka i pociągnąłem za krawędź, żeby jeszcze raz spojrzeć na Sylwestra, a Sylwester spojrzał na mnie swoimi wielkimi oczami, przestał puszczać bąbelki, otworzył buzię i zaczął krzyczeć.

– No co ty? – powiedziałem. – Cicho bądź!

Ale Sylwester krzyczał coraz głośniej i z domu wybiegła pani Marcellin z mamą.

– Mikołaj! – krzyknęła mama. – Coś ty zrobił?

Wtedy się rozpłakałem. Powiedziałem, że nic nie zrobiłem i że to nie moja wina, że Sylwester zaczyna krzyczeć, kiedy kogoś zobaczy, a pani Marcellin powiedziała mi, że jest pewna, że niczego nie zrobiłem, i że Sylwestrowi często zdarza się tak krzyczeć, szczególnie kiedy jest pora karmienia.

Mama schyliła się, wzięła mnie w ramiona i powiedziała:

– Dobrze już, dobrze, Mikołaj. Nie chciałam na ciebie krzyczeć. Wiem, że nic złego nie zrobiłeś, kurczaczku.

I pocałowała mnie, a ja pocałowałem ją. Moja mama jest strasznie kochana i bardzo się cieszę, że przestaliśmy się kłócić.

Sylwester też przestał płakać. Ssał butelkę, robiąc okropny hałas.

– Mamy za sobą długi spacer – powiedziała pani Marcellin. – Pora wracać.

Pani Marcellin pocałowała mamę, pocałowała mnie i już miała wyjść z ogrodu, kiedy się odwróciła:

– A ty, Mikołaj, nie chciałbyś, żeby mamusia kupiła ci braciszka takiego jak Sylwester? – spytała.

– Och tak! Bardzo bym chciał! – powiedziałem.

Wtedy mama i pani Marcellin zaczęły coś wykrzykiwać, a potem się roześmiały i wszyscy znów zaczęli mnie całować. Niesamowite! I to prawda, bardzo bym chciał, żeby mama kupiła mi braciszka takiego jak Sylwester, bo wtedy kupi też wózek, żeby go w nim wozić.

A z kółek od wózka i skrzynek, które są na placu, zrobimy sobie z chłopakami fantastyczny autobus!

Robię porządek

– Co to za pobojowisko? – spytała mama, pokazując mój pokój.

To prawda, że mam u siebie trochę bałaganu, bo wszędzie leżą zabawki, książki i ilustrowane pisma. Mama próbuje u mnie sprzątać, ale trzeba przyznać, że to nie jest łatwe, i dzisiaj się zezłościła.

– Wychodzę na godzinę – powiedziała mama. – Zostajesz sam w domu. Jak wrócę, chcę, żeby w twoim pokoju był porządek. I proszę, nie rób głupstw.

Mama wyszła, a ja zacząłem robić porządek. O głupstwa się nie martwiłem – teraz, jak jestem duży, już żadnych nie robię. W każdym razie to już nie to co trzy miesiące temu, przed urodzinami.

Zacząłem wyciągać spod łóżka rzeczy, które tam leżały. Całe stosy. Znalazłem wśród nich samolot, który lata, ze śmigłem nakręcanym na gumkę. Mama nie lubi, kiedy się nim bawię, zawsze powtarza, że coś stłukę. Chciałem sprawdzić, czy samolot jeszcze lata, no i mama miała rację, bo wyleciał przez drzwi od mojego pokoju i zbił wazon w jadalni, po przeleceniu fajnej trasy. To nic takiego, tata już nieraz mówił, że ten wazon, który dostaliśmy od babci, nie jest zbyt ładny. Oczywiście w wazonie były kwiaty i woda i teraz woda była wszędzie na stoliku i na małej koronkowej serwetce. Ale woda nie brudzi. Tak że naprawdę to nie było nic takiego, a samolotowi nic się nie stało.

Wróciłem do pokoju i zacząłem wkładać do szafy zabawki, które były pod łóżkiem. W szafie znalazłem pluszowego misia, którym bawiłem się, jak byłem mały. Mój biedny misiek nie wyglądał za ładnie: miejscami brakowało mu futra. Postanowiłem doprowadzić go do porządku. Poszedłem do łazienki i wziąłem elektryczną maszynkę do golenia taty: jak zgolę misiowi całą sierść, nie będzie widać miejsc, gdzie nie ma futra. Poza tym fajna jest ta maszynka taty – robi bzzz i sierść znika.

Miś był do połowy ogolony, kiedy maszynka przestała robić bzzz, strzeliła z niej iskra, a potem już nic się nie działo.

To nic takiego, tata zawsze mówił, że maszynka jest stara i kupi sobie nową. Niedobrze tylko dla misia: górną połowę ma ogoloną, a dolną nie. Wygląda, jakby był w spodniach.

Odniosłem misia do szafy, maszynkę taty do łazienki i wróciłem do pokoju kończyć robić porządek. Tylko że zabawki nie chciały się zmieścić w szafie, więc postanowiłem wszystko wyjąć i zobaczyć, co mogę wyrzucić. Znalazłem samochody, którym brakowało kół, koła, którym brakowało samochodów, przedziurawioną piłkę do gry w nogę, mnóstwo pionków do gry w chińczyka, klocki i przeczytane książki z pokolorowanymi obrazkami. Te rzeczy były niepotrzebne. Więc wrzuciłem wszystko w narzutę z mojego łóżka i zrobiłem pakunek, który chciałem znieść na dół do śmietnika. Ale wpadłem na pomysł: żeby było szybciej i żeby nie zabrudzić schodów, wyrzucę pakunek przez okno. Szkoda, że nie pomyślałem o szklanym daszku nad drzwiami wejściowymi, który się stłukł. Na szczęście, to nic takiego, mama zawsze powtarza, że bardzo trudno go myć i co to był za pomysł umieszczać go nad drzwiami, a tata się śmieje i mówi, że daszku nie można położyć na podłodze zamiast wycieraczki, mamie to się nie podoba i każe mi wyjść, bo musi porozmawiać z tatą.

Nie chciałem, żeby zabawki, które spadły, zostały pod drzwiami, więc poszedłem po odkurzacz mamy.

Mama nigdy nie używa go poza domem – niesłusznie, bo kabel jest dostatecznie długi, a odkurzacz to fantastyczne urządzenie, wciąga wszystko: zabawki, żwir, kawałki szklanego daszka. I pewnie to kawałki szkła przedziurawiły worek w odkurzaczu. To nic takiego, mama zaszyje rozdarcie albo każe założyć nowy worek. Gorzej, że wszystkie rzeczy, które były w środku, teraz znowu leżały pod drzwiami. Nie warto było wozić ich odkurzaczem, żeby znalazły się w tym samym miejscu! Szybko pozbierałem największe kawałki i wrzuciłem je do śmietnika, a co do reszty, wpadłem na fantastyczny pomysł: umyję podłogę przed drzwiami.

Poszedłem do kuchni po wodę i tutaj kłopot: przewróciłem wszystko do góry nogami, ale nie znalazłem żadnego wiadra, którym można by ją przynieść. Ponieważ do powrotu mamy zostało już mało czasu, a chciałem jej zrobić niespodziankę i wszystko porządnie umyć, postanowiłem wziąć wazę, tę dużą ze złotym paskiem, którą mama wyciąga, kiedy przychodzą do nas goście. To jest największa, jaką mamy. Żeby dostać się do wazy, która była w szafce, musiałem wejść na drabinę – bardzo to lubię, ale to nie jest łatwe. Przed wazą

stał stos talerzy. Trzeba przyznać, że mama jest trochę bałaganiarą, bo waza nie powinna stać w głębi szafki – nigdy nie wiadomo, kiedy będzie potrzebna, żeby coś umyć. Będę musiał mamie powiedzieć.

W końcu, ponieważ jestem zdolny, udało mi się wyjąć wazę. A te dwa stłuczone talerze to nic takiego, bo w końcu zostało jeszcze dwadzieścia dwa, a nigdy nie mamy w domu dwudziestu dwóch gości naraz!

Z wazą pełną wody poszedłem do drzwi wejściowych. Musiałem obracać dwa razy, bo przez tę dużą wazę nie widziałem, gdzie stawiam stopy i dwa razy potknąłem się o dywan. I tak miałem szczęście, bo nie upuściłem wazy, a dywan przecież wyschnie.

W końcu polałem wodą kurz przed drzwiami i zacząłem wycierać go ręcznikiem. Trzeba przyznać, że nie za bardzo wyszło, bo zrobiło się błoto. Ale to nic takiego, po wyschnięciu wszystko łatwo zejdzie. Gorzej, że stłukła się waza, tym bardziej że jest pełno talerzy, a tylko jedna waza, nie wiedzieć czemu. Właściwie to nie takie straszne: kiedy mamy gości, tata woli, żeby podawać przystawki zamiast zupy. Tata mówi, że tak jest bardziej elegancko, a mama mu odpowiada, że zupa rakowa robi na pewno lepsze wrażenie niż jajko z majonezem, i tak sobie dyskutują, dla zabawy. Teraz już nie będą się kłócić, bo zupy rakowej nie będzie do czego wlać.

Ponieważ nie musiałem wracać do kuchni, żeby odnieść wazę, zyskałem trochę czasu. Więc pobiegłem do pokoju i dokończyłem układać wszystko w szafie. Uwinąłem się szybko, tym bardziej że jednak musiałem wrócić do kuchni, bo przypomniało mi się, że zapomniałem zakręcić kran, a ponieważ zlew zatkał się kawałkami talerzy, wszędzie było pełno wody. To nic takiego,

bo na podłodze są kafelki, jutro słońce wszystko wysuszy, a mama nie będzie musiała myć podłogi – nie lubi tego robić i mówi,
że to ją męczy.

Kiedy mama wróciła, wszystko w moim pokoju było gotowe. Byłem pewny, że mnie pochwali i będzie zadowolona.

No i nie uwierzycie, ale przysięgam, że to prawda: zrobiła mi awanturę!

Wielki słoń

Byłem ósmy z klasówki z gramatyki i tata powiedział, że to świetnie i że dziś wieczór przyniesie mi niespodziankę.

Więc kiedy tata wrócił dzisiaj z biura, pobiegłem go pocałować. Zawsze się bardzo cieszę, kiedy tata wraca do domu, a już najbardziej, kiedy wiem, że przynosi mi niespodziankę!

Tata mnie pocałował, zrobił mi „hop-la", a potem dał mi płaską paczuszkę. Za płaską na to, żeby była czerwonym samochodzikiem ze świecącymi reflektorami, na który miałem ochotę.

– No śmiało, Mikołaj – powiedział tata, śmiejąc się – rozpakuj swój prezent.

Więc rozerwałem papier, w który owinięta była paczuszka, a w środku – nigdy byście nie zgadli – była płyta! W pięknej kopercie z rysunkami słoni, małp i ludzików, i nazwą płyty: „Wielki słoń".

Strasznie się ucieszyłem i o mało nie pękłem z dumy! Po raz pierwszy mam płytę tylko dla siebie! Mój tata jest najfajniejszy na świecie, więc go pocałowałem i on też się ucieszył. A potem z kuchni wyszła mama, roześmiała się i też mnie pocałowała. Och, jak fajnie jest teraz u nas w domu!

– Mogę posłuchać swojej płyty? – spytałem taty.

– Oczywiście, króliczku – odpowiedział tata. – Po to ją dostałeś. Zaczekaj, zaraz ci ją nastawię.

Tata włożył płytę do adapteru i zaczęła grać. Najpierw była muzyka, śmieszna jak nie wiem co, i jakaś pani zaczęła śpiewać: „To był wielki słoń, słoń, słoń... który miał bardzo wielki nos, bardzo wielki nos, bardzo wielki nos". Potem mnóstwo panów i pań opowiadało historię słonia, który przyjaźnił się z małpką i razem robili masę głupstw. A potem przychodził myśliwy i chwytał słonia, ale przychodziła małpka i go uwalniała. Myśliwy zaczynał płakać, a wtedy słoń i małpka zaprzyjaźniali się z myśliwym i razem szli do cyrku, gdzie wszyscy stawali się bardzo bogaci i znowu śpiewali: „To był wielki słoń, słoń, słoń... który miał bardzo wielki nos, bardzo wielki nos, bardzo wielki nos".

– To urocze – powiedziała mama.

– Tak – powiedział tata – teraz robią dla dzieci świetne rzeczy.

– Mogę posłuchać jeszcze raz? – zapytałem.

– Ależ oczywiście, chłopie – powiedział tata.

I znowu puścił płytę, a pod koniec z rodzicami zaśpiewaliśmy: „To był wielki słoń, słoń, słoń... który miał bardzo wielki nos, bardzo wielki nos, bardzo wielki nos". A potem śmialiśmy się wszyscy i biliśmy brawo.

– Mogę ją puścić Alcestowi przez telefon? – spytałem.

A tata powiedział:

– Hm... Dobrze, jeśli koniecznie chcesz...

Więc zadzwoniłem do Alcesta i powiedziałem:

– Posłuchaj, Alcest, prezentu, który przyniósł mi tata. To płyta, mam ją tylko dla siebie.

– Dobra – powiedział Alcest – ale się pospiesz, bo zaraz jemy kolację, a fasolka z mięsem, jak wystygnie, to już nie jest taka dobra.

Więc puściłem płytę, obok postawiłem telefon, a kiedy skończyli śpiewać: „To był wielki słoń, słoń, słoń... który miał bardzo
wielki nos, bardzo wielki nos, bardzo wielki nos", wziąłem słuchawkę i spytałem Alcesta, czy mu się podobało. Ale Alcesta już
tam nie było. Pewnie jadł kolację.

– Co do kolacji, moja też jest gotowa – powiedziała mama. –
Do stołu!

– Mogę jeszcze raz posłuchać mojej płyty przed jedzeniem? –
spytałem.

– Nie, Mikołaj – powiedział tata. – Teraz czas na kolację, zostaw swoją płytę w spokoju.

A ponieważ tata miał poważną minę, nic nie powiedziałem.

Przy stole zacząłem jeść zupę i zaśpiewałem: „To był wielki
słoń, słoń, słoń... który miał bardzo wielki nos, bardzo wielki
nos, bardzo wielki nos".

– Mikołaj! – krzyknął tata. – Jedz zupę i bądź cicho!

Dziwne, tata wyglądał na zdenerwowanego.

Kiedy skończyliśmy jeść kolację – był placek z jabłkami, który został z wczoraj – podszedłem do adapteru, a tata krzyknął:
– Mikołaj! Co robisz?
– No – powiedziałem – posłucham sobie mojej płyty.
– Wystarczy już, Mikołaj – powiedział tata. – Chcę poczytać gazetę, a zresztą i tak niedługo masz iść spać.
– Ostatni raz, przed pójściem spać – powiedziałem.

– Nie, nie i jeszcze raz nie! – krzyknął tata.
Wtedy się rozpłakałem. No bo co, kurczę blade! Nie mogę już nawet posłuchać swojej płyty? To niesprawiedliwe, bo w końcu kto był ósmy z klasówki z gramatyki, co?
Kiedy mama usłyszała, że płaczę, od razu przybiegła z kuchni.
– Co się dzieje? – spytała.
– Tata nie chce, żebym słuchał mojej płyty – wytłumaczyłem.
– A dlaczego nie chce? – spytała mama.

– Wyobraź sobie – powiedział tata – że chcę odpocząć i trochę się odprężyć w ciszy i spokoju. I chcę poczytać gazetę bez wysłuchiwania po raz dwudziesty historyjek o słoniach! Chyba rozumiesz, nie?

– Nie rozumiem jednego – powiedziała mama. – Po co kupujesz dziecku prezenty, jeśli potem zabraniasz mu się nimi bawić!

– To już szczyt! – powiedział tata. – Jestem winny, bo kupuję prezenty! Brawo! Brawo! Zastanawiam się, co ja tutaj robię! Chyba tylko przeszkadzam!

– O nie! – powiedziała mama. – To ja przeszkadzam! Jak tylko coś powiem, zaraz zaczynasz krzyczeć, grozić...

– Ja ci grożę? – krzyknął tata.

– Tak – powiedziała mama i zaczęła płakać razem ze mną.

Tata rzucił gazetę na podłogę i zaczął chodzić między stolikiem, na którym stoi lampa z niebieskim abażurem, a fotelem.

– Dobrze już, dobrze – powiedział cicho do mamy. – Przepraszam. Nie płacz. Zdenerwowałem się, miałem dziś ciężki dzień w pracy. No, no, nie gniewaj się.

Podszedł do mamy i ją pocałował, a potem pocałował mnie. Mama otarła sobie oczy, wytarła mi nos i mnóstwo razy ślicznie się uśmiechnęła. Nastawiliśmy płytę i razem zaśpiewaliśmy: „To był wielki słoń, słoń, słoń... który miał bardzo wielki nos, bardzo wielki nos, bardzo wielki nos". Dwa razy. A potem poszedłem do łóżka.

Następnego dnia wieczorem, kiedy tata wrócił z biura, leżałem w salonie na dywanie i czytałem ilustrowane pismo.

– I co, Mikołaj? – spytał tata. – Nie słuchasz swojej płyty?

– Słuchałem jej dzisiaj trzy razy – wyjaśniłem. – I dość już mam tych słoni.

Wtedy tata strasznie się zezłościł:

– Bo wy, dzisiejsze dzieci, jesteście wszystkie takie same! – krzyknął. – Dostajecie prezent i już na drugi dzień jesteście nim znudzone. Odechciewa się człowiekowi robić wam przyjemność!

Nieposzlakowana uczciwość

Wracaliśmy ze szkoły w sobotę po południu z Alcestem i Kleofasem, kiedy nagle co widzę na chodniku? Portmonetkę!
– Portmonetka! – krzyknąłem.
I podniosłem ją.
– Aha – powiedział Kleofas. – Co z nią zrobimy?
– Ja ją znalazłem – powiedziałem.
– Szliśmy we trzech – powiedział Kleofas.
– Tak, ale ja pierwszy ją zobaczyłem – powiedziałem. – Więc...
Kiedy Kleofas mówił, że to niesprawiedliwe i że nie jestem dobrym kumplem, otworzyłem portmonetkę, a w środku była kupa pieniędzy.
– Musisz ją oddać – powiedział Alcest.
– Żartujesz? – zapytaliśmy go obaj z Kleofasem.
– Nie, nie żartuję – odpowiedział Alcest. – Jeżeli ją zatrzymasz, przyjdzie do ciebie policja, powie, że ukradłeś portmonetkę, i pójdziesz do więzienia. Jak się coś znajdzie i nie odda, idzie się do więzienia. Tak mi powiedział ojciec.

Kleofas pobiegł do domu, a ja spytałem Alcesta, komu trzeba oddać portmonetkę, i zacząłem żałować, że ją znalazłem.

– Pójdziesz na komisariat – powiedział Alcest. – Tam ci powiedzą, że jesteś nieposzlakowanie uczciwy – nieposzlakowanie to znaczy strasznie. Ale musisz się spieszyć, bo inaczej zaczną cię szukać i wsadzą do więzienia.

– To może lepiej położę portmonetkę z powrotem na chodniku? – spytałem.

– O nie – powiedział Alcest – bo jeśli ktoś cię widział, to trach, wsadzą cię do więzienia. Tak mi powiedział ojciec.

Ruszyłem biegiem i z płaczem wpadłem do domu. Rodzice leżeli w ogrodzie na leżakach.

– Mikołaj! – krzyknęła mama. – Co ci jest?

– Muszę iść na policję! – krzyknąłem.

Rodzice zerwali się z leżaków.

– Na policję? – zapytał tata. – Uspokój się, Mikołaj. Powiedz nam, co się stało.

Więc opowiedziałem im o tym, jak znalazłem portmonetkę, i o tym, jak policja wsadzi mnie do więzienia, jeśli nie będę nieposzlakowanie uczciwy. Rodzice spojrzeli na siebie i roześmiali się.

– Pokaż mi tę portmonetkę – powiedział tata.

Dałem portmonetkę tacie, a tata ją otworzył i przeliczył kupę pieniędzy, które były w środku.

– Czterdzieści pięć centymów – powiedział. – Jak ludzie nie boją się nosić przy sobie takich sum! Zastanawiam się, Mikołaj, czy nie powinieneś wrzucić tych pieniędzy do skarbonki, żeby na przyszłość bardziej uważali!

– O nie! – krzyknąłem. – Trzeba je odnieść na komisariat.

– Mikołaj ma rację – powiedziała mama. – I gratuluję mu, że jest taki uczciwy.

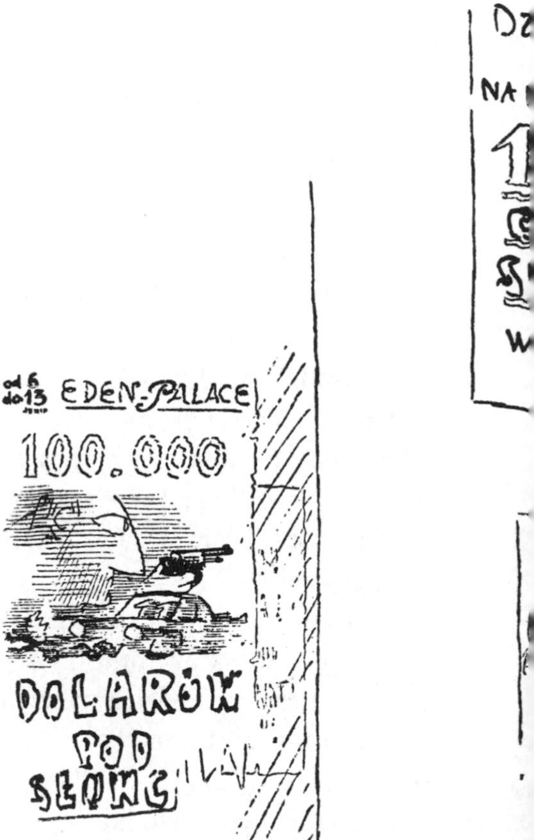
od 6 do 13
EDEN-PALACE
100.000
DOLARÓW
POD
SŁOŃCE

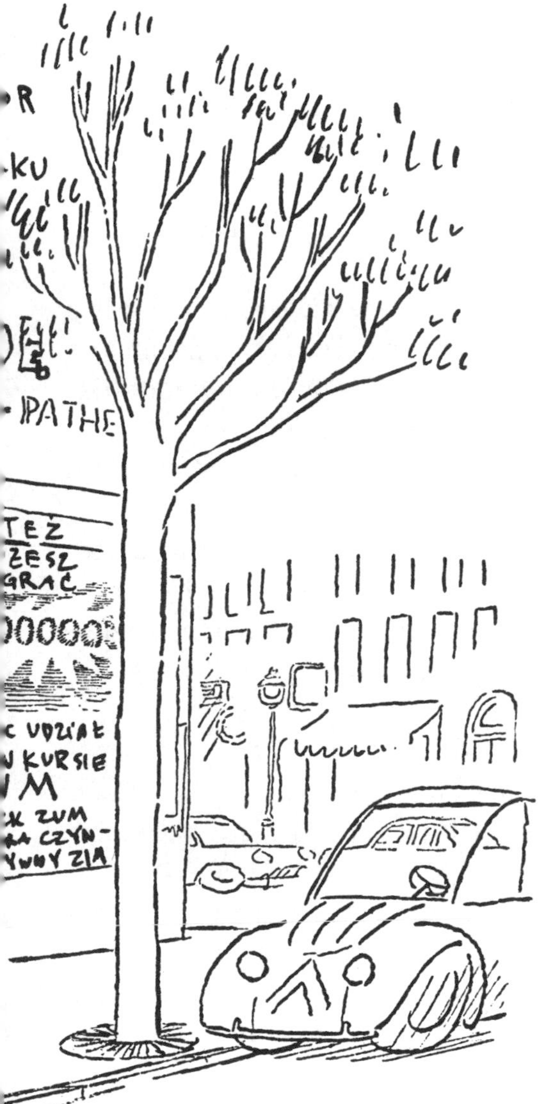
PATHE

– To prawda – przyznał tata, siadając z powrotem na leżaku.
– Więc idź na komisariat.

– Boję się iść sam – powiedziałem.

– Powinieneś pójść razem z nim – powiedziała mama.

– Dobrze – zgodził się tata.

– Ale już – powiedziałem.

– Przestań mnie męczyć, Mikołaj – westchnął tata. – Pójdziemy na policję w najbliższych dniach.

Więc znowu zacząłem płakać, powiedziałem, że jeśli zaraz nie odniosę portmonetki, to policja przyjdzie i zabierze mnie do więzienia, że na pewno ktoś widział, jak podnoszę portmonetkę, i jeśli nie pójdziemy jej zaraz oddać, to się zabiję.

– Powinieneś z nim pójść – powtórzyła mama. – Jest bardzo zdenerwowany.

– Kiedy – powiedział tata – dopiero co się przebrałem, jestem zmęczony, nie myślisz chyba, że będę się znowu ubierał, żeby odnieść na komisariat tę starą tandetną portmonetkę z czterdziestoma pięcioma centymami w środku? Wyśmieją mnie! Wezmą mnie za wariata!

– Wezmą cię za ojca, który dba o to, żeby jego syn postępował uczciwie – powiedziała mama.

– Alcest mi wytłumaczył, jak to jest z tą nieposzlakowaną uczciwością – powiedziałem.

– Twój przyjaciel Alcest zaczyna mi działać na nerwy – powiedział tata.

Mama powiedziała tacie, że to zdarzenie jest ważniejsze, niż się nam wydaje, że obowiązkiem ojca jest wpajać dziecku (dziecko to ja) pewne pojęcia i zasady i że powinien pójść ze mną na komisariat, a tata powiedział, że dobrze, dobrze, zgoda i poszedł się ubrać.

Weszliśmy do komisariatu – okropnie się bałem – i podeszliśmy do kontuaru, za którym siedział jakiś pan. Zdziwiłem się, bo nie był ubrany w mundur, jak tata Rufusa.

– Czym mogę służyć? – spytał detektyw.

– Znaleźliśmy, to znaczy mój synek znalazł portmonetkę – wyjaśnił tata. – Zatem przyszliśmy ją odnieść.

– Ma pan przy sobie ten przedmiot? – spytał detektyw.

Tata dał mu portmonetkę, a detektyw otworzył ją i spojrzał na tatę.

– Czterdzieści pięć centymów? – spytał.

– Czterdzieści pięć centymów – powiedział tata.

Jakiś pan, który wyszedł z pokoju, podszedł do kontuaru i zapytał:

– O co chodzi, Lefourbu?

– Ten pan – wyjaśnił detektyw – znalazł portmonetkę, Panie Komisarzu.

– To znaczy mój synek znalazł ją na ulicy – wyjaśnił tata.

Komisarz wziął portmonetkę, przeliczył pieniądze, które w niej były, uśmiechnął się do ucha do ucha i pochylił w moją stronę, a ja schowałem się za tatę.

– Brawo, mój chłopcze – powiedział komisarz – to dowód nieposzlakowanej uczciwości, winszuję ci. I panu też winszuję, że ma pan takiego uczciwego syna.

– Staramy się wpajać mu pewne pojęcia i zasady – powiedział tata, który wyglądał na bardzo zadowolonego. – No, głuptasie, nie bój się, podaj rękę Panu Komisarzowi.

Komisarz uścisnął mi rękę, spytał, czy dobrze się uczę, a ja mu powiedziałem, że tak – mam nadzieję, że się nie dowie, że byłem czternasty z arytmetyki.

– Byłem pewien, że taki uczciwy chłopiec musi się dobrze uczyć – powiedział komisarz. – A teraz wypełnimy zgłoszenie na okoliczność znalezienia tej portmonetki. Lefourbu, proszę mi dać formularz.

Detektyw podał papier komisarzowi, który coś na nim napisał. Potem wręczył tacie pióro i powiedział:

– Myślę, że lepiej będzie, jeśli to pan wypełni formularz w imieniu syna. Proszę podać datę, miejsce, gdzie znaleziono przedmiot, przybliżoną godzinę i podpisać się... Doskonale, dziękuję.

Komisarz wytłumaczył mi, że portmonetka zostanie zaniesiona do biura rzeczy znalezionych, a jeśli nikt się po nią nie zgłosi, za rok będzie moja.

– Często przynoszą panom takie rzeczy? – zapytał tata.

– Ach, proszę pana – powiedział komisarz – nie ma pan pojęcia, co ludzie potrafią zgubić na drodze publicznej! Długo by opowiadać! I niestety, nie zawsze znajdują się chłopcy tak nieposzlakowanie uczciwi jak pański synek, żeby odnieść zgubione przez tych roztrzepańców przedmioty!

Potem komisarz podał mi rękę, podał rękę tacie, my podaliśmy rękę detektywowi, wszyscy się uśmiechali i było fajnie jak nie wiem co.

Wróciliśmy do domu bardzo zadowoleni, opowiedziałem mamie, jak było, a mama mnie pocałowała.

I dumny jestem, bo w domu wszyscy jesteśmy nieposzlakowanie uczciwi: tata natychmiast poleciał z powrotem oddać komisarzowi pióro.

Lekarstwo

W NIEDZIELĘ W NOCY byłem bardzo chory i rano w poniedziałek mama zadzwoniła do szkoły, żeby powiedzieć, że nie przyjdę.

Niezbyt się ucieszyłem, bo zadzwoniła też do doktora, żeby powiedzieć, że przyjdziemy. Nie lubię chodzić do doktora. Bo tak: mówią, że nic wam nie będą robić, a potem buch! robią wam szczepionkę.

– Nie płacz, głuptasie – powiedziała mama. – Pan doktor nic ci nie zrobi!

Kiedy przyszliśmy do doktora i usiedliśmy w poczekalni, wciąż jeszcze płakałem. A potem ubrana na biało pani powiedziała, że teraz nasza kolej. Nie chciałem iść, ale mama pociągnęła mnie za rękę.

– To Mikołaj tak hałasuje? – spytał doktor, który śmiejąc się, mył sobie ręce. – Bój się Boga, mój chłopie, wypłoszysz mi wszystkich pacjentów! No, nie wygłupiaj się, nic ci nie zrobię.

Mama wytłumaczyła mu, co mi jest, i doktor powiedział:

– Zaraz zobaczymy. Rozbierz się, Mikołaj.

Rozebrałem się, a doktor wziął mnie na ręce i położył na kanapie przykrytej białym prześcieradłem.

– No co ty – powiedział doktor – kto to widział tak się trząść! Przecież jesteś mężczyzną, Mikołaj! I znasz mnie: wiesz, że cię nie zjem. Spokojnie!

Doktor przykrył mnie ręcznikiem, osłuchał, kazał pokazać język, przyłożył mi w różnych miejscach ręce, a potem chwycił mnie palcami za nos.

– No! To nic poważnego! – stwierdził. – Zaraz coś wymyślimy i będziesz zdrów jak ryba. A teraz powiedz: zrobiłem ci coś złego? Bardzo cię bolało?

– Nie – powiedziałem i roześmiałem się.

Rzeczywiście, doktor jest bardzo fajny. Kazał mi się ubrać, a sam usiadł za biurkiem i zaczął rozmawiać z mamą, pisząc coś na karteczce papieru.

– Nic mu nie jest – powiedział doktor. – Niech mu pani podaje to lekarstwo: po pięć kropli na szklankę wody przed każdym posiłkiem, także rano. A za trzy, cztery dni proszę się znowu pokazać.

Potem doktor popatrzył na mnie, roześmiał się i powiedział:

– Nie rób takiej miny, Mikołaj! Nie otruję cię! A lekarstwo jest bardzo dobre, nie ma żadnego smaku. Przepisuję je tylko przyjaciołom.

Doktor klepnął mnie lekko dla zabawy i roześmiał się. Ja się nie roześmiałem, bo nie lubię lekarstw – są strasznie niedobre, a jak się nie chce ich brać, to w domu są awantury.

– Musi pan mieć mnóstwo cierpliwości, panie doktorze! – powiedziała mama.

– To kwestia przyzwyczajenia – powiedział doktor, odprowadzając nas do drzwi. – Po kilku latach praktyki zna się tych szkrabów na wylot... Przestaniesz wreszcie płakać, ty przypadku? Bo zrobię ci zastrzyk!

Kiedy wyszliśmy, powiedziałem mamie, że nie będę brał lekarstwa, że już wolę być chory.

– Mikołaj, bądź rozsądny – powiedziała mama. – Kupimy lekarstwo i będziesz je brał, bo jesteś dużym dzielnym chłopcem.
Jesteś przecież dzielny, prawda?

– No tak – powiedziałem.

– Oczywiście, że jesteś – powiedziała mama. – Więc będziesz
się zachowywał jak mężczyzna. I tata będzie dumny, kiedy zobaczy, jak jego Mikołaj bierze lekarstwo bez robienia komedii. Nie
wiem nawet, czy w niedzielę nie zabierze cię do kina.

Poszliśmy do apteki i mama kupiła lekarstwo – śliczną małą
buteleczkę w ładnym niebieskim pudełku z – nie zgadniecie
czym! Kroplomierzem!

Przyszliśmy do domu przed tatą, który wracał na obiad.

– I jak? – spytał tata.

– Nic poważnego, opowiem ci – odpowiedziała mama. – I wiesz co? Pan doktor kazał mi kupić lekarstwo. Tylko dla Mikołaja. Jak dla dorosłego.

– Lekarstwo? – powiedział tata, patrząc na mnie i pocierając sobie brodę. – No, no, no.

I poszedł zdjąć płaszcz.

Kiedy siedliśmy do stołu, mama przyniosła szklankę wody, wzięła lekarstwo, odmierzyła kroplomierzem pięć kropli do szklanki, zamieszała łyżeczką i powiedziała:

– Proszę! Wypij duszkiem, Mikołaj! Gul, gul!

Wypiłem, nie miało smaku, i rodzice mnie pocałowali.

Po południu siedziałem w domu, było super, bawiłem się żołnierzykami, a kiedy mama nakryła stół do kolacji, postawiła lekarstwo koło mojego talerza.

– Mogę je już wziąć? – spytałem.

– Poczekaj, aż siądziemy do stołu – powiedziała mama.

A kiedy już siedzieliśmy przy stole, mama pozwoliła mi samemu odmierzyć krople, a tata powiedział, że jest ze mnie dumny i nie wie, czy w niedzielę nie zabierze mnie do kina.

Dziś rano zaraz po wstaniu powiedziałem mamie, żeby nie zapomniała dać mi lekarstwa, a mama się roześmiała i powiedziała, że nie zapomni. Wziąłem lekarstwo, odmierzyłem pięć kropli do szklanki z wodą, wypiłem i schowałem lekarstwo do tornistra.

– Co ty robisz, Mikołaj? – spytała mama.

– Zabieram lekarstwo do szkoły – odpowiedziałem.

– Do szkoły? Zwariowałeś? – spytała mama.

Wytłumaczyłem jej, że nie zwariowałem, ale jestem chory, że może będę potrzebował lekarstwa w szkole i że chcę pokazać je chłopakom. Ale mama nie chciała o niczym słyszeć – wyjęła mi lekarstwo z tornistra, a kiedy zacząłem płakać, powiedziała, żebym przestał urządzać cyrki, bo więcej nie dostanę lekarstwa.

Kiedy przyszedłem do szkoły, chłopaki zaczęły pytać, dlaczego mnie wczoraj nie było.

– Byłem chory – opowiedziałem im. – Więc poszedłem do lekarza, który powiedział, że to strasznie poważne, i przepisał mi lekarstwo.

– I co? Niedobre? – spytał Rufus.

– Ohydne! – powiedziałem. – Ale mnie to nie przeszkadza, bo jestem okropnie dzielny. To jest lekarstwo dla dorosłych w niebieskim opakowaniu.

– E tam! W zeszłym roku brałem lekarstwo jeszcze ohydniejsze od twojego – powiedział Gotfryd. – To były witaminy.

– Tak? – zapytałem. – A twoje lekarstwo miało kroplomierz, jeśli można wiedzieć?

– A co to za różnica? – spytał Gotfryd.

– Różnica jest taka, że twoje lekarstwo mnie śmieszy – odpowiedziałem. – Bo moje ma kroplomierz.

– Mikołaj ma rację – powiedział Euzebiusz do Gotfryda. – Twoje lekarstwo nas wszystkich śmieszy.

I kiedy Gotfryd z Euzebiuszem się bili, Alcest nam opowiedział, że raz lekarz przepisał mu lekarstwo na zmniejszenie apetytu i że matka zabroniła mu je brać, bo kiedyś go przyłapała, jak
po kryjomu pije lekarstwo między posiłkami.

W klasie pani spytała mnie, czy już się lepiej czuję, a ja jej wyjaśniłem, że biorę niesamowite lekarstwo. Pani powiedziała, że
to bardzo dobrze, i kazała nam pisać dyktando.

W czwartek znowu poszliśmy z mamą do doktora i tym razem już się wcale nie bałem.

– Wolę, jak się tak zachowujesz – powiedział doktor. – Rozbierz się, króliczku.

Rozebrałem się, doktor mnie osłuchał, kazał mi pokazać język, spytał mamy, czy miałem jeszcze jakieś kłopoty, i powiedział, żebym się ubrał.

– Już po wszystkim – oznajmił. – Można zakończyć kurację. A potem, śmiejąc się, doktor udał, że daje mi pięścią w brodę.

– Mam dla ciebie dobrą wiadomość, kawalerze – powiedział.

– Jesteś zdrowy i nie będziesz już dłużej brał lekarstwa!

Wtedy się rozpłakałem i doktor nie odprowadził nas do drzwi. Siedział za swoim biurkiem i nic nie mówił.

Robiliśmy zakupy

SIEDZIELIŚMY PRZY STOLE, kiedy mama powiedziała:

– Muszę koniecznie kupić Mikołajowi nowe ubranko. Próbowałam wywabić plamy z tego granatowego, ale to niemożliwe!

Tata spojrzał na mnie groźnie i powiedział:

– Ubieranie tego dziecka kosztuje majątek! Niszczy wszystko, zaraz, jak mu kupię. Trzeba by znaleźć mu zbroję ze stali nierdzewnej.

Powiedziałem, że to dobry pomysł, że zbroja ze stali nierdzewnej będzie lepsza niż jedno z tych granatowych ubranek, których nie cierpię, bo wygląda się w nich jak pajac. Ale mama zaczęła krzyczeć, że nie dostanę zbroi, tylko nowe granatowe ubranko, i żebym kończył to jabłko, bo zaraz idziemy do sklepu.

Weszliśmy do sklepu, który był bardzo duży, pełno w nim było świateł, ludzi i rzeczy i były też ruchome schody. Ruchome schody są ekstra, o wiele zabawniejsze niż windy.

Jakiś pan powiedział mamie, że ubranka chłopięce są na czwartym piętrze. Więc weszliśmy na ruchome schody, a mama trzymała mnie mocno za rękę i mówiła:

– Mikołaj, tylko żadnych głupstw!

Na czwartym piętrze podszedł do mamy bardzo dobrze ubrany i bardzo uśmiechnięty – miał usta pełne strasznie białych zębów – pan.

– Czym mogę służyć? – zapytał, a mama mu wyjaśniła, że chce mi kupić ubranko.

– Jakie ubranko by ci się podobało, chłopczyku? – spytał mnie pan, nadal szeroko uśmiechnięty.

– Ja – powiedziałem mu – to bym chciał strój kowbojski.

– Szóste piętro, dział z zabawkami – odpowiedział mi pan, szeroko się uśmiechając.

Więc powiedziałem mamie, żeby za mną szła, i wszedłem na ruchome schody, żeby jechać na szóste piętro.

– Mikołaj! Natychmiast wracaj! – krzyknęła mama.

Ponieważ nie wyglądała na zadowoloną, próbowałem zejść po schodach, które jechały w górę, ale to było bardzo trudne. No i w schodzeniu po schodach jadących w górę przeszkadzają ludzie jadący w górę. Ludzie mówili:

– To dziecko zrobi sobie krzywdę.

I:

– Nie wolno bawić się schodami.

A także:

– Niektórzy rodzice nie potrafią upilnować dzieci!

W końcu musiałem wjechać na górę ze wszystkimi.

Na piątym piętrze wszedłem na ruchome schody, które jechały w dół, żeby wrócić do mamy. Ale na czwartym nie było mamy, a jakiś pan mi powiedział:

– Ach, jesteś! Twoja mama pojechała szukać cię piętro wyżej!

Potem go rozpoznałem – to był pan, który przedtem bez przerwy się uśmiechał, a teraz przestał. Ładniej wygląda, kiedy mu wi-

dać zęby, ale mu tego nie powiedziałem – spieszyłem się, żeby wrócić na piąte piętro, gdzie powinna na mnie czekać mama.

Na piątym, niesamowita sprawa, nie zobaczyłem mamy, ale to tam sprzedają artykuły sportowe. Było dosłownie wszystko! Narty, łyżwy, piłki do gry w nogę, rękawice bokserskie. Przymierzyłem na próbę rękawice. Oczywiście, były za duże, ale fajnie się w czymś takim wygląda. Te rękawice spodobałyby się mojemu koledze Euzebiuszowi. Euzebiusz to ten kumpel, który jest bardzo silny i lubi dawać chłopakom w nos, ale często się skarży, że mają twarde nosy i potem boli go ręka.

Przeglądałem się właśnie w lustrze, kiedy jakiś pan, uśmiechnięty od ucha do ucha, podszedł do mnie i spytał, co tutaj robię.

371

Powiedziałem mu, że szukam mamy, że zgubiłem ją na ruchomych schodach. Wtedy pan przestał się uśmiechać i tak było mu bardziej do twarzy, bo miał okropnie krzywe zęby i lepiej, żeby zakrywał je wargami. Pan wziął mnie za rękę, powiedział:

– Chodź.

I poszedł z jedną z moich rękawic. Po kilku krokach przystanął, spojrzał na rękawicę bokserską, którą trzymał w ręku i po mnie wrócił. Spytał, gdzie znalazłem te rękawice, a ja mu wyjaśniłem, że znalazłem je na jednym z regałów, ale że są trochę za duże, nawet na Euzebiusza. Pan wziął ode mnie rękawice i zabrał mnie ze sobą: tym razem pojechaliśmy windą.

Wjechaliśmy na piętro z zabawkami i podeszliśmy do czegoś w rodzaju biura z tabliczką: „Znalezione rzeczy – Zagubione dzieci".

W biurze siedziała pani ubrana jak pielęgniarki z filmów i mały chłopiec, który w jednej ręce trzymał czerwoną piłkę, a w drugiej loda.

Pan powiedział do pani:

– Jeszcze jeden! Jego matka powinna niedługo przyjść, nie rozumiem, jak ludzie mogą gubić dzieci, przecież nietrudno je upilnować!

W czasie kiedy pan rozmawiał z panią, poszedłem obejrzeć zabawki trochę bardziej z bliska. Był tam fajny strój kowbojski z dwoma rewolwerami i skautowskim kapeluszem – poproszę tatę, żeby mi go kupił pod choinkę, bo mamy chyba lepiej dzisiaj o nic nie prosić.

Bawiłem się samochodzikiem między regałami, kiedy wrócił pan.

– A! Jesteś tu, gagatku! – krzyknął.

Wyglądał na zdenerwowanego, wziął mnie za ramię i przyprowadził z powrotem do pani.

– Znalazłem go – powiedział. – Niech go pani dobrze pilnuje!

I odszedł wielkimi krokami, odwracając się, żeby na mnie patrzeć. Dlatego nie zauważył samochodzika, który został między regałami, i runął jak długi.

Pani wyglądała na bardzo miłą. Posadziła mnie koło chłopczyka, który lizał truskawkowego loda.

– Nie trzeba się bać – powiedziała – twoja mama zaraz przyjdzie.

Pani odeszła kawałek dalej, a chłopczyk spojrzał na mnie i spytał:

– Pierwszy raz tutaj jesteś?

Nie bardzo rozumiałem, co mówi, bo cały czas lizał loda.

– Ja – wytłumaczył mi – gubię się w tym sklepie po raz trzeci. Są bardzo fajni: jak trochę popłaczesz, dają ci piłkę i loda.

W tej samej chwili przyszła pani i wręczyła mi czerwoną piłkę i truskawkowego loda.

– Wcale nie płakałem – stwierdziłem.

– Dobrze wiedzieć na przyszłość – powiedział chłopczyk.

Zacząłem lizać loda, kiedy zobaczyłem nadbiegającą mamę. Na mój widok zaczęła krzyczeć:

– Mikołaj! Mój koteczku! Mój skarbie! Moje słonko!

I dała mi po głowie, przez co upuściłem piłkę.

A potem mama wzięła mnie w ramiona, pocałowała i cała się upaćkała lodami truskawkowymi. Powiedziała mi, że jestem wstrętnym urwipołciem i że wpędzę ją do grobu, więc się rozpłakałem, i pani przyniosła mi drugą piłkę i loda waniliowego.

Kiedy zobaczył to chłopczyk, też zaczął płakać, ale pani mu powiedziała, że to byłby już trzeci i mogłoby mu zaszkodzić. Wtedy chłopczyk przestał płakać i powiedział:

– Dobrze, no to następnym razem.

Mama zabrała mnie ze sobą i spytała, dlaczego wtedy tak nagle ją zostawiłem. Powiedziałem, że chciałem obejrzeć kowbojskie stroje.

– I dlatego tak mnie nastraszyłeś? Tak bardzo chciałbyś dostać kowbojski strój? – zapytała mama.

Odpowiedziałem, że tak, a wtedy mama powiedziała:

– No to dobrze, Mikołaj, zaraz ci go kupię!

Rzuciłem się mamie na szyję, pocałowałem ją i umazałem lodami waniliowymi. Moja mama jest strasznie fajna. Nawet jak ma wszędzie truskawki i wanilię.

Wieczorem tata był niezadowolony. Nie rozumiał, dlaczego mama, która poszła mi kupić granatowe ubranko, wróciła z kowbojskim przebraniem i czerwoną piłką. Powiedział, że następnym razem to on pójdzie ze mną do sklepu.

Myślę, że to jest dobry pomysł, bo z tatą na pewno kupimy rękawice bokserskie dla Euzebiusza.

Rozdział VII
U taty w biurze

U taty w biurze
Nasi ojcowie się przyjaźnią
Anzelm i Otylia Patmouille
Halo!
Seans filmowy
Urodziny taty
Świetny kawał
Tata jest konający

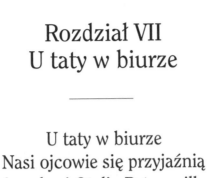

U taty w biurze

W CZWARTEK poszedłem z mamą na zakupy. Kupiła mi śliczne żółte buty – szkoda, że nie będę mógł w nich chodzić, bo mnie uwierają, ale żeby być grzecznym i nie robić mamie przykrości, nie powiedziałem jej tego.

Kiedy wyszliśmy ze sklepu, mama pokazała mi duży dom i powiedziała:

– W tym budynku mieści się biuro taty. Może byśmy go odwiedzili?

A ja powiedziałem, że to fantastyczny pomysł.

Mama otworzyła drzwi do biura taty, usłyszeliśmy straszny hałas, a potem weszliśmy do pokoju, gdzie było mnóstwo panów, którzy wyglądali na bardzo zajętych.

Tata podniósł głowę znad papierów, które właśnie przeglądał, i strasznie się zdziwił na nasz widok.

– O! – powiedział tata. – Co wy tutaj robicie? Myśleliśmy, że to nasz szef.

Pozostali panowie też nas zobaczyli i już nie wyglądali na tak zajętych jak przed chwilą.

– Chłopaki – powiedział tata. – Przedstawiam wam moją żonę i mojego syna, Mikołaja.

Panowie wstali od swoich stołów i przyszli się z nami przywitać. Tata przedstawił ich mamie.

– Ten gruby to Barlier, straszny z niego żarłok – zaczął tata. Pan Barlier roześmiał się. Podobny był do mojego kolegi Alcesta, tyle że miał krawat. Alcest to mój kolega ze szkoły, który bez przerwy je.

– Ten – mówił dalej tata – to Duparc, król papierowych samolocików. Ten w okularach to Bongrain: kiepski z niego księgowy, za to po mistrzowsku potrafi wymigiwać się od roboty. Tamten mały to Patmouille, może spać z otwartymi oczami. Poza tym jest Brumoche, Trempé i ten z wielkimi zębami, Malbain.

– Nie przeszkadzamy panom? – spytała mama.

– Ależ skąd, proszę pani, ani trochę – odpowiedział pan Bongrain. – Zresztą nasz szef, pan Moucheboume, jest chwilowo nieobecny.

– A więc to jest ten słynny Mikołaj, o którym tyle słyszymy? – zapytał pan Malbain, ten z zębami.

Powiedziałem mu, że to ja, a wtedy wszyscy zaczęli mnie głaskać po głowie i wypytywać, czy dobrze się uczę, czy jestem grzeczny i czy tata zmywa w domu naczynia.

Odpowiadałem na wszystko „tak", żeby nie robić zamieszania, a oni zaczęli się śmiać.

– No wiesz – powiedział tata. – Powiedz im prawdę, Mikołaj.

Więc powiedziałem, że nie zawsze się dobrze uczę, a oni zaczęli się śmiać jeszcze bardziej niż przedtem. Zupełnie jak na przerwie. Było super.

– No to widzisz, Mikołaj – powiedział tata. – Tutaj pracuje twój tata.

– Od czasu do czasu, jak nie zmywa naczyń – powiedział pan Trempé i tata walnął go w ramię, a pan Trempé walnął tatę w głowę.

Patrzyłem na maszynę do pisania stojącą na jednym ze stołów. Pan Patmouille podszedł do mnie i spytał, czy chcę nauczyć się pisać na jego maszynie, a ja powiedziałem, że tak, ale że nie chcę mu przeszkadzać. Pan Patmouille odpowiedział, że jestem grzecznym chłopcem, że on pracuje, ale to nic nie szkodzi, i wyciągnął z maszyny papier, na którym pisało: badabadabadabudubudubodobodo, mnóstwo razy. Pan Patmouille pokazał mi, co trzeba robić, a ja spróbowałem, ale za słabo naciskałem klawisze i pan Patmouille powiedział, żebym się nie bał mocniej uderzać. Więc walnąłem w maszynę pięścią, rozległy się jakieś chrzęsty, pan Patmouille zrobił zakłopotaną minę i sam próbował uderzać w maszynę, a potem powiedział, że coś się złamało, i zabrał się do naprawiania.

Stałem i patrzyłem na pana Patmouille, który ładnie wyglądał cały w czerwono-czarnej taśmie, kiedy przed nosem przeleciał mi samolot. Puścił go pan Duparc. Samolot był niesamowity: na skrzydłach miał kolory niebieski, biały, czerwony, zupełnie jak prawdziwy.

– Podoba ci się mój samolot? – spytał mnie pan Duparc.

Powiedziałem, że tak, a wtedy pan Duparc powiedział, że mnie nauczy, wziął z biurka kartkę, na której pisało: „Przedsiębiorstwo Moucheboume", i bardzo szybko, za pomocą nożyczek, kleju i kredek, zrobił kolejny samolot. Szczęściarz z tego pana Duparc: pewnie w domu ma mnóstwo samolotów.

– Poćwicz sobie – powiedział pan Duparc. – Papier znajdziesz na moim biurku.

Zabrałem się do samolotów, a pozostali stanęli koło pana Patmouille, który był bardzo zajęty swoją maszyną do pisania. Na twarzy i na rękach miał czerwone i czarne plamy od taśmy, która farbuje, zupełnie jak moja niebieska piżama.

Tata i inni panowie dawali panu Patmouille różne rady, dla zabawy. Brakowało tylko pana Barlier – siedział przy swoim stole z nogami opartymi o blat i jadł jabłko, czytając gazetę.

A potem usłyszeliśmy głośny kaszel i wszyscy się odwrócili. Drzwi biura były otwarte i stał w nich jakiś pan z niezadowoloną miną.

Koledzy taty przestali się śmiać i wrócili na swoje miejsca. Pan Barlier zdjął nogi ze stołu, wrzucił gazetę do szuflady razem z resztką jabłka i zaczął pisać. Zrobił to wszystko strasznie szybko jak na takiego grubasa. Pan Patmouille pisał na maszynie, ale myślę, że nie za dobrze mu szło, bo ręce miał owinięte taśmą, jak tata, kiedy trzyma wełnę, żeby mama zwinęła ją w kłębek.

Tata podszedł do pana i powiedział:

– Moja żona i synek akurat tędy przechodzili, postanowili zrobić mi niespodziankę i wpadli mnie odwiedzić.

Potem tata odwrócił się do nas i powiedział:

– Kochanie, Mikołaj, przedstawiam wam pana Moucheboume.

Pan Moucheboume uśmiechnął się samymi wargami, uścisnął rękę mamie, powiedział, że bardzo mu miło, pogładził mnie po włosach i spytał, czy się dobrze uczę i czy jestem grzeczny. O zmywaniu nie mówił. Potem pan Moucheboume spojrzał na samolot, który trzymałem w ręku, i powiedział, że mam bardzo ładny samolot. To prawda, mój samolot był bardzo udany. To był pierwszy, który mi tak dobrze wyszedł – poprzednie były do kitu i musiałem je rzucić na ziemię.

– Mogę go panu dać – powiedziałem panu Moucheboume.

Pan Moucheboume roześmiał się naprawdę, wziął samolot, obejrzał go, a potem przestał się śmiać i oczy zrobiły mu się wielkie jak jajka na twardo, które mama daje nam na wycieczki.

– Przecież to jest kontrakt Tripaine'a! – krzyknął pan Moucheboume. – A Tripaine jutro rano przychodzi go podpisać!

Zacząłem płakać, powiedziałem, że znalazłem papiery na biurku pana Duparc i wziąłem te zużyte, żeby nie psuć czystego.

Pan Moucheboume zachował się bardzo miło – powiedział, że to nic nie szkodzi, bo pan Duparc i jego koledzy z przyjemnością napiszą go od nowa, nawet jeśli będą musieli zostać dziś wieczór po godzinach.

Kiedy wychodziliśmy z mamą, tata i jego koledzy pracowali po cichu, a pan Moucheboume chodził między stołami z rękami założonymi do tyłu, jak Rosół, nasz opiekun, na klasówce z arytmetyki.

Nie mogę już doczekać się, kiedy urosnę, przestanę chodzić do szkoły i będę mógł pracować w biurze tak samo jak tata!

Nasi ojcowie się przyjaźnią

W POŁUDNIE tata przyszedł do domu na obiad i powiedział:
– Wiesz, Mikołaj, miałem dzisiaj wizytę ojca jednego z twoich kolegów: na imię mu chyba Euzebiusz.
– Aha – powiedziałem. – To fajny kumpel, chodzi do mojej klasy. Widziałeś go już u nas w domu.
– Tak – powiedział tata. – To ten mały osiłek, prawda? Kiedy jego ojciec wszedł do biura, pomyślałem, że gdzieś już widziałem tę twarz, a potem uświadomiłem sobie, że w zeszłym roku poznaliśmy się u ciebie w szkole na rozdaniu nagród, ale nie mieliśmy okazji ze sobą rozmawiać.
– A czego szukał w twoim biurze? – spytała mama.
– Otóż – odpowiedział tata – przyszedł jako klient. To czarujący człowiek, chociaż dość twardy w interesach. Kiedyśmy się sobie przypomnieli, zrobił się zresztą znacznie bardziej elastyczny, tak że jutro rano przychodzi podpisywać kontrakt. Moucheboume jest bardzo zadowolony... A żeby zadowolić szefa... Właściwie to ta sprawa jest zasługą Mikołaja!
Roześmialiśmy się wszyscy i tata powiedział:
– Jak zobaczysz swojego kolegę Euzebiusza, powiedz mu, że ma bardzo sympatycznego tatę.

386

Po obiedzie (pieczeń cielęca, makaron, jabłko) poleciałem biegiem do szkoły, bo nie mogłem się doczekać, kiedy opowiem Euzebiuszowi, że nasi ojcowie się zaprzyjaźnili.

Kiedy przyszedłem, Euzebiusz był na podwórku i grał w kulki z Joachimem.

– Wiesz, Euzebiusz – krzyknąłem. – Mój ojciec widział się z twoim ojcem i razem będą robić mnóstwo interesów.

– Serio? – spytał Euzebiusz, który jada w stołówce i nie wraca na obiad do domu, więc jego tata nie mógł mu nic powiedzieć.

– Tak – odpowiedziałem. – I tata kazał mi powiedzieć, że twój ojciec jest super.

– To prawda, że ojciec jest super – powiedział Euzebiusz. – Chociaż za każdym razem, jak przynoszę mu dzienniczek z ocenami za półrocze, robi mi straszne draki i pokazuje swój dzienniczek, gdzie ma piątkę z arytmetyki. Słuchaj, będzie naprawdę w dechę, jak nasi ojcowie się ze sobą zaprzyjaźnią!

– Och tak – powiedziałem. – Może zabiorą nas ze sobą do kina i do restauracji! I tata jeszcze powiedział, że twój ojciec jest bardzo twardy w interesach.

– To znaczy, że co? – spytał Euzebiusz.

– Nie wiem – odpowiedziałem. – Myślałem, że ty wiesz, przecież to twój ojciec.

– Ja wiem – powiedział Gotfryd, który właśnie przyszedł. – Być bardzo twardym w interesach to znaczy nie dać się, kiedy inni próbują cię oszukać. Ojciec mi to wytłumaczył, a on nikomu nie da się oszukać.

– No właśnie – powiedział Euzebiusz – mój ojciec też nie da się nikomu oszukać! Więc powiedz swojemu ojcu, Mikołaj, że jeśli chce oszukać mojego ojca, to nic z tego!

– Mój ojciec wcale nie chce oszukać twojego ojca! – krzyknąłem.

– Akurat – powiedział Euzebiusz.

– Jasne, że nie! – krzyknąłem. – To nie mój ojciec poszedł to twojego ojca. Twój ojciec sam do niego przyszedł! Nikt go nie zapraszał! I twój ojciec nie jest nam wcale potrzebny, no bo co w końcu, kurczę blade!

– Tak? Mój ojciec nie jest wam potrzebny? – spytał Euzebiusz. – Ale twój ojciec bardzo się ucieszył, że mój ojciec do niego przyszedł, może nie?

– Nie rozśmieszaj mnie – powiedziałem. – Mój ojciec jest bardzo zajęty i nie lubi, jak jakieś dupki przychodzą mu przeszkadzać!

Wtedy Euzebiusz rzucił się na mnie i walnął mnie pięścią w nos, a ja go kopnąłem. Tłukliśmy się w najlepsze, kiedy zjawił się Rosół. Rosół to nasz opiekun i on nie lubi, jak bijemy się na podwórku. Rozdzielił nas, wziął każdego za ramię i powiedział:

– Spójrzcie mi obaj w oczy! Ten raz to był ten jeden raz za dużo, moje zuchy! Już ja was nauczę się bić! Jazda mi obaj do dyrekcji! Zobaczymy, co Pan Dyrektor powie o waszym zachowaniu.

Zmartwiliśmy się, bo kiedy każą wam iść do dyrekcji, zawsze są jakieś kłopoty, dyrektor daje wam niesamowite kary, a czasem nawet wyrzuca was ze szkoły. Tak było dwa razy z Alcestem, ale na szczęście jakoś się ułożyło.

Rosół zapukał do drzwi dyrekcji i kazał nam wejść. Miałem w gardle wielką gulę, Euzebiusz też miał niewyraźną minę.

– Tak, panie Dubon? – spytał dyrektor, który siedział za swoim wielkim biurkiem, na którym stał wielki kałamarz. Poza tym leżała na nim bibuła i skonfiskowana piłka do gry w nogę.

Pan Dubon – czyli Rosół – popchnął nas przed siebie i powiedział:

– Ci dwaj uczniowie bili się na dziedzińcu, Panie Dyrektorze. Ponieważ zdarza im się to trochę za często, pomyślałem, że może zechce pan z nimi porozmawiać.

 – Bardzo dobrze pan zrobił, panie Dubon – powiedział dyrektor. – A więc, moje gagatki, przychodzimy do szkoły, żeby uprawiać boks? Zachowujemy się jak dzikusy? Czy nie wiecie, nieszczęśni, że znaleźliście się na złej drodze? Tej, która prowadzi do upadku i do więzienia?... Co powiedzą wasi rodzice, kiedy traficie za kratki? Wasi biedni rodzice, którzy się dla was poświęcają i którzy są dla was przykładem mądrości i uczciwości... A w ogóle to jaki był powód tej kłótni?... No? Słucham!

Wtedy obaj z Euzebiuszem zaczęliśmy płakać.

– O nie! O nie! – krzyknął dyrektor. – Wypraszam sobie takie zachowanie! Mikołaj, odpowiedz!

– Bo on powiedział, że mój ojciec chce oszukać jego ojca! – powiedziałem. – A to nieprawda!

– Właśnie, że prawda! – krzyknął Euzebiusz. – I jeszcze powiedział, że jego ojciec powiedział, że mój ojciec jest dupkiem! A mój ojciec jest silniejszy od jego ojca, więc jak nie odwoła tego, co powiedział, to ja powiem mojemu ojcu, żeby poczekał na jego ojca przed pracą i dał mu porządnie w nos!

– Niech tylko spróbuje! – krzyknąłem. – Zresztą mój ojciec jest silniejszy od twojego ojca! I to dużo! I dobrze zrobi, jak oszuka twojego ojca!

Zaczęliśmy na nowo płakać, a dyrektor uderzył pięścią w biurko i piłka spadła na ziemię.

– Cisza! Powiedziałem, cisza – krzyknął. – Cii... Dobrze. Bardzo mnie martwicie, moje dzieci. Wplątaliście waszych rodziców w jakąś kłótnię, która nie ma żadnych podstaw. Wasi ojcowie na pewno się szanują, ponieważ są godni szacunku, znam

ich, i jeśli opowiecie im tę historię, pierwsi się z niej uśmieją...
Nie zastanowiliście się, co mówicie, i dlatego nie będę was karał.
Myślę, że ta przestroga wam wystarczy i że już nigdy więcej
Ros... pan Dubon nie będzie musiał was karać. A teraz podacie
sobie ręce i zapomnicie o tym niefortunnym incydencie.

Bardzo się z Euzebiuszem ucieszyliśmy, że nie wyrzucają
nas ze szkoły, i podaliśmy sobie ręce. Dyrektor uśmiechnął się
od ucha do ucha, a my wytarliśmy nosy, wyszliśmy z gabinetu
i zdążyliśmy jeszcze zagrać w kulki, zanim zadzwonił dzwonek.

Następnego dnia w południe tata zapytał:

– Powiedz, Mikołaj, jaki jest ten twój kolega Euzebiusz?

– Fajny – powiedziałem. – Dobry z niego kumpel.

– Tak? – powiedział tata. – Bo jego ojciec jest jakiś dziwny.
Dzisiaj rano zadzwonił do mnie do biura i powiedział, że skoro
jest dupkiem, to możemy sobie zatrzymać nasz kontrakt, on będzie robił interesy gdzie indziej. I rzucił słuchawkę.

Anzelm i Otylia Patmouille

D ZISIAJ IDZIEMY Z RODZICAMI na herbatę do państwa Patmouille. Pan Patmouille pracuje w tym samym biurze co tata.

– Będziesz się dobrze bawił, Mikołaj – powiedział tata. – Patmouille ma dwoje dzieci, chłopca i dziewczynkę, podobno są bardzo mili. Liczę, że pokażesz im, że jesteś dobrze wychowany...
Powiedziałem, że zgoda.

Państwo Patmouille przywitali nas w drzwiach swojego domu i strasznie się ucieszyli, że nas widzą.

– Anzelm! Otylia! Chodźcie zobaczyć waszego kolegę Mikołaja! – krzyknęła pani Patmouille i Anzelm i Otylia przyszli.

Anzelm jest trochę starszy ode mnie, Otylia trochę młodsza. Powiedzieliśmy sobie:

– Cześć!

– Jestem pewna, że Mikołaj dobrze się uczy, prawda, proszę pani? – spytała mamę pani Patmouille.

– Lepiej o tym nie mówmy, proszę pani – odpowiedziała mama. – Sprawia nam wiele kłopotów, jest strasznie roztrzepany!

– Ojojoj! – powiedziała pani Patmouille. – A co ja mam ze swoim, proszę pani! No, a mała bez przerwy zapada na anginę. Ach, te dzieci! Prawdziwe utrapienie!

– Anzelm, Otylka! – powiedział pan Patmouille – Zaprowadź-
cie swojego kolegę na podwieczorek. Bawcie się dobrze i bądźcie
grzeczni!

Pan Patmouille wyjaśnił mamie, że stół z podwieczorkiem
przygotowano nam w dziecinnym pokoju, żebyśmy mieli spokój. Potem wziął tatę pod ramię i zaczął mu opowiadać historie
o panu Moucheboume, który jest szefem taty i pana Patmouille.
Mama ze śmiechem opowiadała pani Patmouille o psikusie, jaki
zrobiłem, i to mnie zdziwiło, bo kiedy go zrobiłem, mama wcale się nie śmiała.

– To co, idziesz? – spytał Anzelm i poszedłem z nim do pokoju.

Kiedy do niego weszliśmy, Anzelm odwrócił się do Otylii i powiedział:

– Nie mówiłem ci, żebyś z nami szła!

– A dlaczego miałabym nie iść? – spytała Otylia. – To jest też
mój pokój. I tak samo jak tobie należy mi się podwieczorek! Więc
dlaczego miałabym nie iść, co?

– Bo masz czerwony nos, teraz już wiesz dlaczego! – odpowiedział Anzelm.

– A wcale że nie! Nie mam czerwonego nosa! – krzyknęła
Otylia. – I zaraz powiem mamie!

I przyszła pani Patmouille z moją mamą.

– Jak to? – spytała pani Patmouille. – Nie jecie podwieczorku? Wystygnie wam czekolada.

– On powiedział, że mam czerwony nos! – krzyknęła Otylia.

Pani Patmouille i mama się roześmiały.

– Lubią się przekomarzać – powiedziała pani Patmouille.

A potem przestała się śmiać, spojrzała groźnie na Anzelma i na Otylię i powiedziała:

– Do stołu i żebym was więcej nie słyszała!

I poszła sobie z moją mamą.

Siedzieliśmy w trójkę przy stole, każdy miał kubek czekolady i kawałek ciasta, do tego był piernik i dżem. W porządku.

– Skarżypyta! – powiedział Anzelm do Otylii.

– Wcale że nie – powiedziała Otylia – i jak jeszcze raz powiesz, że jestem skarżypytą, to ja powiem mamie!

– A ja cię w nocy nastraszę! – powiedział Anzelm.

– Wcale się ciebie nie boję, wcale się ciebie nie boję – zaśpiewała Otylia.

– Nie? – spytał Anzelm. – To będę udawał potwora. Uuuuu! Jestem potworem!

– Phi – powiedziała Otylia. – Potwora się już nie boję.

– No to – powiedział Anzelm – będę udawał ducha. Uuuuu! Jestem duchem!

Otylia otworzyła buzię na całą szerokość i zaczęła płakać i krzyczeć:

– Nie chcę, żebyś udawał ducha!

No i przyszła pani Patmouille, bardzo niezadowolona.

– Jeśli was jeszcze raz usłyszę – powiedziała – oboje zostaniecie ukarani. Co sobie pomyśli Mikołaj? Nie wstyd wam? Patrzcie, jaki Mikołaj jest grzeczny!

I sobie poszła.

Skończyliśmy jeść podwieczorek i Anzelm powiedział do mnie:

– To w co się bawimy?

– Może pobawimy się kolejką elektryczną? – spytała Otylia.

– Nikt się ciebie nie pytał – powiedział Anzelm. – A dziewczyny powinny się bawić lalkami zamiast przeszkadzać starszym!

– Kolejka jest nie tylko twoja! Tata dał ją nam obojgu! Mogę się nią bawić tak samo jak ty! – krzyknęła Otylia.

Anzelm zaczął się śmiać i spojrzał na mnie, pokazując Otylię palcem:

– Słyszałeś ją? – zapytał.

– Właśnie że tak – powiedziała Otylia. – Kolejka jest nasza wspólna i jeśli nie dasz mi się bawić, to nikt się nie będzie bawił!

Anzelm podszedł do szafy i zaczął wyjmować szyny i fajną lokomotywę z mnóstwem wagonów.

– Nie, nie i jeszcze raz nie! Zabraniam ci dotykać mojej kolejki! – krzyknęła Otylia.

– Chcesz dostać w zęby? – spytał Anzelm, a potem otworzyły się drzwi i wszedł pan Patmouille z tatą.

– Widzisz – powiedział pan Patmouille – to pokój dzieci. I jak tam, maluchy, dobrze się bawicie?

– On chce się bawić moją kolejką, a mnie nie daje! – krzyknęła Otylia.

– Dobrze, dobrze, bawcie się dalej – powiedział pan Patmouille i pogładził Otylię po włosach. – A pamiętasz, stary, jak ojczulek Moucheboume kazał przyjść Barlierowi, żeby mu przetłumaczył list na angielski? Ale mieliśmy ubaw!

I tata z panem Patmouille sobie poszli.

– Słyszałaś? – zapytał Anzelm. – Tata powiedział, że możemy bawić się kolejką bez ciebie!

– Wcale że nie! Powiedział, że to mnie ją dał! – krzyknęła Otylia.

Anzelm zaczął rozkładać szyny.

– Puścimy kolejkę pod łóżkiem, pod szafą i za stołem – powiedział.

– Nie będziesz się bawił moją kolejką! – krzyknęła Otylia.

– Nie? – spytał Anzelm. – Zaraz się przekonasz!

Wtedy Otylia kopnęła szyny. To się Anzelmowi nie spodobało i z całej siły walnął Otylię pięścią. Otylia zrobiła bardzo zdziwioną minę, aż przysiadła na ziemi i zrobiła się taka czerwona, że nie było widać jej nosa.

– Zabiję cię ! Zabiję cię! Zabiję cię! – krzyknęła, a potem złapała lokomotywę i buch! rzuciła nią Anzelmowi prosto w twarz.

– Chybiony! Chybiony! Chybiony! – powiedział Anzelm.
A potem podniósł ręce do góry i zaczął wołać:
– Uuuuu! Jestem duchem!

I wtedy zrobiła się niesamowita draka, bo Otylia zaczęła krzyczeć, potem rzuciła się na Anzelma i podrapała go, Anzelm pociągnął ją za włosy, a ona go ugryzła. Pan Patmouille, pani Patmouille, tata i mama weszli do pokoju, kiedy Anzelm i Otylia tarzali się po ziemi.

– Natychmiast przestańcie! – krzyknęła pani Patmouille.
– Jak wam nie wstyd? – krzyknął pan Patmouille.
– To przez nią! – wrzasnął Anzelm. – Chciała mi popsuć kolejkę i rzuciła we mnie lokomotywą!
– Wcale że nie! – wrzasnęła Otylia. – To on udawał ducha i ciągnął mnie za włosy!
– Dość tego! – krzyknął pan Patmouille. – Jesteście nieznośni i zostaniecie ukarani! Dzisiaj wieczorem nie dostaniecie deseru, a przez najbliższy tydzień koniec z telewizją! I macie przestać płakać, bo zaraz obojgu wlepię klapsa!
– O Boże! – powiedziała mama do taty. – Widziałeś, która godzina? Musimy już wracać...

W domu, kiedy znalazłem się sam w swoim pokoju, strasznie się rozpłakałem.

No bo co w końcu, to niesprawiedliwe! Dlaczego ja nie mam siostrzyczki, która by się ze mną bawiła?

 Halo!

Mój KOLEGA ALCEST powiedział mi w szkole:
– Tata założył nam telefon. Dziś wieczorem do ciebie zadzwonię.
A ja zawołałem:
– Super!
W domu jedliśmy właśnie kolację, kiedy zadzwonił telefon.
– Co znowu? – powiedział tata, rzucając serwetkę na stół.
– To do mnie – wyjaśniłem, ale zamiast dać mi odebrać, tata zaśmiał się, wstał i sam poszedł.
Podniósł słuchawkę, powiedział: „Halo?", i odsunął telefon od ucha.
– Proszę tak nie krzyczeć! – powiedział.
Słyszałem w telefonie głos Alcesta, który wołał: „Halo! Halo! Mikołaj? Halo! Halo! Halo!".
Tata zawołał mnie i powiedział, że miałem rację, to do mnie i mam poradzić koledze, żeby tak nie wrzeszczał.
Wziąłem słuchawkę, bardzo zadowolony, bo lubię mojego kumpla Alcesta i teraz pierwszy raz posłucham, jak mówi przez telefon. Zresztą rzadko są do mnie telefony, czasem tylko dzwoni Bunia, która pyta, czy jestem grzeczny, mówi, że jestem jej

dużym chłopczykiem, daje mi przez telefon buzi i chce, żebym ja też jej dał.

– Halo, Alcest? – spytałem.

I to prawda, że Alcest strasznie krzyczy, bo zabolało mnie ucho, więc tak jak tata odsunąłem słuchawkę daleko od twarzy.

– Halo! – krzyknął Alcest. – Mikołaj? Halo! Halo!

– Tak, Alcest, to ja – powiedziałem. – Fajnie, że cię słyszę.

– Halo! – krzyknął Alcest. – Halo! Mikołaj? Mów głośniej! Halo!

– Halo! – krzyknąłem. – Słyszysz mnie, Alcest? Halo!

– Tak! Ale fajnie! Teraz odkładam słuchawkę i ty do mnie dzwonisz! Będziemy mieli ubaw! Halo! – krzyknął Alcest i odłożył słuchawkę.

– To był Alcest – wyjaśniłem tacie, kiedy wróciłem do jadalni.

– Tak mi się wydawało – powiedział tata. – Darliście się obaj tak, że i bez telefonu byście się usłyszeli. A teraz siedź spokojnie i jedz zupę, bo ci wystygnie.

– Tak – powiedziała mama – pospieszcie się, bo pieczeń mi się przypali.

I wtedy zadzwonił telefon.

– Halo – powiedział tata, a potem odsunął słuchawkę od ucha i zawołał mnie.

– Do ciebie – powiedział, a ja wyczułem, że zaczyna być zły. Wziąłem słuchawkę i Alcest wrzasnął:

– I co? Dlaczego do mnie nie dzwonisz?

– Nie mogłem, Alcest, nie dałeś mi swojego numeru – wytłumaczyłem mu.

– Halo! – krzyknął Alcest. – Halo! Jakiego numeru? Mów głośniej!

– Twojego numeru! – krzyknąłem. – Twojego numeru! Alcest! Halo!

– Dość tego! – krzyknął tata. – Zaraz przez was oszaleję!
Odłóż słuchawkę i chodź jeść zupę!
– Idę jeść zupę, Alcest! – krzyknąłem. – Do widzenia!
I odłożyłem słuchawkę.

Przy stole tata był bardzo niezadowolony – kazał mi szybko
wcinać zupę, żeby mama mogła przynieść drugie danie, ale nie
mogłem go posłuchać, bo telefon znowu zadzwonił. Poszedłem
odebrać, ale tata poszedł za mną. Nigdy go nie widziałem tak
rozgniewanego. Aż strach.
– Natychmiast odłóż mi słuchawkę, bo dostaniesz klapsa! –
krzyknął.
Bardzo się przestraszyłem i natychmiast odłożyłem słuchawkę.
– Przyjdziecie wreszcie do stołu? – spytała mama. – Uprzedzam, że pieczeń już gotowa i najwyższy czas ją wyjmować.
I wtedy zadzwonił telefon.
– Halo! – krzyknął tata. – Może już starczy, ty smarkaczu?
Potem tata otworzył szeroko usta i oczy i powiedział cicho:
– Przepraszam, panie Moucheboume... Tak, panie Mouche-
boume, kolega Mikołaja... Tak, to dlatego... Ach, to właśnie
pan... Tak, oczywiście... Tak... Tak... Tak... Do jutra, panie
Moucheboume.

Tata odłożył słuchawkę i przejechał sobie ręką po twarzy.

– Dobrze – powiedział. – Chodźmy jeść.

I wtedy zadzwonił telefon.

– Halo! – powiedział tata. – Ach! To ty, Alcest...

W telefonie rozległy się jakieś hałasy, tata zrobił się cały czerwony i krzyknął:

– Nie, Mikołaj nie może z tobą rozmawiać, bo je zupę... Nie twoja sprawa, czy zajmuje mu to dużo czasu!... Nie krzycz tak! I przestań do nas dzwonić. Bo uprzedzam, przyjdę do ciebie i przetrzepię ci skórę! Zrozumiano? Dobrze!

I tata odłożył słuchawkę.

– Ja – powiedziała mama – umywam ręce. Mikołaj będzie jadł zimną zupę, a pieczeń jest spalona na węgiel.

– Może to moja wina? – krzyknął tata.

– Nie ja bawię się telefonem! – powiedziała mama.

– No to już szczyt – powiedział tata. – Ja jestem...

I wtedy zadzwonił telefon. Ja podniosłem słuchawkę.

– Zostaw ten aparat! – krzyknął tata.

– To do ciebie – powiedziałem tacie.

Tata się uspokoił i powiedział, że to na pewno pan Moucheboume, jego szef, w sprawie kontraktu, który jest jeszcze niegotowy.

– Halo? – powiedział tata. – Kto?... Tata Alcesta?... Aha?... Dzień dobry panu, tak... Jestem tatą Mikołaja... Co?... Nie wolno mi grozić pana synowi?... A jemu wolno przeszkadzać mi jeść kolację?... Co?... Niech się pan nie wyraża!... Da mi pan w zęby? Chciałbym to widzieć! Dobre sobie! Cham! Już ja pana nauczę grzeczności! Tak!

I tata rzucił słuchawkę.

– Teraz pieczeń jest nie tylko spalona, ale do tego zimna – powiedziała mama.

– To trudno! Mam to gdzieś! Odechciało mi się jeść! – krzyknął tata.

A mama się rozpłakała, powiedziała, że to niesprawiedliwe, że powinna była słuchać swojej matki (mojej Buni) i że jest bardzo nieszczęśliwa.

– Ale, ale, ale – powiedział tata – co ja takiego zrobiłem?

– Zatelefonuję do matki uprzedzić, że wracamy do niej z Mikołajem – powiedziała mama.

– Nie chcę więcej słyszeć o telefonie! – krzyknął tata.

I wtedy ktoś zadzwonił do drzwi.

To był tata Alcesta. Szybko przyszedł, bo Alcest mieszka tuż koło nas, to bardzo wygodne.

– Niech pan powtórzy – powiedział tata Alcesta.

– Co mam powtórzyć? – zapytał tata. – Że pański smarkacz doprowadza mnie do szału swoimi telefonami?

– Nie wiedziałem, że potrzebna mi pańska zgoda, żeby założyć telefon – powiedział tata Alcesta.

I wtedy zadzwonił telefon, a tata zaczął się śmiać:

– Proszę – powiedział do taty Alcesta – niech pan odbierze. Zobaczy pan, jak to miło słuchać wrzasków pańskiego syna.

Tata Alcesta podniósł słuchawkę i powiedział:

– Halo? Alcest?... Kto?... Nie!

I się rozłączył.

– Widzi pan, że to nie on – powiedział tata Alcesta. – A przyszedłem pana uprzedzić, że jeśli będzie pan znowu groził mojemu synowi, złożę skargę. Dobranoc!

I tata Alcesta chciał iść, kiedy tata zapytał:

– A kto dzwonił?

– Nie wiem – powiedział tata Alcesta. – Któryś z pańskich kolegów, jakiś Mouche czy coś w tym stylu. W każdym razie to nie był mój mały.

I sobie poszedł.

Potem w domu wszystko się ułożyło. Tata pocałował mamę i powiedział, że bardzo lubi przypaloną pieczeń, mama powiedziała, że to jej wina i że zrobi nam omlet z szynką, ja pocałowałem tatę i mamę i wszyscy byli bardzo zadowoleni.

Szkoda tylko, że Alcest nie będzie już mógł do mnie dzwonić, bo tata wyłączył telefon.

Seans filmowy

Mama przeczytała to, co nasza pani napisała w moim dzienniczku: „Mikołaj był w tym miesiącu dosyć spokojny".

– Trzeba go nagrodzić – powiedziała mama.

Więc tata poklepał mnie po głowie, mówiąc:

– Dobrze, mój mały, dobrze, mój mały.

I wrócił do czytania gazety. Wtedy mama powiedziała, że to nie wystarczy i że w ramach zachęty tata powinien zabrać mnie do kina. Bardzo się ucieszyłem, bo w naszym kinie grano właśnie sześć kreskówek i film kowbojski pod tytułem *Tajemnica opuszczonej kopalni*, a na plakatach pisali, że to bardzo dobre.

Ale tata nie miał ochoty iść do kina. Dwa czy trzy razy ciężko westchnął i powiedział, że jest bardzo zmęczony, że cały tydzień pracuje i że woli posiedzieć w domu. Mama mu odpowiedziała, że właściwie to ma rację i że może skorzysta z tego, żeby odmalować garaż, który od dawna się o to prosi. Tata złożył gazetę i podniósł do góry oczy z taką miną, jakby się bał, że sufit spadnie mu na głowę.

– Dobrze – powiedział – pójdę na *Tajemnicę opuszczonej kopalni*.

Pocałowałem tatę, a mama się szeroko uśmiechnęła. Wszyscy byli bardzo zadowoleni.

Obiad strasznie mi się dłużył i niezbyt chciało mi się jeść. Obaj z tatą włożyliśmy odświętne ubrania i w końcu dotarliśmy do kina. Rozpoznałem kilku kolegów, którzy czekali, żeby wejść. Gotfryd przebrany był za kowboja. Tata Gotfryda jest bardzo bogaty i kupuje mu różne zabawki i inne rzeczy. Gotfryd lubi na każdy film ubierać się inaczej. Ostatnim razem był film o rakietach, które latały na Księżyc, i Gotfryd przyszedł ubrany jak Marsjanin z czymś w rodzaju szklanego słoja na głowie. Nie zdjął go nawet na przerwie, żeby zjeść loda. Pod koniec źle się poczuł w swoim słoju. Ciekaw jestem, za kogo przebierze się Gotfryd, kiedy będzie film o Tarzanie. Może za małpę.

Tata kupił bilety i weszliśmy do kina. Poprosiłem, żebyśmy usiedli w pierwszym rzędzie, tam gdzie się lepiej słyszy i obrazy wydają się dłuższe. Tata nie chciał i ciągnął mnie za rękę. Ale zgasło światło i bileterka kazała się tacie szybko decydować, bo ma jeszcze do usadzenia innych ludzi.

W pierwszym rzędzie tata był jedynym dorosłym. Obok niego siedział gruby Alcest, ten, co bez przerwy je.

Sześć kreskówek szybko przeleciało. Na przerwie tata skarżył się tylko, że trochę go boli głowa i oczy.

Kupiliśmy lody, jednego dla mnie (czekoladowego) i jednego dla taty. Alcest kupił sobie cztery, żeby przetrwać do końca filmu.

A potem światło znowu zgasło i zaczęła się *Tajemnica opuszczonej kopalni*. Naprawdę ekstra! Był tam człowiek cały ubrany na czarno, z twarzą zasłoniętą czarną chustką, który miał czarnego konia. Człowiek zabijał starego górnika, córka starego górnika płakała, a szeryf, cały ubrany na biało i bez chustki na twarzy, przysięgał, że odkryje, kim jest ten czarny człowiek. Był też zły bankier, który chciał przejąć kopalnię po śmierci starego górnika.

Wtedy właśnie tata odwrócił się do tyłu i poprosił chłopca, który za nim siedział, żeby przestał kopać jego fotel.

– Niech pan zostawi mojego synka w spokoju! – odezwał się w ciemności gruby głos za tatą.

– Zostawię go, kiedy powie mu pan, żeby odczepił się od mojego kręgosłupa!

– Najpierw odczepię panu głowę, wtedy mój synek będzie mógł widzieć film! Kto to widział, żeby siadać w pierwszym rzędzie, palancie!

– Ach tak? – powiedział tata, wstając.

– Moje lody! – krzyknął Alcest.

Wstając, tata zrzucił sobie na ubranie lody, które Alcest zostawił na poręczy fotela (dwa waniliowe i dwa truskawkowe).

Ludzie krzyczeli:

– Cisza!

I:

– Światło!

Potem usłyszeliśmy eksplozje – to Gotfryd strzelał z pistoletów na kapiszony. Alcest wołał do szeryfa, żeby mu oddano lody. Pan z grubym głosem mówił w ciemności, że tata zjada dzieciom lody. Świetnie żeśmy się bawili.

Niestety, przyszła bileterka z jakimiś dwoma panami i musieliśmy wyjść.

Alcest szedł za nami aż do domu: chciał odzyskać lody, które były na ubraniu taty. Tata wyglądał na zmęczonego.

W nocy, jak zawsze, zachciało mi się pić, więc zawołałem tatę, żeby mi przyniósł szklankę wody. Ale tata nie odpowiedział. Więc zszedłem na dół i znalazłem tatę w salonie. Miał na sobie piżamę.

Dzwonił do kina, żeby dowiedzieć się, czy bankier to był ten ubrany na czarno człowiek, który zabił starego górnika.

Urodziny taty

Mama POWIEDZIAŁA MI WCZORAJ:
– Jutro są urodziny taty. Zrobimy mu kawał: udamy, że o nich zapomnieliśmy, a wieczorem, kiedy wróci z pracy, będzie miał niespodziankę – wręczymy mu prezenty, a pan Blédurt przyniesie szampana. To pomysł pana Blédurt.

Więc dzisiaj rano, tak jak mi powiedziała mama, nie złożyłem tacie urodzinowych życzeń. Kiedy jedliśmy śniadanie, tata spojrzał na kalendarz i powiedział:

– Co my dzisiaj mamy za dzień?

A potem:

– Jak te lata lecą.

I spytał mamę, czy nie ma dziś czegoś szczególnego. Mama odpowiedziała, że nie, i spytała, czy nie chce jeszcze trochę kawy. Tata wstał, powiedział, że się spieszy, i sobie poszedł. Nie wyglądał na zadowolonego.

Po wyjściu taty mama się roześmiała.

– Wieczorem tata się zdziwi – powiedziała. – Myśli, że zapomnieliśmy o jego urodzinach!

Potem mama pokazała mi prezent, jaki kupiła tacie: śliczny krawat. Mama ma niesamowite pomysły! Krawat był fantastycz-

ny: żółty w małe różyczki. Mama często kupuje tacie krawaty, ale tata prawie ich nie nosi. Są takie piękne, że pewnie boi się je pobrudzić.

Mama powiedziała, że ja też powinienem kupić tacie prezent. Więc przed pójściem do szkoły sprawdziłem, ile mam oszczędności w skarbonce, bo zbieram pieniądze, żeby kupić sobie samolot, później, jak będę duży. Ale w zeszłym tygodniu miałem mnóstwo wydatków, więc niewiele zostało – za mało, żeby podarować tacie kolejkę elektryczną, na którą mamy ochotę.

W szkole nie mogłem się doczekać, kiedy wrócę do domu na uroczystość, i czas okropnie mi się dłużył. Wracając, kupiłem dla taty prezent: torebkę karmelków, tych czerwonych. Wydałem wszystkie pieniądze, ale tata będzie zadowolony. Dostanie od mamy krawat, a ode mnie karmelki i będzie miał fantastyczne urodziny.

Kiedy przyszedłem do domu, pan Blédurt parkował właśnie przed naszymi drzwiami. Pan Blédurt to nasz sąsiad, często przekomarza się z tatą, ale go bardzo lubi. Najlepszy dowód, że wpadł na pomysł z niespodzianką.

– Kupiłem girlandy – powiedział pan Blédurt. – Trzymaj, ja wezmę butelki z szampanem.

– To bardzo miło z pana strony, panie Blédurt – powiedziała mama, kiedy weszliśmy.

– Przystroję jadalnię – powiedział pan Blédurt. – Myślę, że się pani spodoba.

Pan Blédurt jest naprawdę fajny, a szampan jest bardzo dobry, szczególnie odgłos korka, bum!

Pan Blédurt poszedł po drabinę i zaczął rozwieszać girlandy na żyrandolu. Girlandy były ładne, z błyszczącego sreberka jak od czekoladek, ale pan Blédurt nie radził sobie za dobrze.

– Spadnie pan, panie Blédurt – powiedziałem.

– Jesteś zupełnie jak ojciec – zezłościł się pan Blédurt. – Podaj mi lepiej nożyczki, zamiast wygadywać głupstwa.

Pan Blédurt pochylił się i ledwo zdążyłem uskoczyć w bok, kiedy spadł. Ale nie potłukł się za bardzo, tylko kolano. Przez chwilę krzyczał „au, au", a potem znowu wszedł na drabinę i skończył dekorować jadalnię.

– Nieźle, co? – spytał pan Blédurt, rozcierając sobie kolano. Był z siebie bardzo dumny i miał rację: trzeba powiedzieć, że z girlandami ze sreberka od czekoladek na żyrandolu i butelkami szampana na stole pokój wyglądał fantastycznie.

– Uwaga! – krzyknęła mama. – Przyjechał!

Wyjrzałem przez okno i rzeczywiście: tata próbował zaparkować za samochodem pana Blédurt. Ponieważ brakowało miejsca, mieliśmy trochę czasu, żeby skończyć przygotowywać niespodziankę.

– Dobrze – powiedział pan Blédurt. – Pani i Mikołaj witacie go w drzwiach, jak gdyby nigdy nic. Ja czekam w jadalni. Przyprowadzacie go tutaj, a wtedy krzyczymy: „Niespodzianka!" i „Wszystkiego najlepszego!". Dajecie mu wasze prezenty, a potem pijemy mojego szampana. Zgoda?

– Zgoda – powiedziała mama.

Wsadziłem karmelki do kieszeni, żeby tata od razu ich nie zobaczył, mama schowała za plecami krawat, pan Blédurt zgasił w jadalni światło. Pewnie dlatego uderzył się o coś po ciemku – chyba w to samo kolano, bo znowu zaczął wołać „au, au", jak

wtedy kiedy spadł z drabiny. Mama mu powiedziała, żeby nie robił tyle hałasu, bo tata usłyszy, a lada moment powinien tu być.

Czekaliśmy z mamą pod drzwiami, ale to trwało dłużej, niż myśleliśmy. Bardzo się niecierpliwiłem.

– Stój spokojnie – powiedziała mama. – Już idzie!

Tata otworzył drzwi i wszedł: wyglądał na bardzo, ale to bardzo niezadowolonego.

– To skandal! – krzyknął. – Ten tłuścioch Blédurt stawia swoją starą landarę przed naszym domem, chociaż ma u siebie garaż! Dość mam chamskich zagrywek tego typa!

Mama spojrzała w stronę jadalni, wyglądała na bardzo zaniepokojoną.

– Cicho, kochanie, pan Blédurt...

– Co, pan Blédurt? – krzyknął tata. – Nie mów mi o panu Blédurt!

Wtedy pan Blédurt wyszedł z jadalni z butelką szampana pod każdą pachą. On też wyglądał na rozgniewanego.

– Mój samochód – powiedział pan Blédurt – nie jest starą landarą, a ja nie jestem tłuściochem. Zabieram szampan. Po niespodziankę zgłosisz się później. I to ty zapłacisz za lekarza w związku z moją nogą.

I pan Blédurt, kuśtykając, poszedł sobie ze swoimi butelkami. Na pewno rąbnął się wtedy w to samo kolano.

Tata otworzył szeroko oczy i usta, jakby miał połknąć coś bardzo dużego.

– Wszystkiego najlepszego! Niespodzianka! – krzyknąłem.

Nie mogłem już dłużej wytrzymać i dałem mu karmelki. Ale mama, zamiast dać tacie krawat, usiadła w fotelu i się rozpłakała. Powiedziała, że jest bardzo nieszczęśliwa, że jej mama miała rację i że gdyby nie dziecko, już dawno by do niej wróciła. Tata stał z torebką karmelków w ręce i mówił:

– Ale ja, ale ja...

Ponieważ mama nadal nie była zadowolona, tata zabrał mnie ze sobą do jadalni.

– Życie nie jest proste, mój mały – powiedział tata i obaj zjedliśmy karmelki pod girlandami ze sreberka od czekoladek pana Blédurt.

Ale następnego dnia wszystko się ułożyło i urodziny taty w końcu bardzo się udały: tata kupił mamie piękny prezent.

Świetny kawał

Dzisiaj na przerwie Joachim opowiedział nam niesamowity kawał, który mu opowiedział na obiedzie jego wujek Marcjal, ten, co pracuje na poczcie. To bardzo zabawna historia i wszyscy pękaliśmy ze śmiechu, nawet Kleofas, który potem prosił, żeby mu wytłumaczyć. Joachim był bardzo dumny. Ja też się okropnie cieszyłem, bo opowiem ten kawał w domu – bardzo lubię opowiadać w domu kawały, szczególnie kiedy są dobre. Wtedy rodzice się śmieją, a najbardziej tata, więc dziś wieczorem wszyscy się strasznie uśmiejemy.

Szkoda tylko, że nie znam dużo kawałów, a kiedy je opowiadam, często zapominam, jak się kończą. Ale tym razem kawał był naprawdę świetny, więc żeby nie zapomnieć, bez przerwy opowiadałem go sobie na lekcji i całe szczęście, że pani mnie nie zapytała, bo nie słuchałem, co mówi, a pani bardzo nie lubi, jak się jej nie słucha.

Po szkole, zamiast postać chwilę z kolegami, jak to zwykle robimy, polecieliśmy pędem do domów, bo każdy chciał jak najszybciej opowiedzieć kawał. Ja chichrałem się, biegnąc, bo chcia-

ło mi się śmiać na myśl, że rodzice będą się śmiali. Naprawdę świetny jest ten kawał wujka Joachima!

– Mamo! Mamo! – krzyknąłem, wchodząc do domu. – Opowiem ci kawał!

– Mikołaj – powiedziała mama – ile razy mam ci powtarzać, żebyś nie wpadał do domu jak dzikus? A teraz umyj ręce i chodź na podwieczorek.

– Ale kawał, mamo! – krzyknąłem.

– Opowiesz mi go w kuchni – odpowiedziała mama. – No już! Idź umyć ręce!

Więc poszedłem umyć ręce, bez mydła, żeby było szybciej, i biegiem wróciłem do kuchni.

– Tak szybko? – spytała mama. – Dobrze, pij mleko i jedz kanapkę.

– A kawał? – zawołałem. – Obiecałaś, że będę mógł ci opowiedzieć w czasie podwieczorku!

Mama spojrzała na mnie, a potem powiedziała, że dobrze, dobrze, żebym jej opowiedział ten nieszczęsny kawał i przestał kruszyć na podłogę. Więc bardzo szybko, chichocząc, opowiedziałem jej kawał. Bo kiedy opowiadam kawał, chcę jak najszybciej dojść do końca, żeby ludzie się śmiali, i teraz musiałem kilka razy przerywać, żeby nabrać powietrza, w jednym miejscu się pomyliłem, ale zaraz to poprawiłem i na koniec mama powiedziała:

– Bardzo dobrze, Mikołaj. Teraz kończ podwieczorek i idź odrabiać lekcje.

– Nie rozśmieszył cię mój kawał – powiedziałem.

– Ależ tak – odpowiedziała mama. – Jest bardzo śmieszny. Pospiesz się.

– Nieprawda – powiedziałem. – Nie śmiałaś się. A przecież to strasznie fajny kawał. Jak chcesz, opowiem ci go jeszcze raz.

– Mikołaj, dość tego! Ostatni raz ci mówię, że śmiałam się z tego kawału – krzyknęła mama. – Więc przestań mi trajkotać nad uchem, bo się pogniewam!

To było niesprawiedliwe, więc się rozpłakałem, no bo co w końcu, kurczę blade, nie warto opowiadać dowcipów, jak nikt się z nich nie śmieje! Mama spojrzała w sufit, kręcąc głową, jakby chciała powiedzieć „nie", westchnęła ciężko i powiedziała:

– Słuchaj, Mikołaj, nie będziesz mi teraz stroił fochów! Przecież ci mówię, że się śmiałam. Serdecznie się uśmiałam. To najlepszy kawał, jaki kiedykolwiek słyszałam.

– To prawda? – spytałem.

– Oczywiście, że prawda, Mikołaj – powiedziała mama. – To naprawdę bardzo, bardzo śmieszny kawał.

– A będę mógł opowiedzieć go tacie, jak przyjdzie? – zapytałem.

– Koniecznie mu opowiedz – powiedziała mama. – Tata lubi dowcipy, szczególnie takie dobre jak ten. A teraz kochanie, idź odrabiać lekcje i niech w tym domu będzie trochę spokoju.

Mama mnie pocałowała i poszedłem odrabiać lekcje. Ale nie mogłem się doczekać, kiedy opowiem mój kawał tacie. Więc kiedy usłyszałem, że otwierają się drzwi, zbiegłem na dół i rzuciłem się tacie na szyję, żeby go pocałować.

– No, no! Spokojnie – powiedział tata ze śmiechem. – Nie wracam z wojny, tylko z pracy po ciężkim dniu!

– Opowiem ci kawał! – krzyknąłem.

– Doskonale – powiedział tata. – Później mi go opowiesz. Teraz poczytam gazetę.

Poszedłem za tatą do salonu, tata usiadł w fotelu i otworzył gazetę, a ja zapytałem:

– To jak, mogę ci opowiedzieć ten kawał?

– Hm? – powiedział tata, jak wtedy kiedy nie słucha, co do niego mówię. – Dobrze, króliczku, dobrze. Opowiesz mi przy kolacji. Będzie bardzo wesoło.

– Nie przy kolacji! Teraz! – krzyknąłem.

– Oszalałeś, Mikołaj? – spytał tata. – Bądź tak dobry i zostaw mnie w spokoju!

Więc z całej siły tupnąłem nogą i pobiegłem do swojego pokoju. Słyszałem, jak tata mówił:

– Ale co go ugryzło?

Leżałem na łóżku i płakałem, kiedy do pokoju weszła mama.

– Mikołaj – powiedziała.

Odwróciłem się do ściany. Mama usiadła na łóżku i pogładziła mnie po włosach.

– Mikołaj, kochanie – powiedziała. – Tatuś cię nie zrozumiał, więc mu wytłumaczyłam i teraz nie może się doczekać, żebyś mu opowiedział ten kawał. Na pewno się uśmieje.

– Nie opowiem mu! – krzyknąłem. – Nigdy w życiu go już nikomu nie opowiem!

– Skoro tak – powiedziała mama – to ja opowiem tatusiowi ten świetny kawał.

– O nie! O nie! – krzyknąłem. – Ja mu opowiem!

I pobiegłem na dół do salonu, a mama, śmiejąc się, poszła do kuchni. Kiedy tata mnie zobaczył, położył gazetę na kolanach, uśmiechnął się i powiedział:

– No chodź, chłopie, opowiedz mi ten świetny dowcip, to się trochę pośmiejemy!

– Więc tak – powiedziałem. – Pewien tygrys chodzi sobie po swoim lesie, w Afryce...

– Nie w Afryce, króliczku – powiedział tata. – W Indiach. Tygrysy żyją w Indiach.

Wtedy się rozpłakałem i z kuchni przybiegła mama.
– Co się znowu dzieje? – spytała.
– Kawał! – krzyknąłem. – Tata go już zna!
Poszedłem z płaczem do pokoju, a rodzice się pokłócili i na kolacji nikt się do nikogo nie odzywał, bo wszyscy byli obrażeni.

Tata jest konający

D ZIŚ RANO było mi bardzo smutno, bo tata był okropnie chory: miał katar.

Tata zadzwonił do swojego biura uprzedzić, że przez kilka dni nie będzie go w pracy, a potem powiedział mamie, że trochę odpoczynku dobrze mu zrobi, a mama mu powiedziała, że ma rację i że zdrowie jest najważniejsze.

Powiedziała mu też, że mógłby z tego skorzystać i odmalować garaż, ale tata powiedział, że czuje się naprawdę bardzo źle, więc mama powiedziała: „No dobrze", i tata poczuł się lepiej.

Ponieważ był czwartek i nie szedłem do szkoły, mama kazała mi być bardzo grzecznym i nie zamęczać taty, który potrzebuje spokoju. Bardzo się cieszyłem, że tata, nawet zakatarzony, jest w domu, i obiecałem sobie, że będę go pielęgnował.

Cieszyłem się też dlatego, że miałem bardzo trudne zadanie z arytmetyki, a w rachunkach tata jest ode mnie lepszy.

Ale kiedy przyszedłem do niego z książkami i zeszytami, tata nie chciał o niczym słyszeć. Powiedział, że jak był w moim wieku, odrabiał lekcje sam, że jego tata nigdy mu nie pomagał, że mimo to był najlepszy w klasie i odniósł w życiu sukces, a ja się rozpłakałem. Z kuchni przybiegła mama zobaczyć, co się dzieje, a kiedy się dowiedziała, powiedziała tacie, że mógłby się zdobyć na wysiłek i pomóc małemu – mały to ja – na co tata powiedział, że jest konający, a jego rodzina nie raczy tego zauważyć. Nie bardzo wiem, co to znaczy konający, myślę, że chodzi o to, że tata jest zakatarzony.

Poszedłem do ogrodu spokojnie sobie popłakać, bo w domu rodzice bardzo głośno rozmawiali i nikt nikogo nie słyszał. Pan Blédurt, który jest naszym sąsiadem, zobaczył, że płaczę, i spytał, co mi jest. Odpowiedziałem, że tata jest konający i nie chce mi rozwiązywać zadań. Pan Blédurt zrobił się biały na twarzy, chyba bardzo boi się kataru. Nie zdążyłem mu wytłumaczyć, że tata nie jest aż tak bardzo konający, ma tylko trochę zaczerwieniony nos, bo pan Blédurt przeskoczył przez płot i zadzwonił do naszych drzwi.

Kiedy mama mu otworzyła, pan Blédurt płakał.

– Jest jeszcze jakaś nadzieja? – spytał. – Czemu mi nic nie powiedzieliście? To straszne!

– Co ci odbiło? – spytał tata, który przyszedł z salonu.

Pan Blédurt przestał płakać, spojrzał na tatę, spojrzał na mnie i zaczął się złościć.

– Ten żart jest beznadziejny i przyniesie ci pecha! – krzyknął pan Blédurt.

– Czyś ty oszalał? – spytał tata.

Wtedy pan Blédurt powiedział mu, że nie wolno kpić sobie z takich rzeczy, że to hańba, a tak w ogóle to wcale nie byłaby duża strata. I poszedł sobie, przeskakując przez płot do swojego ogrodu.

– Powinien pójść do lekarza – powiedział tata.

I kazał mi wracać do domu, bo boi się, żebym ja też nie złapał kataru.

W domu mama powiedziała, że tata postanowił pomóc mi w rozwiązywaniu zadań. Więc usiedliśmy w salonie i tata zaczął ślęczeć nad moimi zadaniami, gdzie była mowa o wannach i o kranach, a ja miałem ochotę mu pomóc, bo nie za bardzo mu szło. A potem przyszła mama i powiedziała, że skoro w tym siedzi, to mógłby uporządkować domowe rachunki, bo już od dawna czekają. I przyniosła mnóstwo papierów z obliczeniami.

– Oczy przy tym stracę – powiedział tata. – W tym salonie jest za mało światła!

A mama powiedziała, że tata ma rację i że trzeba naprawić gniazdko do lampy. Tata walnął pięścią w moje zadania i krzyknął, że nie, on chce odpocząć, bo do czego to podobne, a mama zaczęła z nim dyskutować.

Tata siedział na podłodze i naprawiał gniazdko, kiedy zadzwonił telefon. Tata wstał, podniósł słuchawkę i powiedział:

– Halo!

A potem zawołał w stronę kuchni:

– Chodź, to twoja matka!

Twoja matka to mama mamy, znaczy się moja Bunia.

– Tak, mamo? – powiedziała mama. – Dzień dobry, tak, jest
w domu... Nie, to nic poważnego, zwykły katar... Nie, nie trzeba
wzywać lekarza... Co? Ależ skąd, mamo, pan Caplouffe nie umarł
na katar, umarł na zapalenie płuc i miał osiemdziesiąt dziewięć
lat... Poczekaj, zanotuję...

I mama zaczęła coś zapisywać na papierze, a potem, jak zawsze, kiedy dzwoni Bunia, wziąłem słuchawkę, powiedziałem
jej, że czuję się dobrze, ona mi powiedziała, że jestem jej kotecz-

kiem, i prosiła, żeby dać jej buzi, więc zacząłem cmokać w telefon, a Bunia cmokała w swój. Bardzo kocham moją Bunię.

Kiedy odłożyłem słuchawkę, zobaczyłem, że tata ma niezadowoloną minę.

– Co ci powiedziała? – zapytał mamę.

– Powiedziała, żeby ci dawać Bogomotobol z witaminami, podobno to bardzo skuteczne.

– Nie wątpię – powiedział tata – ale nie będę tego brał!

Wtedy mama się rozpłakała, powiedziała, że w końcu jej biedna matka chce tylko taty dobra i że ona przeprowadzi się do swojej mamy.

Tata powiedział:

– Dobrze, dobrze, dobrze.

I kiedy mama poszła do apteki po lekarstwo, tata znowu zajął się gniazdkiem, z którego leciało mnóstwo iskier.

Mama dała tacie dużą łyżkę stołową lekarstwa, tata powiedział „Błeee!", a potem, ponieważ nie udawało mu się zreperować gniazdka, znowu wziął się do moich zadań. Lekarstwo musiało być naprawdę niedobre, bo mój biedny tata od czasu do czasu mówił „błeee" i wyglądał na dużo bardziej chorego niż przedtem. A najśmieszniejsze, że kiedy tata zajmował się kranami z mojego zadania, przyszła mama i powiedziała, że powinien zająć się kranem w kuchni, który się źle zakręca. Ale to taty nie rozśmieszyło – poszedł do kuchni, mówiąc „błeee".

Tata wrócił do salonu, ale przedtem musiał się przebrać, bo się zamoczył, rozmontowując kran, który się źle zakręcał, za to dobrze lała się z niego woda. Mama powiedziała, że trzeba będzie wezwać hydraulika, bo teraz kran w ogóle się nie zakręca. Tata wyglądał na bardzo zmęczonego i nie wiem, czy katar mu się nie pogorszył.

Ktoś zadzwonił do drzwi, tata poszedł otworzyć i weszła Bunia. To była superniespodzianka! Oboje z mamą pocałowaliśmy Bunię, a tata stał przy drzwiach i patrzył na nas okrągłymi oczyma.

– Nie dziw się tak, zięciu – powiedziała Bunia – przychodzę cię pielęgnować, będę ci robić zastrzyki.

– Nie! – krzyknął tata. – Nie zbliżaj sie do mnie ze swoimi zastrzykami, Ravaillac*!

Będę musiał zapytać mamy, co to jest Ravaillac, w każdym razie to coś, co nie spodobało się ani mamie, ani Buni, bo obie naraz zaczęły krzyczeć, a mama powiedziała, że tym razem już postanowiła, wróci do swojej mamy. Ale Bunia wcale nie chciała wracać do domu i w końcu tata musiał się zgodzić na zastrzyki.

---

* François Ravaillac (1578–1610), zabójca króla Henryka IV (przyp. tłum.).

Kiedy wyszedł z Bunią z pokoju, trudno mu było iść. Bunia była bardzo zadowolona:

– Zaraz się lepiej poczujesz – powiedziała – to bardzo skuteczne. A gdybyś się nie poruszył, to by nie zabolało. Po obiedzie postawię ci bańki. To bardzo skuteczne!

Jednak Bunia nie mogła postawić tacie baniek, bo po obiedzie tata poszedł do biura.

Powiedział, że stan jego zdrowia nie pozwala mu siedzieć w domu.

Rozdział VIII
Jedziemy na wakacje

Jedziemy na wakacje

NIEDŁUGO JEDZIEMY NA WAKACJE, tata, mama i ja. Strasznie się z tego cieszymy.

Pomogliśmy mamie wszystko w domu uporządkować, na meblach są pokrowce i od dwóch dni jemy w kuchni. Mama powiedziała:

– Musimy skończyć wszystkie resztki.

I teraz jemy fasolkę z mięsem. Zostało sześć puszek fasolki, bo tata jej nie lubi. Ja ją lubiłem do wczoraj, ale jak się dowiedziałem, że na dzisiaj mamy jeszcze dwie puszki, jedną na obiad, jedną na kolację, to chciało mi się płakać.

Dzisiaj będziemy się pakować, bo wyjeżdżamy jutro rannym pociągiem i trzeba wstać o szóstej, żeby na niego zdążyć.

– Tym razem – powiedziała mama – nie będziemy targać ze sobą mnóstwa tobołków.

– Święta racja, kochanie – powiedział tata. – Nie mam zamiaru tachać dziesiątków źle zawiązanych paczek. Weźmiemy maksimum trzy walizki!

– Właśnie – powiedziała mama. – Weźmiemy tę brązową, która się nie zamyka, ale można ją związać sznurkiem, dużą niebieską i małą cioci Elwiry.

– Tak jest – powiedział tata.

To świetnie, że wszyscy się zgadzają, bo rzeczywiście, za każdym razem, jak gdzieś jedziemy, zabieramy masę pakunków i zawsze zapominamy tego, w którym są ciekawe rzeczy. Jak wtedy, kiedy zapomnieliśmy torby z jajkami na twardo i bananami, i było ciężko, bo my nie jadamy w wagonie restauracyjnym. Tata mówi, że podają zawsze to samo, nerkówkę z pieczonymi kartoflami, więc tam nie chodzimy, tylko bierzemy ze sobą jajka na twardo i banany. To bardzo dobre. A z łupinami jakoś sobie radzimy, chociaż ludzie w przedziale robią draki.

Tata zszedł do piwnicy po brązową walizkę, która się nie zamyka, dużą niebieską i małą cioci Elwiry, a ja poszedłem do swojego pokoju po rzeczy, których będę potrzebował na wakacjach. Musiałem obracać trzy razy, bo w szafie, w komodzie i pod łóżkiem mam tego całe stosy. Zniosłem wszystko do salonu i czekałem na tatę. Z piwnicy słychać było hałasy, a potem przyszedł tata z walizkami, cały czarny i nie w humorze.

– Chciałbym wiedzieć, dlaczego na walizkach, których szukam, zawsze stoją jakieś skrzynie, dlaczego w tej piwnicy jest pełno węgla i dlaczego żarówka jest przepalona – zapytał tata i poszedł się umyć.

Kiedy wrócił i zobaczył kupę rzeczy, które muszę zabrać, bardzo się zezłościł.

– Co to za rupieciarnia? – krzyknął. – Nie myślisz chyba, że zabierzemy twoje pluszowe misie, samochody, piłki futbolowe i klocki?

Więc się rozpłakałem, a tata zrobił się czerwony aż po białka oczu i powiedział: „Mikołaj, wiesz, że tego nie lubię?", i żebym był tak dobry i przestał urządzać cyrki, bo nie zabierze mnie na wakacje. Wtedy rozpłakałem się jeszcze bardziej, no bo co w końcu, kurczę blade.

– Myślę, że nie powinieneś krzyczeć na dziecko – powiedziała mama.

– Będę krzyczeć na dziecko, jeśli nie przestanie drzeć się jak rudy wyjec – powiedział tata i ten rudy wyjec mnie rozśmieszył.

– Uważam, że to niedobrze wyżywać się na dziecku – powiedziała mama bardzo łagodnie.

– Ja się nie wyżywam na dziecku, tylko proszę dziecko, żeby zachowywało się spokojnie – wyjaśnił tata.

– Jesteś okropny i nie do wytrzymania – krzyknęła mama – i nie pozwolę, żebyś robił z tego dziecka kozła ofiarnego!

Wtedy znowu zacząłem płakać.

– Co znowu? Dlaczego teraz płaczesz? – spytała mama.

Odpowiedziałem, że dlatego, że była niemiła dla taty. Wtedy mama podniosła ręce do sufitu i poszła po swoje rzeczy.

Ustaliliśmy z tatą, co mogę zabrać. Odpuściłem mu misia, ołowianych żołnierzy i strój muszkietera, a on zgodził się na obie piłki do gry w nogę, klocki, szybowiec, łopatkę, wiaderko, pociąg i strzelbę. O rowerze powiem mu później. Tata poszedł do swojego pokoju.

A potem usłyszałem z pokoju rodziców jakieś krzyki, więc poszedłem zobaczyć, czy mnie nie potrzebują. Tata pytał właśnie mamę, dlaczego zabiera koce i czerwoną kołdrę.

– Mówiłam ci już, że noce w Bretanii są chłodne – powiedziała mama.

– Przy cenie, jaką płacę – odpowiedział tata – mam nadzieję, że hotel zgodzi się dać mi koc. To jest bretoński hotel, więc chyba wiedzą, że noce są u nich chłodne.

– Może – odpowiedziała mama – ale zastanawiam się, gdzie włożymy tę wielką wędkę, którą koniecznie chcesz zabrać, zupełnie nie wiem po co.

– Żeby łowić ryby, które będziemy jeść na plaży, siedząc na kocach – odpowiedział tata.

I znieśli rzeczy do salonu.

– Wiesz – powiedziała mama – tak sobie myślę, czy na te wszystkie swetry i koce, zamiast brązowej walizki, nie lepszy byłby mały kufer, ten, co ma tylko jedną rączkę.

– Racja – powiedział tata.

I poszedł po kufer, który okazał się bardzo dobry na swetry i koce, ale wędka nie chciała do niego wejść nawet rozmontowana i na ukos.

– Nie szkodzi – powiedział tata. – Wędkę wezmę oddzielnie, zapakujemy ją w gazety, a ponieważ bierzemy kufer, niepotrzebna nam już niebieska walizka. Wystarczy, jak weźmiemy mały kosz na bieliznę. Włożymy do niego zabawki Mikołaja i sprzęt plażowy.

– Dobrze – powiedziała mama – jeśli chodzi o prowiant na drogę, to albo zrobimy paczkę, albo weźmiemy siatkę. Przygotuję jajka na twardo i banany.

Tata powiedział, że to dobry pomysł i że gotów jest zjeść wszystko, byle by to nie była fasolka. Z innych rzeczy wzięliśmy jeszcze dużą zieloną walizę, w której był stary płaszcz taty. A potem mama uderzyła się ręką w czoło i powiedziała, że zapomnieliśmy o dwóch leżakach na plażę, a ja uderzyłem się ręką w czoło i powiedziałem, że zapomnieliśmy o moim rowerze. Tata patrzył na nas tak, jakby też chciał nas uderzyć, a potem powiedział, że dobrze, niech będzie, ale w takim razie, co tam, on zabierze koszyk i rzeczy do pikniku. Myśmy się zgodzili i tata był bardzo zadowolony.

A ponieważ wszystko zostało ustalone, pozostało mi tylko pomóc mamie w robieniu pakunków, w czasie kiedy tata znosił do piwnicy brązową walizkę, która się nie zamyka, ale można ją związać sznurkiem, dużą niebieską i małą cioci Elwiry.

Proszę wsiadać!

Na PERONIE ktoś krzyknął: „Proszę wsiadać! Odjazd!", pociąg zagwizdał „Tutuuuut!, a ja się strasznie ucieszyłem, bo jechaliśmy na wakacje, juhu!

Wszystko poszło jak z płatka. Wstaliśmy o szóstej rano, żeby nie spóźnić się na pociąg, tata poszedł łapać taksówkę, ale nie złapał, więc pojechaliśmy autobusem – był niezły ubaw z walizkami i paczkami – przyjechaliśmy na dworzec, gdzie było pełno ludzi, i wsiedliśmy do pociągu, akurat kiedy odjeżdżał.

Na korytarzu przeliczyliśmy bagaże i brakowało tylko jednej paczki, tej z wędką taty. Ale nie zginęła. Mama przypomniała sobie, że zostawiła ją w domu. Przypomniała to sobie zaraz po tym, jak tata powiedział konduktorowi, że na dworcu jest pełno złodziei, że to hańba i że on im pokaże. Potem zaczęliśmy szukać przedziału, w którym tata zarezerwował miejsca.

– To tutaj – oznajmił tata.

I wszedł do przedziału, depcząc po nogach starszemu panu, który siedział przy drzwiach i czytał gazetę.

– Przepraszam – powiedział tata.

– Proszę – powiedział pan.

Tacie nie spodobało się, że nasze miejsca nie są przy oknie, jak o to prosił.

– To nie w porządku! – stwierdził.

Przeprosił starszego pana i wyszedł na korytarz szukać konduktora. To był ten sam konduktor, z którym już wcześniej rozmawiał o wędce.

– Rezerwowałem miejsca przy oknie – powiedział tata.

– Wygląda na to, że nie – powiedział konduktor.

– Może pan powie wprost, że jestem kłamcą – powiedział tata.

– A po co? – spytał konduktor.

Wtedy się rozpłakałem i powiedziałem, że jak nie będę siedzieć przy oknie, żeby oglądać krowy, to wolę wysiąść z pociągu i wrócić do domu – no bo co w końcu, kurczę blade!

– Och, Mikołaj, bądź tak dobry i zachowuj się spokojnie, jeśli nie chcesz oberwać klapsa! – krzyknął tata.

To było naprawdę niesprawiedliwe, więc zacząłem płakać jeszcze bardziej, a mama dała mi banana i powiedziała, żebym usiadł naprzeciw pana, przy oknie na korytarz, bo właśnie po tej stronie będą najlepsze krowy. Tata chciał dalej kłócić się z konduktorem, ale nie mógł, bo konduktor sobie poszedł.

Tata umieścił rzeczy na półce i usiadł obok starszego pana, naprzeciw mamy.

– Zjadłbym coś – oznajmił tata.

– Jajka na twardo są w niebieskiej torbie, na walizce – powiedziała mama.

Tata wszedł na ławkę i zszedł z torbą pełną jajek.

– Nie mogę znaleźć soli – powiedział.

– Sól jest w brązowym kufrze, pod koszem na bieliznę – wyjaśniła mama.

Tata wahał się chwilę, a potem powiedział, że obejdzie się bez soli. Starszy pan westchnął zza swojej gazety.

A potem je zobaczyłem! Całe mnóstwo krów!

– Patrz, mamo! – krzyknąłem. – Krowy!

– Mikołaj – powiedziała mama – upuściłeś panu banana na spodnie! Uważaj!

– Nic nie szkodzi – powiedział starszy pan, który musiał bardzo wolno czytać, bo od początku podróży nie przewrócił ani jednej strony w gazecie. Ponieważ banan był stracony, zresztą i tak niewiele z niego zostało, postanowiłem zjeść jajko. Skorupki schowałem pod swoją ławkę, a starszy pan schował nogi pod swoją. To dziwny pomysł, bo chyba niewygodnie jest tak podróżować.

Ja lubię pociąg na początku, ale potem robi się nudno: druty telefoniczne idą raz w górę, raz w dół i bolą od tego oczy, kiedy się patrzy bez przerwy. Spytałem mamy, czy już niedługo dojedziemy, a mama powiedziała, że nie, i może byś trochę pospał,

kochanie. Nie chciało mi się spać, więc postanowiłem, że chce mi się pić.

– Mamo, kup mi oranżadę – poprosiłem. – Sprzedawca jest na końcu korytarza.

– Cicho bądź i śpij – powiedziała mama.

– Ja też – stwierdził tata – chętnie bym się czegoś napił.

Tata przeprosił pana i poszedł po oranżadę. Musiał obracać dwa razy, bo za pierwszym zapomniał o słomkach, a słomki są super: można robić bąbelki, jak w butelce jest jeszcze resztka oranżady.

A potem ktoś zastukał do drzwi przedziału i kontroler poprosił o bilety. Tata musiał znów wejść na ławkę, żeby je wyciągnąć z kieszeni płaszcza od deszczu. Mama kazała tacie zabrać płaszcz od deszczu, bo w Bretanii, tam, gdzie jedziemy, czasem pada.

– Zastanawiam się, czy naprawdę cały czas trzeba niepokoić podróżnych – powiedział tata, podając bilety kontrolerowi i podnosząc z ziemi kapelusz starszego pana.

Nudziłem się coraz bardziej. Na zewnątrz była tylko trawa i krowy. Tacie też nie było za wesoło.

– Trzeba było kupić jakieś pisma – powiedział.

– Gdybyśmy wyszli z domu trochę wcześniej, pewnie byśmy zdążyli – powiedziała mama.

– No wiesz! – krzyknął tata. – Słysząc cię, można by pomyśleć, że to ja zapomniałem o wędce!

– Nie widzę związku – odpowiedziała mama.

– Ja chcę pismo ilustrowane! – zawołałem.

– Mikołaj, uprzedzałem cię! – krzyknął tata.

Już miałem się rozpłakać, ale mama spytała, czy chcę banana. A wtedy starszy pan szybko dał mi pismo. Bardzo fajne. Na

okładce miało zdjęcie pana w mundurze z mnóstwem medali
i pani ze śmiesznymi klejnotami we włosach: podobno mają się
pobrać i będzie niesamowicie.

– Co się mówi? – spytała mama.

– Dziękuję – powiedziałem.

– Dasz mi, jak przeczytasz – powiedział tata.

Starszy pan spojrzał na tatę i dał mu swoją gazetę.

– Dziękuję – powiedział tata.

Starszy pan zamknął oczy, żeby spać, ale co pewien czas musiał je otwierać, bo tata wyszedł na korytarz najpierw na papierosa, potem zapytać konduktora, czy na pewno przyjeżdżamy
o osiemnastej szesnaście, i jeszcze zobaczyć, czy sprzedawca
oranżady nie ma kanapek z szynką (zostały mu tylko te z serem). Ja wychodziłem kilka razy, żeby iść na koniec wagonu,
a potem obudziłem starszego pana, żeby mu oddać pismo, bo
już je przeczytałem, i tata mnie skrzyczał za kawałek sera, co
przykleił się tuż nad krawatem wojskowego, który będzie się żenił z panią z klejnotami.

A potem konduktor zawołał:

– Pluskawce, dwie minuty postoju, przesiadka dla podróżnych jadących do Międzyportów!

Wtedy starszy pan wstał, wziął gazety, walizkę, która leżała
pod naszym brązowym kufrem, i wyszedł śmieszny jak nie wiem
co w pomiętym kapeluszu.

– Uff! – powiedział tata. – Wreszcie będzie spokój! Są ludzie,
którzy w ogóle nie liczą się z innymi! Widziałaś, ile ten staruch
zajmował miejsca?

Podróż do Hiszpanii

P<small>AN</small> B<small>ONGRAIN</small> Z<small>APROSIŁ</small> N<small>AS</small> dziś popołudniu na podwieczorek. Pan Bongrain jest księgowym w biurze, gdzie pracuje tata. Ma żonę, panią Bongrain, i syna Kalasantego, który jest w moim wieku i który jest dosyć fajny.

Kiedy przyszliśmy, pan Bongrain powiedział, że ma dla nas niespodziankę i po herbacie pokaże nam kolorowe zdjęcia, które zrobił w czasie urlopu w Hiszpanii.

– Wczoraj je odebrałem – powiedział pan Bongrain. – Wywołanie zajmuje trochę czasu. To przezrocza, które wyświetla się na ekranie. Zobaczycie, prawie wszystkie są udane.

Ucieszyłem się, bo fajnie jest oglądać zdjęcia na ekranie, nie tak fajnie jak filmy, na przykład ten, który widziałem niedawno z tatą, gdzie były tłumy kowbojów, ale jednak fajnie.

Podwieczorek był dobry: mnóstwo małych ciasteczek – zjadłem jedno z truskawkami, jedno z ananasem, jedno z czekoladą, jedno z migdałami, ale nie udało mi się zjeść tego z czereśniami, bo mama powiedziała, że jeśli nie przestanę jeść, to się rozchoruję. Zdziwiło mnie to, bo czereśnie na ogół prawie nigdy mi nie szkodzą.

Po herbacie pan Bongrain przyniósł aparat do pokazywania zdjęć na ekranie kinowym – błyszczący i okropnie fajny. Pani Bongrain opuściła żaluzje, żeby było ciemno, a ja pomogłem Kalasantemu ustawić przed ekranem krzesła. Potem usiedliśmy wszyscy oprócz pana Bongrain, który stanął przy aparacie z pudełkami pełnymi zdjęć. Zgaszono światło, no i się zaczęło.

Na pierwszym zdjęciu, które zobaczyliśmy, bardzo kolorowym, widać było samochód pana Bongrain i połowę pani Bongrain.

– To pierwsze zdjęcie – powiedział pan Bongrain – które zrobiłem w dniu wyjazdu. Jest źle wykadrowane, bo byłem ciut zdenerwowany. Ale może nie będziemy o tym mówić.

– Przeciwnie, pomówmy o tym – powiedziała pani Bongrain.

– Długo będę pamiętać ten wyjazd! Gdybyście widzieli Hektora! Był w takim stanie, że na wszystkich krzyczał. Szczególnie uwziął się na Kalasantego, pod pretekstem, że nas opóźnia!

– Przyznasz jednak – powiedział pan Bongrain – że ten idiota, twój syn, zawieruszył gdzieś tenisówki i że to przez niego mogliśmy nie dojechać do Perpignan na nocleg, jak było zaplanowane!

– Faktem jest – powiedziała pani Bongrain – że kiedy znów patrzę na to zdjęcie, myślę o naszym wyjeździe... To było niesamowite! Wyobraźcie sobie, że...

– Nie, daj mi opowiedzieć! – krzyknął pan Bongrain, śmiejąc się.

I opowiedział nam, że z płaczącym Kalasantym i niezadowoloną panią Bongrain w samochodzie ruszył szybko, nie patrząc, czy ulicą coś jedzie. A z prawej strony jechała ciężarówka i pan Bongrain ledwie zdążył zahamować, ale i tak prawy błotnik został wgnieciony.

– Kierowca ciężarówki tak mi wymyślał – powiedział pan Bongrain, ocierając oczy – że wszyscy sąsiedzi wyszli z domów zobaczyć, co się dzieje!

Kiedy skończyliśmy się śmiać, pan Bongrain pokazał nam zdjęcie restauracji.

– Widzicie tę restaurację? – zapytał. – Nigdy tam nie idźcie! Jest beznadziejna! A ceny ma bardzo słone!...

– Wyobraźcie sobie – wyjaśniła pani Bongrain – że kurczak był niedopieczony! I do tego twardy! Pierwszy posiłek w podróży... nie mogliśmy gorzej trafić! Groza!

Potem zobaczyliśmy jakąś chmurę.

– To jest mój portret – powiedział pan Bongrain – zrobiony przez Kalasantego! A mówiłem mu wcześniej, żeby nie ruszał aparatem!

– Krzyknąłeś na niego – powiedziała pani Bongrain – akurat, kiedy naciskał migawkę. Więc nic dziwnego, że aż cały podskoczył!

– Masz pojęcie? – powiedział pan Bongrain do taty. – Jechaliśmy dalej z Kalasantym, który ryczał jak bóbr, i Klarą, która mi miała za złe... Ach! Długo to będę pamiętał!

A potem zobaczyliśmy duże zdjęcie z roześmianą twarzą Kalasantego.

– To zdjęcie zrobiłam ja – wyjaśniła pani Bongrain – kiedy Hektor reperował koło. Po tym, jak pierwszy raz złapaliśmy gumę.

Pan Bongrain pokazał zdjęcie, na którym widać było hotel. Podobno to hotel w Perpignan, którego trzeba unikać, bo jest do niczego. Pan Bongrain chciał zatrzymać się w innym, ale przez panią Bongrain, Kalasantego i przebite opony przyjechali za późno i wszystkie dobre hotele w Perpignan były już pełne.

A potem zobaczyliśmy drogę pełną dziur.

– To, stary – powiedział pan Bongrain do taty – to jest hiszpańska droga. Naprawdę niesłychane: skarżymy się na nasze, ale kiedy pojedziemy do nich, widzimy, że u nas wcale nie jest tak źle. Najlepsze, że jak im to powiesz, są niezadowoleni! A ja aż trzy razy złapałem u nich gumę!

Zobaczyliśmy następne zdjęcie ze śmiejącym się Kalasantym.

Potem ekran zrobił się cały niebieski i pan Bongrain wyjaśnił nam, że to hiszpańskie niebo, że było takie przez cały czas, bez jednej chmurki, i że to było fantastyczne.

– Wystarczy, że znów popatrzę na twoje fantastyczne niebo – powiedziała pani Bongrain – i od razu chce mi się pić. Był wprost nieludzki upał!... W samochodzie człowiek czuł się jak w piecu!

– Myślę – powiedział pan Bongrain – że lepiej nie wspominać o tym epizodzie. Niech to zostanie między nami.

I pan Bongrain wyjaśnił nam, że pani Bongrain i syn pani Bongrain zachowywali się okropnie, bo wciąż chcieli się zatrzymywać, żeby się czegoś napić, a średnia tak od tego spadała, że gdyby ich słuchał, to do dziś siedzieliby w Hiszpanii.

– Tak! – powiedziała pani Bongrain. – I co ci przyszło z tego pośpiechu? Dwa kilometry po tym, jak zrobiliśmy to zdjęcie, popsuł się nam samochód i do wieczora czekaliśmy na mechanika!

I pan Bongrain pokazał nam zdjęcie śmiejącego się mechanika.

Potem obejrzeliśmy mnóstwo zdjęć z plażą, na którą lepiej nie chodzić, bo jest tam za duży tłok, i na której pan Bongrain tak się spiekł, że trzeba było wzywać lekarza, zdjęcie roześmianego lekarza, inne z restauracją, gdzie pani Bongrain się rozchorowała z powodu oliwy i jeszcze inne z mnóstwem samochodów na drodze.

– Powrót był straszny! – powiedział pan Bongrain. – Widzicie te samochody? No więc tak było aż do samej granicy! Rezultat: kiedyśmy dojechali do Perpignan, zostały nam już tylko najgorsze hotele! A wszystko przez tego małego kretyna! Ja chciałem wyjechać wcześniej, żeby uniknąć korków, ale...

– To nie była moja wina! – powiedział Kalasanty.

– Nie będziesz znowu zaczynał, Kalasanty! – krzyknął pan Bongrain. – Chcesz, żebym odesłał cię do pokoju przy twoim koledze Mikołaju? Tak jak w Alicante?

– Robi się późno – powiedziała mama. – Jutro jest szkoła, musimy zbierać się do wyjścia.

Kiedy pan Bongrain odprowadzał nas do drzwi, zapytał tatę, czy nigdy nie przywozi zdjęć z wakacji. Tata odpowiedział, że nie, nigdy o tym nie myślał.

– Szkoda – powiedziała pani Bongrain. – Przypominają takie cudowne chwile!

Krzyżówka

LUBIĘ BYĆ W DOMU z rodzicami w niedzielę, kiedy pada deszcz, pod warunkiem że mam coś ciekawego do roboty – inaczej się nudzę, jestem nieznośny i zaraz robią się draki.

Siedzieliśmy w salonie. Na dworze lało jak z cebra, tata czytał książkę, mama szyła, zegar tykał „tik-tak", a ja oglądałem ilustrowane pismo pełne fantastycznych historii o bandytach, kowbojach, lotnikach i piratach – super! Kiedy skończyłem je oglądać, spytałem:

– A teraz co mam robić?

A ponieważ nikt mi nie odpowiedział, powtórzyłem:

– To co mam robić, co? Co mam robić? Co mam robić?

– Dosyć, Mikołaj! – powiedziała mama.

Więc powiedziałem, że to niesprawiedliwe, że nie mam nic do roboty, że się nudzę, że nikt mnie nie kocha, że ucieknę z domu i będą mnie żałowali, i mocno tupnąłem w dywan.

– O, nie, Mikołaj! – krzyknął tata. – Znowu zaczynasz? Poczytaj sobie swoje pismo i daj nam spokój!

– Kiedy już je przeczytałem – powiedziałem.

– To teraz poczytaj inne – powiedział tata.

– Nie mogę – wyjaśniłem. – Wymieniłem z Joachimem moje stare pisma na kulki.

– No to pograj w kulki. – powiedział tata. – W swoim pokoju.

– Kulki wygrał ode mnie ten wstrętny oszust Maksencjusz – powiedziałem. – W szkole.

Tata przejechał sobie ręką po twarzy, a potem zobaczył moje pismo, które leżało otwarte na dywanie.

– Przecież – ucieszył się tata – w twojej gazecie jest krzyżówka! Bardzo dobrze! Zajmij się rozwiązywaniem krzyżówki, to zabawne i bardzo kształcące.

– Nie umiem rozwiązywać krzyżówek – powiedziałem.

– To powinieneś się nauczyć – odpowiedział tata. – Zresztą pomogę ci. To bardzo łatwe: czytasz definicję, liczysz, ile jest białych kratek, i wpisujesz odpowiedni wyraz. Idź i przynieś ołówek.

Więc wybiegłem z salonu, a kiedy wróciłem, tata mówił właśnie do mamy:

– Czego to człowiek by nie zrobił, żeby tylko mieć spokój!

I oboje się śmiali.

Więc ja też zacząłem się śmiać. Jak siedzimy wszyscy troje w domu w niedzielę i pada deszcz, fajne jest, że się fantastycznie zgadzamy. Kiedy przestaliśmy się śmiać, położyłem się na dywanie naprzeciw taty i zacząłem rozwiązywać krzyżówkę.

– Cesarz Francuzów – przeczytałem – pokonany pod Waterloo, na osiem kratek.

– Napoleon – powiedział tata z szerokim uśmiechem.

– Stolica Francji – powiedziałem – na pięć kratek.

– Paryż – powiedział tata.

I roześmiał się. Fajnie jest tak wszystko wiedzieć! Szkoda tylko, że ta wiedza do niczego się tacie nie przydaje, no bo tata nie chodzi już do szkoły. Bo gdyby chodził, to on byłby najlepszym uczniem w klasie, a nie ten wstrętny pupilek Ananiasz, i byłoby naprawdę super. Poza tym, gdyby tata był ze mną w klasie, pani nigdy nie odważyłaby się mnie ukarać.

– Zwierzę domowe – powiedziałem. – Ma pazury i miauczy, na trzy kratki.

– Kot – powiedział tata, który odłożył książkę na kolana i widać było, że bawi się tak samo jak ja.

Mój tata jest niesamowity!

– Bylina z rodziny jaskrowatych, na osiem kratek – powiedziałem.

Tata nie odpowiedział od razu. Podrapał się po głowie, myślał chwilę, a potem powiedział, że ma to na końcu języka i na pewno mu się przypomni, i żebym mu podał definicję następnego słowa.

– Rodzina roślin dwuliściennych, na piętnaście kratek – przeczytałem.

Tata znowu wziął książkę i powiedział:

– Dobrze, Mikołaj, teraz pobaw się trochę sam. Daj mi w spokoju poczytać książkę.

Więc powiedziałem, że nie chcę się bawić sam, ale tata zaczął krzyczeć, że on chce mieć w domu spokój i jeśli nie chcę zostać ukarany, to lepiej niech siedzę cicho, i że nigdy nie zdobędę wykształcenia, jeśli inni będą rozwiązywać za mnie krzyżówki. Tata wyglądał na bardzo wkurzonego i lepiej było się nie wygłupiać, szczególnie przed podwieczorkiem, bo mama upiekła niesamowity placek z jabłkami..

Więc dalej sam rozwiązywałem krzyżówkę. Z początku dobrze mi szło, bo słowa były łatwe: południowoafrykańska antylopa na trzy kratki to oczywiście „cap", „mały statek" to „łódź" – głupio tylko, że pomylili się, układając krzyżówkę i dali więcej kratek. Napisałem to bardzo rozwlekle i pasowało. Wiedziałem, że mała rzeka to „strumień", ale ponieważ były na to cztery

kratki, zmieściło się tylko „stru", no trudno. A potem znowu zaczęły się trudne słowa i musiałem zapytać taty:

– Zwierzę, którego brązowoczarne futro jest bardzo cenione, na pięć kratek?

Tata położył nagle książkę na kolanach i spojrzał na mnie groźnie.

– Mikołaj – powiedział tata – mówiłem ci już...

– Soból – powiedziała mama.

Tata nie dokończył. Z otwartymi ustami odwrócił się w stronę mamy, która szyła. A potem zamknął usta i zrobił niezadowoloną minę.

– Myślę – powiedział do mamy – że powinniśmy stosować jednolite metody wychowawcze wobec małego.

– O co ci chodzi? – spytała mama, bardzo zdziwiona. – Co ja takiego zrobiłam?

– Wydaje mi się – powiedział tata – że byłoby lepiej, gdyby mały rozwiązywał swoją krzyżówkę samodzielnie. To wszystko.

– A mnie – powiedziała mama – wydaje się, że traktujesz tę krzyżówkę strasznie serio! Ja mu tylko pomogłam, nie widzę w tym nic złego!

– To – powiedział tata – że przypadkiem znasz nazwę zwierzęcia, z którego się robi futra, to jeszcze nie powód, żeby...

– Faktycznie to tylko przypadek, że znam nazwę sobola – powiedziała mama, śmiejąc się, jak wtedy, kiedy jest zła. – Od czasu ślubu nie kupiłeś mi ani jednego futra, więc trudno, żebym się na nich znała.

Wtedy tata wstał i powiedział, że brawo! – to ma być wdzięczność za to, że on ciężko pracuje i wypruwa z siebie żyły, żeby nam niczego nie brakowało, a w zamian nie ma nawet prawa do chwili spokoju w domu. Mama powiedziała, że jej mama miała rację, i odesłali mnie kończyć krzyżówkę w pokoju.

Ledwo skończyłem zamalowywać na czarno białe kratki, których było w krzyżówce za dużo, mama zawołała mnie na podwieczorek.

Przy stole nikt się nie odzywał, a kiedy chciałem coś powiedzieć, mama kazała mi jeść i być cicho. Szkoda, chętnie bym im pokazał rozwiązaną krzyżówkę.

Bo rzeczywiście krzyżówki są bardzo kształcące! Na przykład czy byście wpadli na to, że „zmplf" to rozpowszechniony w naszych okolicach ssak, który przeżuwa i daje nam mleko?

rodzina roślin dwuliściennych na piętnaście kratek?

Znaki

Rufus nam powiedział, że widział się ze swoim kuzynem Nikazym, tym, co jest harcerzem, i że Nikazy pokazał mu niesamowite gry, których harcerze nauczyli się od Indian.

– Indianie przyjeżdżają uczyć harcerzy gier? – spytał Gotfryd.

– Tak, mój drogi – powiedział Rufus. – I innych strasznie pożytecznych rzeczy, na przykład jak rozniecać ogień, pocierając o siebie kamienie albo kawałki drewna, a przede wszystkim jak chodzić po znakach, żeby uwolnić jeńców.

– Co to znaczy chodzić po znakach? – spytał Kleofas.

– No więc – wyjaśnił Rufus – Indianie robili znaki z kamieni, gałązek albo piór i w ten sposób wytyczali drogę dla innych, którzy szli po tych znakach. Byłoby super, gdybyśmy w naszej paczce potrafili to robić. Wtedy, jak będziemy walczyć z wrogami, ten, którego wezmą do niewoli jako jeńca, zostawiałby za sobą znaki dla kolegów, koledzy by niepostrzeżenie przybywali i bum! uwalnialiby uwięzionego kumpla.

Wszyscy się z nim zgodziliśmy, bo bardzo lubimy pożyteczne zabawy. Więc Rufus zaproponował, żebyśmy spotkali się jutro, w czwartek, na skwerze w naszej dzielnicy.

– Dlaczego nie na placu? – spytał Joachim. – Na placu mamy więcej spokoju.

– Plac jest za mały – powiedział Rufus i jeńca od razu się odnajdzie. A zresztą widziałeś kiedyś Indian, jak chodzą po znakach na placu?

– A ty ich widziałeś, jak chodzą po znakach na skwerze? – spytał Joachim.

– Dobra – powiedział Rufus. – Ci, którzy chcą nauczyć się chodzić po znakach jak Indianie, przyjdą jutro po obiedzie na skwer, a reszta niech robi, co chce.

W czwartek po obiedzie byliśmy wszyscy na skwerze. W naszej dzielnicy jest niesamowity skwer z sadzawką, paniami, które robią na drutach i rozmawiają, wózkami dziecięcymi, trawą, drzewami i strażnikiem, który ma pałkę i gwizdek, i który nie pozwala chodzić po trawie i włazić na drzewa.

– Zostawię dla was znaki – powiedział Rufus – a potem pójdę się schować, bo to ja będę jeńcem, którego nieprzyjaciele wzięli do niewoli. A potem wy pójdziecie po znakach i uwolnicie mnie.

– A znaki jak rozpoznamy? – spytał Maksencjusz.

– Wezmę kamyki z alejki i poukładam z nich kupki. Wy będziecie iść po tych znakach. Ale uwaga! Nieprzyjaciel nie może was zobaczyć, więc musicie się czołgać, tak jak Indianie.

– O nie – powiedział Alcest. – Ja się nie czołgam. Nie chcę pobrudzić sobie kanapki.

– Musisz się czołgać – powiedział Rufus. – Inaczej nieprzyjaciel cię zobaczy.

– Trudno – powiedział Alcest. – Nikt mu nie każe patrzeć. A ja nie idę na to, żeby się czołgać.

– Jeżeli nie chcesz się czołgać, to nie jesteś Indianinem i nie należysz do paczki! – krzyknął Rufus.

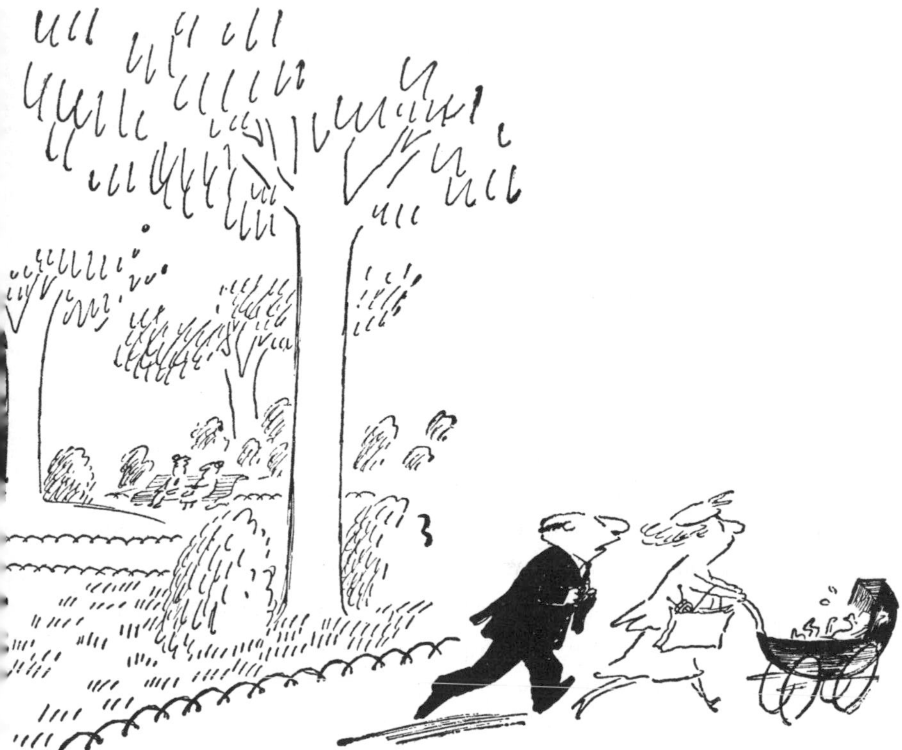

Alcest pokazał mu język, na którym było pełno okruchów, i chcieli się zacząć bić. Ale powiedziałem, że szkoda tracić czas i że zrobimy tak, jakby Alcest się czołgał i jakby nieprzyjaciel go nie widział. I wszyscy się zgodzili.

– Dobra – powiedział Rufus. – Odwróćcie się i nie patrzcie, jak będę przygotowywał znaki.

Odwróciliśmy się i Rufus sobie poszedł.

– Potrzebny nam wódz – powiedział Gotfryd. – Proponuję, żebym to był ja.

– A dlaczego, jeśli można wiedzieć – zapytał Euzebiusz. – Za każdym razem to samo: zawsze ten pajac chce być wodzem. Nie, mój drogi! Nie ma tak dobrze! .

– Ja jestem pajac? – spytał Gotfryd.

Ale powiedziałem, że nie ma sensu się o to bić. I że u Indiam wodzem jest ten, kto jest najstarszy.

– A skąd to wiesz, idioto? – spytał mnie Gotfryd.

– Wiem to z książki, którą dostałem od cioci Donaty – powiedziałem. – I powtórz tylko, że jestem idiota!

– Najstarszy to ja – powiedział Kleofas.

I to prawda, że Kleofas jest najstarszy z całej klasy. To dlatego, że kiedy był mały, powtarzał w żłobku rok. Strasznie nas rozśmieszyło, że Kleofas miałby być wodzem, więc postanowiliśmy, że wódz został w obozie, a my jesteśmy najlepszymi wojownikami, których wysłał, żeby uwolnić jeńca.

– Tak, ty jesteś pajac! – powiedział Euzebiusz do Gotfryda.

No i zaczęli się bić, a my stanęliśmy dookoła. A potem usłyszeliśmy dwa gwizdki i nadbiegł strażnik, wymachując pałką.

– Przestańcie! – krzyknął. – Obserwuję was, odkąd weszliście na skwer! Jeśli będziecie się zachowywać jak dzikusy, zaraz was wszystkich wyrzucę! Zrozumiano?

– Nie można już spokojnie posiedzieć sobie na skwerze – powiedziała jakaś pani. – Swoim gwizdaniem obudził mi pan dziecko! Złożę skargę!

I pani, która siedziała na ławce blisko nas, zwinęła robótkę, wstała i zaczęła pchać przed sobą wózek z niemowlakiem, który strasznie krzyczał. Strażnik zrobił się cały czerwony, podszedł do pani, mówił jej coś, pokazując na nas pałką, pani z powrotem usiadła, potrząsnęła wózkiem mnóstwo razy, niemowlak się darł, a potem nagle przestał.

– Znaki gotowe! – powiedział Rufus, który wrócił ze strasznie brudnymi rękami.

– Jakie znaki? – spytał Kleofas.

– No znaki, ty idioto! – powiedział Rufus. – Więc teraz nie patrzycie, liczycie do stu, a ja pójdę się schować.

I Rufus znowu sobie poszedł, my liczyliśmy, a kiedyśmy się odwrócili, Rufusa nigdzie nie było. Więc położyliśmy się na ziemi i zaczęliśmy się czołgać, żeby odnaleźć i uwolnić Rufusa, wszyscy oprócz Alcesta, który udawał, jedząc drożdżówkę. Nie zdążyliśmy nawet znaleźć pierwszego znaku, kiedy wrócił strażnik.

– Co was napadło, żeby wycierać się po ziemi? – spytał strażnik, mrużąc jedno oko.

– Czołgamy się, bo chcemy uwolnić kolegę, a nieprzyjaciel nie może nas zobaczyć – wyjaśnił mu Alcest.

– Tak – powiedział Euzebiusz. – Idziemy po znakach, jak Indianie.

Czołgaliśmy się wszyscy dookoła strażnika, żeby mu wytłumaczyć, a potem usłyszeliśmy głośny gwizd.

– To skandal! – krzyknęła pani. Złożę skargę! Znam pewnego posła!

I poszła sobie z wózkiem i niemowlakiem, który robił straszny raban, a strażnik pobiegł za nią.

A potem przyszedł Rufus, wściekły jak nie wiem co. – To jak? – krzyknął. – Idziecie po znakach, czy nie? Wy tutaj sobie gadacie, a ja na was czekam! Zamknijcie oczy, policzcie do stu i szukajcie mnie! No bo co w końcu, kurczę blade!

Leżeliśmy na ziemi z zamkniętymi oczami i odliczaliśmy, a potem usłyszeliśmy głos strażnika, który krzyczał:

– Czy wyście wszyscy powariowali? Przestańcie mamrotać, otwórzcie oczy i wstańcie, kiedy do was mówię! A po pierwsze, to gdzie jest ten łobuziak, który ma gwizdek?

– Jest jeńcem – powiedział Maksencjusz. – Właśnie go szukamy. Ale mamy znaki i na pewno go odnajdziemy.

– Wynocha stąd! – krzyknął strażnik. – Wszyscy wynocha! Idźcie się bawić gdzie indziej! Nie chcę was więcej widzieć! Zjeżdżajcie, bo wsadzę was do więzienia!

Więc wstaliśmy wszyscy oprócz Alcesta, który już stał, i biegiem zwialiśmy ze skweru. Joachim zaproponował, żebyśmy poszli na plac, i tam puszką od konserw rozegraliśmy niesamowity mecz.

Co do Rufusa, który schował się na drzewie na skwerze, to najpierw odnalazł go strażnik, a potem uwolnił go ojciec.

Łono natury

BYLIŚMY Z ALCESTEM W OGRODZIE i właśnie się bawiliśmy. Alcest to mój kolega, ten, co jest strasznie gruby i lubi bez przerwy jeść. Bawiliśmy się w ścinanie trawy. Tata, który jest bardzo miły, pożyczył nam kosiarkę i obiecał nawet, że da nam cukierki, jeśli trawnik będzie dobrze ostrzyżony. Myśl o cukierkach bardzo nam dodawała odwagi. Skończyliśmy już prawie trawnik, kiedy do ogrodu wszedł pan Blédurt, nasz sąsiad. Zapytał nas, co robimy, więc żeśmy my wyjaśnili. Widząc go, tata wstał z leżaka, na którym czytał gazetę.

– Ty leniu – powiedział pan Blédurt – wyręczasz się dziećmi, zamiast sam wziąć się do roboty?

Pan Blédurt bardzo lubi się z tatą przekomarzać.

– Pilnuj swojego nosa – odpowiedział tata, który nie lubi, jak pan Blédurt się z nim przekomarza.

I zaczęli ze sobą dyskutować. Pan Blédurt mówił, że w taką pogodę tata powinien zabrać nas na łono natury i pokazać nam cuda przyrody, a tata przez cały czas powtarzał, że pan Blédurt powinien pilnować swojego nosa i nie przeszkadzać nam pielęgnować naszego trawnika. Zaczęli się trochę popychać, jak zwykle. My w tym czasie skończyliśmy kosić trawnik i kawałek klombu z begoniami, z czego mama niezbyt się ucieszy.

– Tato – powiedziałem – czemu by nie pojechać na łono natury?

– No – powiedział Alcest – niech pan nam da cukierki, które jest nam pan winien, a potem jedźmy na to łono.

Tata spojrzał na pana Blédurt, uśmiechnął się miło i powiedział:

– Jak jesteś taki mądry, to sam zabierz dzieci na łono natury.

Pan Blédurt rzucił na nas okiem, przez chwilę jakby się wahał, a potem zdecydował:

– Doskonale, zabiorę je na łono natury, skoro ty nie jesteś w stanie tego zrobić!

Pan Blédurt poprosił, żeby poczekać na niego piętnaście minut, pójdzie tylko przygotować się do spaceru.

Kiedy wrócił, tata zaczął się głośno śmiać, nie mógł przestać i nawet dostał czkawki.

– No co? No co? – pytał pan Blédurt, który był niezadowolony.

Trzeba przyznać, że pan Blédurt wyglądał dziwnie. Ubrany był w spodnie takie jak do konnej jazdy, grube wełniane skarpety i ciężkie buty z gwoździami i hakami na podeszwach. Do pasa miał przytroczony duży nóż. Miał też kolorową koszulę, a na głowie śmieszny płócienny kapelusz.

Wyszliśmy, podczas gdy tata pił wodę bez oddychania, żeby się pozbyć czkawki. Pan Blédurt wsadził nas do swojego samochodu i wyjaśnił, że zawiezie nas do lasu, pokaże nam, co się robi, żeby nie zabłądzić, żeby wyśledzić tropy zwierząt, żeby rozpalić ogień i mnóstwo rzeczy w tym rodzaju.

Las jest niedaleko, więc żeśmy szybko dojechali.

– Chodźcie za mną i starajcie się nie zgubić – powiedział pan Blédurt.

A potem wysiedliśmy z samochodu i poszliśmy za panem Blédurt do lasu, tak jak nas o to prosił. Alcest wyjął z kieszeni dużą kanapkę i idąc, zaczął jeść.

– Żeby się nie zgubić – zaproponowałem – może zrobimy jak Tomcio Paluch? Rzucaj po drodze okruchy ze swojej kanapki...

– Rzucać okruchy z mojej kanapki? – odpowiedział mi Alcest. – Zwariowałeś?

Wchodziliśmy coraz dalej w las, pan Blédurt zaczepiał się o ciernie i nawet trochę rozdarł sobie bryczesy. Po jakimś czasie spytałem go, czy pokaże nam wreszcie te cuda przyrody. Wtedy pan Blédurt zaczął nam pokazywać, jak znaleźć drogę, robiąc nożem znaki na drzewach. Musiałem chustką do nosa zabandażować mu palec, bo zamiast w drzewo pan Blédurt trafił w niego nożem. Szliśmy dalej.

Alcestowi trochę się nudziło i spytał, czy nie można by robić czegoś bardziej pożytecznego, na przykład zbierać grzyby, które tak wspaniale smakują w omlecie. Pan Blédurt powiedział mu, że z grzybami trzeba być bardzo ostrożnym, że niektóre są bardzo niebezpieczne i mogą was otruć. Alcest zaczął zbierać grzyby, a żeby się przekonać, czy są trujące, znalazł sposób: próbował ich. Pan Blédurt poradził mu, żeby przestał, bo to nie jest dobra metoda.

A potem pan Blédurt zobaczył na ziemi ślady.

– Popatrzcie, dzieci – powiedział. To są tropy. Pokażę wam, jak rozpoznać zwierzę po śladach, jakie zostawia.

Pan Blédurt kucnął, żeby z bliska przyjrzeć się tropom i pękły mu bryczesy, które były już trochę rozdarte.

– Tak sobie myślę... Popatrzmy... – mówił pan Blédurt, przyglądając się tropom.

– Moim zdaniem – powiedział Alcest – to dzik, i to duży!

– Panie Blédurt – spytałem – to prawda, że dzik jak nic może zabić człowieka?

– Chodźmy stąd – powiedział pan Blédurt i szybko ruszył przed siebie.

– Idziecie za mną? – spytał, odwracając się, bo zostaliśmy trochę w tyle.

I chlup! wpadł do kałuży pełnej błota. Pomogłem mu wyjść

– Alcest się nie ruszył, bo właśnie jadł i nie chciał sobie brudzić rąk.

Trzeba przyznać, że biedny pan Blédurt nie wyglądał ładnie.

– Stąd już nie widać drogi – powiedziałem. – Moim zdaniem zabłądzimy.

– Spokojnie, spokojnie – powiedział pan Blédurt. – Można orientować się według położenia słońca. Chodźcie za mną!

Szliśmy jeszcze długo za panem Blédurt, który zadzierał głowę, żeby między drzewami zobaczyć słońce i nagle stwierdziliśmy, że krążymy w kółko, bo pan Blédurt wpadł w tę samą kałużę błota. Kiedy pan Blédurt gramolił się z kałuży, odwróciłem się i zobaczyłem, że Alcesta nie ma.

– Alcest! Alcest! – krzyknąłem.

A potem:

– Ratunku! Zabłądziliśmy!

Wtedy pan Blédurt powiedział, że nie ma co krzyczeć, że trzeba zachować spokój i że on nas z tego wyciągnie. Powiedziałem mu, że ma rację i właściwie tak bardzo się nie boję, chociaż zabłądziłem w lesie pełnym dzików. Wtedy pan Blédurt zaczął krzyczeć razem ze mną:

– Ratunku! Zabłądziliśmy!

Bawiliśmy się fajnie, ale nikt nie przyszedł. Pan Blédurt oznajmił, że rozpali ogień, żeby się wysuszyć i przyciągnąć uwagę ludzi. Ale zapałki pana Blédurt przemokły i nie chciały się zapalić

– Trzeba rozpalić ogień, żeby wysuszyć pana zapałki – powiedziałem.

Pan Blédurt spojrzał na mnie dziwnie i stwierdził, że jestem taki sam jak ojciec. A potem powiedział, że człowiek, który zna przyrodę, może rozpalić ogień bez użycia zapałek. Pan Blédurt zaczął pocierać o siebie dwa kawałki drewna, ja przyglądałem się temu przez jakiś czas, a potem postanowiłem, że poszukam Alcesta.

Pan Blédurt nawet nie zauważył, że odszedłem, tak bardzo był zajęty pocieraniem o siebie swoich kawałków drewna. Szedłem przez las, a potem, niedaleko, usłyszałem, że ktoś coś przeżuwa.

– Alcest! – krzyknąłem!

Znalazłem Alcesta, który siedział pod drzewem i jadł grzyby. Alcest ucieszył się, że mnie widzi, powiedział, że dość już ma tych cudów przyrody i chce wracać do domu na kolację, bo, szczerze mówiąc, surowe grzyby to nie to, co potrawka. Ja też czułem się już trochę zmęczony, więc wyszliśmy z lasu.

Dopiero na drodze, kiedyśmy przechodzili koło samochodu, pomyślałem o panu Blédurt. Spytałem Alcesta, czy nie uważa, że należało by po niego wrócić. Ale Alcest powiedział, że nie trzeba przeszkadzać panu Blédurt, skoro tak lubi przebywać na łonie natury.

Wróciliśmy do domu na piechotę i nie zajęło nam to dużo czasu. Zdążyłem akurat na kolację, chwilę przedtem, zanim się na dobre rozpadało.

Po kolacji zadzwonił telefon i tata poszedł odebrać. Wrócił, śmiejąc się, ledwo mógł mówić.

– Dzwonią z komisariatu – powiedział tata. – Proszą, żebym przyszedł zidentyfikować osobnika, który utrzymuje, że mnie zna. Mówi, że nazywa się Blédurt, a policjanci znaleźli go w lesie, kiedy w deszczu próbował rozpalić ogień. Twierdzi, że chciał odstraszyć dziki.

Musiałem szybko biec po szklankę wody. Tata znów dostał czkawki.

Zostaję sam w domu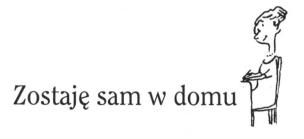

W SOBOTĘ PO POŁUDNIU, kiedy wróciłem ze szkoły, rodzice zawołali mnie do salonu. Wyglądali tak, jakby mieli jakiś problem.

– Mikołaj – powiedział tata. – Dziś wieczorem idziemy na kolację do państwa Tartineau.

– Juhu! – krzyknąłem.

Bo ja bardzo lubię chodzić gdzieś na kolację, a państwo Tartineau są okropnie fajni. Raz byliśmy u nich na podwieczorku, były ciastka, a pan Tartineau pożyczył mi książki z niesamowitymi obrazkami.

– Tylko że – powiedziała mama – ty z nami nie idziesz, Mikołaj. Strasznie byś się wynudził, nie będzie tam żadnych dzieci, tylko sami dorośli.

– O nie! O nie! – krzyknąłem. – Idę z wami!

– Słuchaj, Mikołaj – powiedział tata – mama ci już tłumaczyła: nie bawiłbyś się dobrze u państwa Tartineau.

– Właśnie, że będę się bawił! – odpowiedziałem. – Pooglądam sobie książki z obrazkami.

– Książki z obrazkami? – spytał tata. – Jakie książki z obrazkami?... A zresztą nie masz co dyskutować, Mikołaj. Ta kolacja nie jest dla dzieci, koniec, kropka!

Wtedy się rozpłakałem, powiedziałem, że to niesprawiedliwe, że wieczorem nigdy nigdzie nie chodzę, że mam tego dość i że jak nie pójdę na kolację do państwa Tartineau, to nikt nie pójdzie. Bo rzeczywiście nie lubię, jak rodzice chodzą gdzieś beze mnie!

– Dość tego! – krzyknął tata. – Masz się natychmiast uspokoić!

– Zastanawiam się – powiedziała mama – czy...

– Nie, nie i jeszcze raz nie! – krzyknął tata. – Wszystko postanowione i nie będziemy do tego wracać. Pójdziemy na kolację do państwa Tartineau, a Mikołaj zostanie w domu, jak duży chłopiec, którym jest!

– Jeżeli jestem dużym chłopcem, to mogę iść na kolację do państwa Tartineau – powiedziałem.

Tata wstał z fotela, klasnął w ręce i spojrzał w sufit, wydmuchując powietrze nosem.

– Wiesz, Mikołaj – powiedziała mama – tatuś ma rację. Jesteś dość duży, żeby zostać w domu sam.

– Jak to, sam? – zapytałem.

– Tak, kochanie – odpowiedziała mama. – Nie znaleźliśmy nikogo, kto by mógł popilnować cię dziś wieczorem. Ale jesteśmy pewni, że nasz Mikołaj jest mężczyzną i że nie będzie się bał.

Zwykle, kiedy rodzice wychodzą gdzieś wieczorem, zawsze jest ktoś, kto przychodzi mnie pilnować, a czasem zawożą mnie do cioci Donaty. To był pierwszy raz, kiedy miałem zostać w domu sam, w nocy, jak dorosły.

– No, no – powiedział tata – nie ma z czego robić dramatu. Mikołaj musi przyzwyczajać się, że nie jest już małym dzidziusiem. Jestem pewien, że jego koledzy zostają sami w domu i nic złego się nie dzieje. Prawda, Mikołaj?

– No – przyznałem. – Kleofas czasem zostaje sam. I rodzice pozwalają mu oglądać telewizję.

– No widzisz? – powiedział tata.

– Ale ja nie mam telewizji – powiedziałem.

– Oczywiście – zgodził się tata. – Tylko nie bardzo widzę, jak mógłbym do wieczora kupić telewizor.

– Dlaczego nie? – spytałem. – Byłoby ekstra, jakbyśmy mieli telewizor. Nie bałbym się zostawać w nocy sam w domu, gdybym miał telewizor. Kleofas ma telewizor.

– Mikołaj – powiedział tata – o telewizorze porozmawiamy kiedy indziej, dobrze?

– Mógłbym iść na telewizję do Kleofasa – oświadczyłem.

– Zastanawiam się – powiedziała mama – czy to nie byłoby rozwiązanie. Możemy zadzwonić do...

– Wykluczone! – krzyknął tata. – Mikołaj zostanie sam, nie ma żadnego niebezpieczeństwa. Musi nauczyć się zachowywać jak mężczyzna.

Byłem strasznie dumny, że jestem mężczyzną. A w poniedziałek opowiem chłopakom masę rzeczy!

– A poza tym, wiesz co, Mikołaj – powiedziała mama – jeżeli będziesz grzeczny, jutro zabierzemy cię do kina!

– W naszym kinie grają fantastyczny film kowbojski – powiedział tata.

– Kolację zjesz sam, w kuchni – powiedziała mama – położę ci nakrycie jak dla gości, z ładnymi talerzami, i zrobię – no, zgadnij co?... frytki! A na deser jest tort czekoladowy, tak, proszę pana!

– I będziesz mógł porysować sobie w łóżku! – powiedział tata.

– Kredkami? – spytałem.

– Kredkami! – odpowiedział tata ze śmiechem.

Więc wytarłem nos, roześmiałem się, mama się też roześmiała, pocałowała mnie, powiedziała, że jest dumna ze swojego dużego syna, tata pogładził mnie po głowie, powiedział, że nie może doczekać się jutra, żeby iść na ten film kowbojski, i że nie zdziwi się, jeśli na przerwie zafundujemy sobie lody.

Potem było strasznie fajnie, bawiłem się w pokoju – tata nie mówił, że mam odrabiać lekcje, jak w inne wieczory – a potem mama przyszła powiedzieć, żebym się wykąpał i włożył piżamę, bo zaraz będzie kolacja.

Zszedłem na kolację, bardzo lubię jeść w kuchni – zawsze to jakaś odmiana – były frytki i befsztyk, a do picia mama dała mi, no zgadnijcie co? Lemoniadę! Tort czekoladowy był niesamowity i mogłem dokładać sobie dwa razy.

Potem rodzice przebierali się do wyjścia, a ja bawiłem się w salonie, i przyszła mama, strasznie śliczna, w niebieskiej sukience, którą wkłada, kiedy do kogoś idzie, i powiedziała, że czas iść lulu-spać.

– Jeszcze nie – powiedziałem.

– Mikołaj, bez dyskusji! – krzyknął tata, który wszedł w garniturze w prążki i sztywnej koszuli. – Nie mamy czasu, a ty obiecałeś, że zachowasz się jak duży chłopiec.

– Oczywiście – powiedziała mama. – Nie trzeba na niego krzyczeć. Mikołaj sam pójdzie się położyć. Prawda, Mikołaj?

Więc poszedłem się położyć, rodzice poszli za mną, a kiedy już byłem w łóżku, tata dał mi papier, a mama przyniosła kredki.

– Dobrze, Mikołaj – powiedział tata – tu napisałem ci telefon państwa Tartineau, żebyś mógł do nas zadzwonić, gdyby coś się działo.

– Nie wstawaj i nie baw się gazem ani elektrycznością – przykazała mama.

– I nie odkręcaj kranów – dodał tata.

– A gdyby był dzwonek do drzwi, spytaj, kto to, zanim otworzysz – powiedziała mama.

– I nie bój się – powiedział tata. – Nie ma powodu się bać.

– I szybko zasypiaj – powiedziała mama. – Nie rysuj za długo.

– Życzę ci pięknych snów – uśmiechnął się tata.

– Och, słuchaj – powiedziała mama do taty – naprawdę nie wiem, czy...

– Dobrze, dobrze, dobrze! – powiedział tata do mamy. – Jesteśmy już spóźnieni, musimy wychodzić.

Rodzice mnie pocałowali, mama przed wyjściem z pokoju odwróciła się, żeby na mnie popatrzyć, tata wziął ją za ramię, a potem usłyszałem, jak na dole zamykają za sobą drzwi.

Narysowałem mnóstwo żaglówek, a potem zachciało mi się spać, więc położyłem papier i kredki na stoliku przy łóżku, zgasiłem światło, zamknąłem oczy i byłem na wielkim żaglowcu, a pan Tartineau mnie rozśmieszał, bo machał wielkim dzwonkiem, a potem podszedł do mnie z ogromną książką z obrazkami i zaczął mną potrząsać. A kiedy otworzyłem oczy, w pokoju paliło się światło i tuż nad sobą zobaczyłem wystraszoną twarz mamy.

– Mikołaj! Mikołaj! Obudź się! – krzyczała mama. – O, mój Boże, nic mu nie jest!

Tata, który stał za mamą, otarł ręką twarz, i zapytał:

– Ale, powiedz, kurczaczku, nie słyszałeś, jak dzwoni telefon?

– No, nie – odpowiedziałem.

– Dzwoniłam, żeby dowiedzieć się, czy wszystko w porządku – wyjaśniła mama – ale nikt nie odbierał.

– Widzisz? – powiedział tata do mamy. – Mówiłem ci, że na pewno smacznie śpi! I pomyśleć, że nawet nie skończyliśmy kolacji! Straszna z ciebie panikara!

– Też byłeś zaniepokojony – powiedziała mama.

– Panika się udziela – stwierdził tata. – Dobrze, zadzwonię do Tartineau przeprosić i powiedzieć, że wszystko w porządku...

A ponieważ nie miałem deseru, zjadłbym kawałek tego tortu czekoladowego.

Więc poszliśmy wszyscy do kuchni, tata, mama i ja. Zjedliśmy resztę tortu. Mama zrobiła kawę, a ja dostałem kubek mleka.

Potem tata zapalił papierosa, roześmiał się, potargał mi włosy i powiedział:

– Wiesz, Mikołaj, właściwie to zdaje mi się, że nie jesteśmy jeszcze dosyć duzi, żeby zostawiać cię samego!

Podróż Gotfryda

T EN GOTFRYD TO MA NIESAMOWITE SZCZĘŚCIE!
Nie było go dwa dni, bo rodzice zabrali go na wesele kuzynki,
która mieszka bardzo daleko. A dziś rano przyszedł do szkoły
i powiedział:

– E, chłopaki! Leciałem samolotem!

I wyjaśnił nam, że po weselu jego ojciec musiał szybko wracać i zamiast jechać pociągiem, polecieli samolotem.

Ma szczęście, bo z naszej paczki jeszcze nikt nie leciał samolotem, nawet Euzebiusz, Rufus i ja, którzy zostaniemy lotnika-
mi, jak będziemy duzi. Gotfryd to dobry kumpel, a my nie jesteśmy zazdrośni, ale to niesprawiedliwe, że to zawsze jemu się
udaje! Stanęliśmy wokół niego, żeby posłuchać, co nam opowie.
Był nawet Ananiasz, który jest pupilkiem naszej pani i zwykle
powtarza lekcje, szczególnie, jak ma być dyktando. Gotryd był
strasznie dumny, idiota.

– Nie bałeś się? – spytał Ananiasz.

– A czego miałby się bać? – zdziwił się Rufus. – Nie ma żadnego niebezpieczeństwa.

– Jasne – powiedział Euzebiusz. – Samolotem podróżuje się
tak samo jak autobusem.

– Co ty, chory? – spytał Gotfryd. – Nie rozśmieszaj mnie swoim autobusem. Samolot jest strasznie niebezpieczny.

– Niebezpieczne to są rakiety – powiedział Maksencjusz. – One są naprawdę niebezpieczne. Bo taka rakieta, buch! bez przerwy wybucha i nie możesz porównywać rakiety i samolotu. W porównaniu z rakietą samolot jest jak autobus.

– To prawda – przyznał Kleofas. – Rakiety są niebezpieczne. Widziałem w telewizji, jak wybuchają.

– A mój wujek – powiedział Joachim – poleciał samolotem spędzić wakacje na Korsyce!

– No to co? – krzyknął Gotfryd. – Co mnie to obchodzi? W każdym razie tylko ja z całej paczki leciałem samolotem!

– Co było do jedzenia na weselu kuzynki? – spytał Alcest.

– A w samolocie wszyscy się bali! – krzyknął Gotfryd. – Wszyscy oprócz mnie!

– Ciebie się bali! – powiedział Maksencjusz.

Roześmialiśmy się, bo to był dobry kawał.

– Dobra, dobra! – krzyknął Gotfryd. – Zazdrościcie mi i tyle! Zresztą się na tym nie znacie! Trzeba polecieć samolotem, żeby się znać! W samolocie mogą być straszne burze! A dupki nie latają samolotem! Dupki jeżdżą autobusem!

– No ale ty leciałeś samolotem! – krzyknął Rufus.

Zadzwonił dzwonek, a Gotfryd wrzasnął:

– Powtórz tylko, kto jest dupkiem!

– Ty! – krzyknął pan Mouchabière. – Tak, ty, Gotfrydzie. Napiszesz mi sto razy: „Nie powinienem krzyczeć, po tym jak zadzwonił dzwonek oznaczający koniec przerwy i początek lekcji". Zrozumiano? A teraz ustawcie się w pary!

Pan Mouchabière to opiekun, który pomaga Rosołowi, naszemu prawdziwemu opiekunowi, nas pilnować. Zwykle to pan

Mouchabière dzwoni po raz pierwszy rano na lekcje. Kiedy weszliśmy do klasy, pani powiedziała:

– O, Gotfryd! Wróciłeś. Dobrze się bawiłeś na weselu?

– Wróciłem samolotem – powiedział Gotfryd.

– Samolotem! – ucieszyła się pani. – Masz szczęście! Będziesz musiał nam o tym opowiedzieć. Dobrze ci się leciało?

– Tak, była okropna burza! – odpowiedział Gotfryd.

Euzebiusz się roześmiał, a wtedy Gotfryd strasznie się wkurzył, zaczął krzyczeć, że właśnie że tak, była okropna burza i samolot o mało nie spadł, że wszyscy oprócz niego się bali, i że zaraz może dać w ucho każdemu idiocie, który powie, że to nieprawda, i że rakiety to lipa.

– Gotfryd! – krzyknęła pani. – Jak ty się zachowujesz? Oszalałeś? Proszę natychmiast usiąść!

Ale Gotfryd nadal krzyczał i mówił, że zaraz da w zęby wszystkim dupkom, którzy nigdy nie lecieli samolotem.

– Gotfryd! – krzyknęła pani. – Odmienisz mi na jutro w trybie oznajmującym i rozkazującym czasownik: „Nie powinienem krzyczeć w klasie ani ubliżać bez powodu kolegom". A teraz, żebym nikogo nie słyszała, bo wszyscy zostaną ukarani! Wyjmijcie zeszyty do dyktand... Słyszysz, Kleofas?

Na przerwie znowu stanęliśmy wokół Gotfryda, a Alcest wyjaśnił nam, że w zeszłym roku na weselu jego wuja był niesamowity łosoś z mnóstwem majonezu. A ponieważ go nie słuchaliśmy, wyjął z kieszeni kanapkę i zaczął jeść.

– Naprawdę była burza? – spytał Kleofas.

– Jeszcze jaka! – odpowiedział Gotfryd. – Nawet piloci mieli pietra.

– Skąd wiesz, że piloci mieli pietra? – spytał Euzebiusz.

– Bo ich widziałem – odpowiedział Gotfryd.

– O nie, mój drogi! Co to, to nie! – powiedział Kleofas. – Pasażerowie nie widzą pilotów. Piloci są zamknięci z przodu i widuje ich tylko stewardessa, która im ciągle nosi kawę!

– Pasażerowie też dostają kawę? – spytał Alcest, zaczynając drugą kanapkę.

– A skąd wiesz? – spytał Gotfryd, śmiejąc się. – Leciałeś samolotem, jeśli można wiedzieć?

– Nie – odpowiedział Kleofas. – Ale mam telewizor. A w telewizji często pokazują historie z samolotami. I pasażerowie nie wchodzą tam, gdzie siedzą piloci, którzy prowadzą samolot – tylko stewardessy, żeby im przynieść kawę albo powiedzieć, że któryś pasażer ma rewolwer.

– Ale ja widziałem pilotów – upierał się Gotfryd. – Powiedzieli mi, żebym wszedł, bo byłem jedynym, który się nie bał.

– Zalewasz! – powiedziałem.

– Daj mu spokój – powiedział Rufus – zaraz nam opowie, że to on prowadził samolot, kłamca jeden.

Roześmialiśmy się wszyscy, a Gotfryd, strasznie obrażony, powiedział, że jak zechce prowadzić samolot, to nie będzie pytał o pozwolenie bandy dupków, i że jak tak, to więcej nic nam nie

opowie, zresztą nie ma zamiaru rozmawiać z dupkami, którzy podróżują tylko autobusem, i że to żadna sztuka wymądrzać się na temat rakiet, najpierw trzeba było polecieć samolotem, że wcale nie jest kłamcą, a jak ktoś chce dostać w ucho, to wystarczy, że go poprosi, a już on nam wszystkim przyłoży.

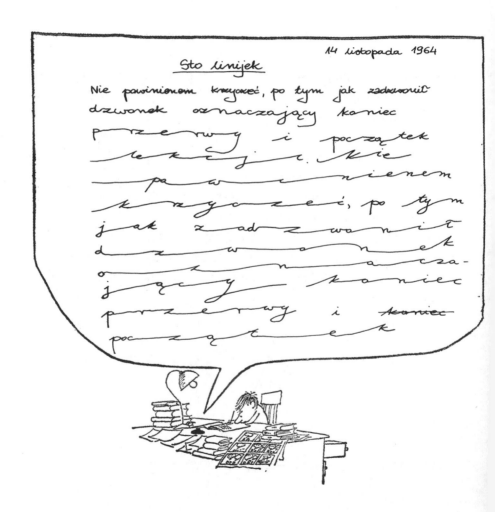

– Tak, mój chłopcze – powiedział Rosół – słucham cię od dobrej chwili i chciałbym – patrz mi w oczy, kiedy do ciebie mówię – chciałbym, żebyś mi wytłumaczył te dyrdymały, które wygadujesz.

– Bo to są dupki z ich autobusami i rakietami – krzyknął Gotfryd. – Zazdroszczą mi, że pilotowałem samolot!

I Gotfryd chciał rzucić się na Euzebiusza, który się śmiał, ale Rosół wziął go za ramię i zaprowadził do dyrektora, żeby dyrektor zatrzymał go za karę po lekcjach. Kiedy odchodzili, Gotfryd coś jeszcze krzyczał o autobusach, rakietach i samolotach, i wymachiwał rękami.

Wychodząc ze szkoły, powiedziałem do Euzebiusza:

– Jednak ten Gotfryd to ma szczęście.

– No – powiedział Euzebiusz. – I wiesz, podróżować samolotem jest fajnie, ale jak się robi takie niesamowite rzeczy, jeszcze fajniej jest potem opowiadać o nich kolegom.

Rozdział IX
Czekoladowo-truskawkowe

Czekoladowo-truskawkowe

– MAMO, MOGĘ ZAPROSIĆ KOLEGÓW ze szkoły, żeby przyszli do nas pobawić się jutro po południu? – spytałem.

– Nie – odpowiedziała mama. – Po tym, jak ostatnim razem byli u nas twoi koledzy, trzeba było wstawić dwie nowe szyby w oknie salonu i odmalować twój pokój.

Byłem zły. No bo co w końcu, kurczę blade, tak fajnie się bawimy z chłopakami, kiedy do mnie przychodzą, a mnie nigdy nie wolno ich zapraszać. Zawsze jest to samo: jak chcę się trochę pośmiać, to mi się zabrania. Więc powiedziałem:

– Jak nie mogę zaprosić chłopaków, to przestanę oddychać.

To sposób, jakiego czasem używam, kiedy czegoś chcę, ale teraz nie działa już tak dobrze jak wtedy, kiedy byłem mały. A potem przyszedł tata i powiedział:

– Mikołaj! Co to znów za komedie?

Więc z powrotem zacząłem oddychać i powiedziałem, że jak mi nie pozwolą zaprosić chłopaków, to ucieknę z domu i będą mnie żałowali.

– Doskonale – powiedział tata. – Możesz zaprosić kolegów, Mikołaj. Ale uprzedzam: jeśli cokolwiek w domu popsują, zostaniesz ukarany. Natomiast jeśli wszystko będzie dobrze, zabiorę cię na lody. Zgoda?

– Czekoladowo-truskawkowe? – spytałem.

– Tak – odpowiedział tata.

– No to zgoda! – krzyknąłem.

Mama nie była zbyt zadowolona, ale tata zapewnił ją, że jestem dużym chłopcem i potrafię brać na siebie odpowiedzialność, więc mama powiedziała, że dobrze, trudno, że ona tatę uprzedzała, a ja pocałowałem tatę i mamę, bo są naprawdę strasznie fajni.

Wszyscy koledzy stawili się w komplecie. Zawsze przyjmują zaproszenia, chyba że rodzice im zabronią, ale to zdarza się rzadko, bo ich rodzice są zadowoleni, kiedy koledzy są zaproszeni gdzie indziej. Przyszedł Alcest, Gotfryd, Rufus, Euzebiusz, Maksencjusz, Kleofas i Joachim, wszyscy kumple ze szkoły – będzie kupa zabawy.

– Pobawimy się w ogrodzie – powiedziałem im. – Lepiej nie wchodzić do domu, bo jak wejdziecie do domu, na pewno coś popsujecie.

I wyjaśniłem im numer z lodami czekoladowo-truskawkowymi.

– Dobrze – powiedział Gotfryd. – Pobawimy się w chowanego, bo w twoim ogrodzie jest drzewo.

– Nie – powiedziałem. – Koło drzewa jest trawa i tata będzie się złościł, że mu depczemy trawę. Musimy bawić się w alejkach.

– Ale – powiedział Rufus – jest tylko jedna alejka, w dodatku niezbyt szeroka. I w co można bawić się w alejce?

– W piłkę, jak się ścieśnimy – powiedział Maksencjusz.

– O, nie! – krzyknąłem. – Wiem, jak to jest: gramy w piłkę, wygłupiamy się, i bum! tłuczemy szybę, a potem ja mam karę i lody czekoladowo-truskawkowe przechodzą mi koło nosa!

Staliśmy i nie bardzo wiedzieliśmy, co robić, a potem powiedziałem:

– No to może pobawimy się w pociąg? Staniemy jeden za drugim, pierwszy będzie udawał lokomotywę, tutuuut, a reszta to będą wagony.

– A jak będziemy zakręcać? – spytał Joachim. – Alejka jest za wąska.

– Nie będziemy zakręcać – powiedziałem. – Dochodzimy do końca alejki, a wtedy ostatni zostaje lokomotywą i ruszamy w drugą stronę.

Chłopakom chyba niezbyt się podobała moja zabawa, ale w końcu są u mnie, a jak im się nie podoba, to mogą wrócić do domu, no nie? Ustawiłem się jako lokomotywa od strony domu z powodu kwiatów, których nie można deptać. Zaczęliśmy wołać „czuch, czuch, czuch, czuch", ale po trzech kursach chłopakom się odechciało. Trzeba przyznać, że to nie było za cieka-

we. Jak się było lokomotywą, to jeszcze dało się wytrzymać, ale wagony trochę się nudziły.

– Może zagramy w kulki? – powiedział Euzebiusz. – Kulkami nie można niczego stłuc.

To był naprawdę dobry pomysł i od razu zaczęliśmy grać, bo każdy z nas miał w kieszeni kulki, z tym że kulki Alcesta były umazane masłem od kanapek. Wszystko szło bardzo dobrze, chociaż o mało nie pobiłem się z Gotfrydem, który usiadł na trawie, kiedy chłopaki powiedziały, że chcą wejść do domu.

– Nie – powiedziałem. – Bawimy się w ogrodzie.

– Nie chcemy już bawić się w ogrodzie – powiedział Maksencjusz. – Chcemy wejść do twojego domu!

– Nie ma powodu – odpowiedziałem. – Zostajemy tutaj!

A potem mama otworzyła drzwi i krzyknęła:

– Czy wyście powariowali, żeby siedzieć na dworze w taki deszcz? Chodźcie do środka! Szybko!

Weszliśmy do domu i mama powiedziała:
– Mikołaj, idź z kolegami do swojego pokoju i pamiętaj, co powiedział tata!
Więc poszliśmy do mojego pokoju.
– A teraz w co się bawimy? – spytał Kleofas.
– Mam książki, poczytamy sobie – odpowiedziałem.
– Co ty, chory? – spytał Gotfryd.
– Nie, mój drogi – powiedziałem. – Jak będziemy się bawić w co innego, to na pewno nie dostanę lodów czekoladowo-truskawkowych!
– Zaczynasz nas wkurzać tymi swoimi czekoladowo-truskawkowymi lodami! – krzyknął Euzebiusz.
– Chwileczkę – powiedział Alcest, gryząc kanapkę (wcześniej zdjął kulkę, która się do niej przykleiła). – Chwileczkę! Lody czekoladowo-truskawkowe to duża rzecz. Mikołaj ma rację, że uważa.

– A sam – krzyknąłem – nie możesz uważać, co? Właśnie sypiesz mi okruchami na dywan! Mama będzie niezadowolona!
– No wiesz – krzyknął Alcest – tego już za wiele! Skończę tylko kanapkę i zaraz dam ci w zęby!
– Taaak! – powiedział Euzebiusz.

– I co się wtrącasz? – spytałem Euzebiusza.

– Taaak! – powiedział Gotfryd, a ja od razu wiedziałem, jak to się skończy: zaczniemy się bić, kanapka Alcesta upadnie na dywan stroną posmarowaną masłem, a potem ktoś coś rzuci i zbije szybę albo pobrudzi ścianę, mama przyleci pędem, no i nie dostanę lodów czekoladowo-truskawkowych.

– Chłopaki – powiedziałem – bądźcie kumplami. Jeżeli teraz nie narozrabiacie, to za każdym razem, jak będę miał pieniądze i kupię po szkole tabliczkę czekolady, będę się z wami dzielił.

A ponieważ wszyscy są dobrymi kolegami, więc się zgodzili. Siedzieliśmy na podłodze i oglądaliśmy obrazki w książkach, kiedy Maksencjusz zawołał:

– Hurra! Przestało padać! Możemy iść!

Więc wszyscy wstali, zawołali: „Cześć, Mikołaj!", a ja odprowadziłem ich do drzwi i patrzyłem, czy idą alejką do furtki. Wszystko odbyło się dobrze, chłopaki niczego nie podeptały i byłem bardzo zadowolony.

Byłem tak zadowolony, że pobiegłem do kuchni powiedzieć mamie, że koledzy już sobie poszli. Tylko że nie zamknąłem drzwi wejściowych, zrobił się przeciąg i okno w kuchni nagle się zamknęło. Bum!

I wyleciała z niego szyba.

Grejpfrut

MAMA POWIEDZIAŁA DO TATY:

– Kochanie, nie zapominaj, że przyrzekłeś mi pomalować dzisiaj kuchnię.

– Juhu! – zawołałem. – Będę pomagał.

Tata wyglądał na niezbyt zadowolonego. Popatrzył na mamę, popatrzył na mnie i powiedział:

– A ja myślałem, że pójdę dziś z Mikołajem do kina, po południu grają film kowbojski i kilka kreskówek.

Oświadczyłem, że wolę malować kuchnię, a mama mnie pocałowała i powiedziała, że jestem jej małym koteczkiem. Tata był ze mnie strasznie dumny. Powiedział:

– Brawo! Zapamiętam to sobie, Mikołaj.

Tata poszedł do piwnicy po farby, pędzel i wałek i przyniósł wszystko do kuchni, gdzie czekaliśmy na niego z mamą.

– Pomyślałem o czymś – powiedział tata. – Nie mamy drabiny. To kłopot. W tygodniu ją kupię. I w następną niedzielę będę mógł pomalować tę nieszczęsną kuchnię.

– Nie! – zawołałem. – Pójdę pożyczyć drabinę od pana Blédurt.

Mama znów mnie pocałowała, a tata zaczął otwierać puszki z farbą, mówiąc mnóstwo rzeczy, których nie mogłem zrozumieć, bo mówił je bardzo cicho.

Pan Blédurt to nasz sąsiad. Jest bardzo miły i lubi się z tatą przekomarzać, dobrze się razem bawią, chociaż czasem udają, że się kłócą, jak wtedy, kiedy przez całą zimę ze sobą nie rozmawiali.

Zadzwoniłem do drzwi i pan Blédurt mi otworzył.

– O, Mikołaj! – powiedział. – Co cię sprowadza, chłopie?

– Przyszedłem pożyczyć drabinę dla taty – odpowiedziałem.

– Powiedz swojemu ojcu – powiedział pan Blédurt – że jak potrzebuje drabiny, to niech sobie kupi.

Wyjaśniłem, że tata zamierzał to zrobić, ale mama koniecznie chce, żeby nasza kuchnia została pomalowana dzisiaj. Pan Blédurt roześmiał się i powiedział:

– Dobry z ciebie chłopiec, Mikołaj. Idź i powiedz tacie, że zaraz mu przyniosę drabinę.

Pan Blédurt jest strasznie fajny!

Kiedy powiedziałem tacie, że pan Blédurt zaraz przyjdzie z drabiną, tata spojrzał na mnie dziwnymi oczami, które się nie poruszały, a potem zaczął mieszać farbę w puszkach, bardzo szybko, tak że pochlapał sobie spodnie, ale to nic nie szkodzi, bo to są te stare w prążki, które mają dziury.

– No proszę – powiedział pan Blédurt, kiedy wszedł ze swoją drabiną – teraz będziesz mógł zrobić dzisiaj to, co musiałbyś odłożyć na później, gdyby nie ja!

– Tego się po tobie spodziewałem, Blédurt – powiedział tata.

Miałem straszną ochotę wejść na drabinę i zapytałem taty, czy mogę pomóc, ale tata powiedział, żebym siedział spokojnie, że później zobaczymy, i sam zaczął wchodzić na drabinę.

Kiedy już był na górze, odwrócił się i spojrzał na pana Blédurt, który usiadł na taborecie.

– Dziękuję i do widzenia, Blédurt – powiedział tata.

– Nie ma za co, a ja nigdzie nie idę – powiedział pan Blédurt. – Chcę popatrzeć na swoją drabinę, która nigdy jeszcze nie wyglądała tak komicznie jak dzisiaj.

Nie rozumiałem, dlaczego drabina miała wyglądać tak komicznie.

Tata zaczął jeździć wałkiem po suficie, a na twarz kapały mu krople farby. Pan Blédurt najwyraźniej świetnie się bawił, a ja wciąż nie rozumiałem, co w tej drabinie jest takiego śmieszne-

go. Tata chyba był tak samo zdziwiony jak ja, bo przestał malować i zapytał:

– No i z czego się tak głupio śmiejesz, Blédurt?

– Przejrzyj się w lustrze, to się dowiesz – powiedział pan Blédurt. – Wyglądasz jak Indianin: wielki wódz Żałosny Bawół z wojennym malunkiem na twarzy!

I pan Blédurt wybuchnął śmiechem, wołał ho! ho! ho!, klepał się po udach, zrobił się cały czerwony, zakrztusił się i zaczął kasłać. Pan Blédurt jest bardzo wesoły.

– Zamiast wygadywać bzdury – powiedział tata – lepiej byś mi pomógł.

– Nie ma mowy – odpowiedział pan Blédurt – to twoja kuchnia, nie moja.

– No to ja mogę pomóc! – zawołałem.

– Dość już dzisiaj narozrabiałeś – powiedział tata.

Wtedy się rozpłakałem, powiedziałem, że mam prawo pomagać, że to niesprawiedliwe i że gdyby nie ja, nikt nie mógłby pomalować tej kuchni.

– Chcesz klapsa? – spytał tata.

– Wspaniałe metody wychowawcze – powiedział pan Blédurt, ale ja się z tym nie zgadzałem, więc zacząłem płakać jeszcze bardziej, a tata krzyczał, że panu Blédurt też przyłoży klapsa, i to mnie rozśmieszyło.

Do kuchni przybiegła mama.

– Co się dzieje? – spytała.

– Tata nie chce, żebym mu pomagał – wyjaśniłem.

– Waszemu Leonardowi da Vinci puszczają nerwy – powiedział pan Blédurt. – Jak to bywa u wielkich artystów.

Nie rozumiałem nic z tego, co mówił pan Blédurt, i zapytałem mamy, czy mogę pomóc. Mama spojrzała na tatę i na pana Blédurt, a potem powiedziała:

– Oczywiście, kochanie, będziesz trzymał drabinę, żeby tatuś nie spadł, no i zawołasz mnie, kiedy tatuś z panem Blédurt zaczną się wygłupiać, żebym mogła pośmiać się razem z nimi.

Obiecałem, że ją zawołam, i mama sobie poszła.

Mocno trzymałem drabinę i sufit szybko się posuwał: robił się śliczny, w pięknym żółtym kolorze, który mama kazała tacie kupić.

– Ach! Śmiech to zdrowie – powiedział pan Blédurt. – Szkoda, że masz tylko jedną kuchnię do pomalowania.

– Zaczynasz mnie denerwować, błaźnie – powiedział tata. –
I wiesz, co cię czeka, prawda? Zaraz oberwiesz wałkiem po pysku.
– Chciałbym to zobaczyć – powiedział pan Blédurt.

Ja też chciałem to zobaczyć, ale obiecałem mamie, że dam jej
znać, kiedy tata i pan Blédurt zaczną się wygłupiać. Więc puściłem drabinę, ale to nic, bo nikogo już na niej nie było, i wybiegłem z kuchni, krzycząc:

– Poczekajcie na mnie! Zaraz wracam!

Znalazłem mamę w przedpokoju z panią Blédurt, która właśnie przyszła, i nie musiałem niczego tłumaczyć, bo z kuchni do-
chodziły dziwne hałasy. Poszliśmy tam, ale przyszliśmy za późno, bo kiedy żeśmy otworzyli drzwi, pan Blédurt miał już twarz
i przód koszuli pomalowane na żółto.

Mama była bardzo niezadowolona, ale pani Blédurt spojrzała
na pana Blédurt i zapytała mamy:

– Co to za kolor?

– Grejpfrut – odpowiedziała mama.

– Bardzo świeży, bardzo młodzieńczy – powiedziała pani
Blédurt.

– I nie blaknie na słońcu – powiedziała mama.

No i pani Blédurt zdecydowała, że w następną niedzielę pan
Blédurt pomaluje jej kuchnię. My z tatą obiecaliśmy, że przyjdziemy pomagać.

Byliśmy
w restauracji

– Zabieram was na kolację do restauracji! – powiedział tata, wchodząc do domu po powrocie z biura.

Tata był bardzo zadowolony, pocałował mamę i pochwalił się, że dyrektor dał mu podwyżkę, a potem podrzucił mnie kilka razy w powietrzu, cmoknął w oba policzki i powiedział:

– A tio jeśt mój duzi chłopcik!

Był naprawdę strasznie zadowolony.

Ja też byłem zadowolony, bo bardzo lubię chodzić do restauracji, a nie chodzę tam za często, no i dlatego, że jak taty dyrektor będzie mu co miesiąc dawał więcej pieniędzy, to może tata kupi mi samolot, który od dawna chciałbym mieć.

Oboje z mamą raz dwa byliśmy gotowi, no i wyszliśmy. W samochodzie tata śpiewał, a mama mówiła, że jest z niego dumna, chociaż – nie da się ukryć – mój tata nie za dobrze śpiewa. Ale i tak bardzo go kochamy.

Weszliśmy do fajnej restauracji, a ubrany na czarno kelner zaprowadził nas do stolika i przyniósł trzy karty dań i poduszkę na krzesło – dla mnie. Tata dał mi jedną kartę i powiedział, że jestem mężczyzną i że mam wybrać sam. Mama oświadczyła, że weźmie coś, czego nie robi w domu, a tata powiedział, żeby się nie przejmować cenami.

Przyszedł kelner z notesem i spytał, co sobie życzymy. Powiedziałem, że chcę lody truskawkowe.

– A na początek? – zapytał kelner.

– Melbę brzoskwiniową – odpowiedziałem.

Kelner zaczął zapisywać, a wtedy tata się roześmiał i powiedział, że nie warto tego pisać, bo przecież jasne, że będę jadł co innego. Kelner odpowiedział, że pilnowanie, co jedzą klienci, nie należy do jego obowiązków i że w końcu to nie jego sprawa. Wyjaśniłem tacie, że jestem mężczyzną, sam mi to powiedział, i że chcę melbę. Tata spojrzał na mnie groźnie i oświadczył, że będę jadł żeberka wieprzowe ze szpinakiem, ja powiedziałem, że nie chcę szpinaku, a tata, że jestem smarkaczem i mam jeść to, co on mi każe. Mama spytała kelnera, co to takiego duży frykas ze złotymi palikami, a kiedy się dowiedziała, że to befsztyk z frytkami, powiedziała, że wybierze co innego, i kelner odszedł, mówiąc, że wróci, kiedy już się zdecydujemy, bo ma co innego do roboty.

Tata powiedział mamie, że kelner nie jest zbyt uprzejmy, ale trzeba się zdecydować. Powiedziałem, że nie chcę szpinaku i że już wolę uciec z domu, a jak mnie nie będzie, to będą mnie bardzo żałowali. No i się rozpłakałem, a mama powiedziała, że wybierze mi coś, co lubię. W końcu mama postanowiła wziąć rubinową impresję w drażniącym sosie i jarząbka na aksamitnym posłaniu, ja jajko na twardo z majonezem i kiełbaski z frytkami, a tata zamówił pasztet szefa i kiszkę.

Tata zawołał kelnera, który zapisał w notesie to, co mu mówił tata. Mylił się kilka razy i zużył w swoim notesie całą masę kar-

tek, a kiedy już skończył pisać, spytałem, czy nie mógłbym dostać kapusty zamiast frytek, i kelner nie był zadowolony.

Czekaliśmy, aż nas obsłużą, a ja patrzyłem na inne stoły i zobaczyłem grubego pana, który chyba jadł dobre rzeczy.

– Co ten pan je? – spytałem taty.

Tata powiedział, że nieładnie jest pokazywać palcem, i obejrzał się za siebie.

– Nie – powiedziała mama – nie ten, tamten!

I pokazała na pana, o którym mówiłem. Tata na niego spojrzał, a pan krzyknął:

– Jem sardynki i chciałbym je jeść w spokoju, kto to widział tak się zachowywać?

Tata mu odpowiedział, żeby mu nie robił uwag i że powinien jeść brom, a nie sardynki, a ja zapytałem, czy brom jest smaczny. Pan spojrzał na mnie, wzruszył ramionami i zabrał się z powrotem do sardynek. Mama powiedziała tacie i mnie, żebyśmy się zachowywali spokojnie, a ja powiedziałem, że chciałbym dostać sardynki.

Kiedy przyszedł kelner z przystawkami, mama dosyć się rozczarowała, bo rubinowa impresja w drażniącym sosie to była sałatka z pomidorów.

Ponieważ chciałem sardynki, tata spytał kelnera, czy może zamienić jajko w majonezie na sardynki, a kelner powiedział, że tak. To mi się wydało fantastyczne i chciałem zobaczyć, jak to zrobi. Niestety przemiana odbyła się w kuchni.

Kiedy przyniósł sardynki, zapytałem kelnera, czy umie też wyciągać króliki z kapelusza. Tata, który szukał czegoś w pasztecie szefa, uniósł głowę i spytał kelnera, czy ma królika. Kelner wyglądał, jakby był zdziwiony tym, co do niego mówimy. Odpowiedział, że tak, a wtedy tata go poprosił, żeby zamienił jego pasztet na królika, a ja powiedziałem kelnerowi, żeby nie robił tak jak z sardynkami, tylko żeby przy nas wyciągnął tego królika z kapelusza. Mama zwróciła mi uwagę, żebym nie mówił z pełnymi ustami.

Kiedy kelner przyszedł z daniami, sprawiał wrażenie zdenerwowanego. Mama nie była zadowolona: powiedziała, że ten jego jarząbek na aksamitnym posłaniu to zwykły kurczak z piure, tata powiedział, że nie zamawiał kapusty, tylko królika zamiast kiszki, że to ja chciałem kapustę, ale on, tata, mi powiedział, że dostanę frytki, bo nie można bez przerwy zmieniać zdania, i że jak się nie ma pamięci, to nie powinno się być kelnerem.

– Dość! – krzyknął kelner i powiedział tacie, że tata sam nie wie, czego chce, że mama zamawia dania, a potem spodziewa się, że podadzą jej co innego, że ja jestem nieznośny i że wszczynamy kłótnie z klientami.

Tata powiedział kelnerowi:

– No to zobaczymy, proszę zawołać właściciela!

Kelner powiedział:

– Dobrze.

I zawołał:

– Tato!

Co trochę zaskoczyło mojego tatę.

Właściciel przyszedł i zapytał, o co chodzi, a tata mu odpowiedział, że chce się poskarżyć na kelnera.

– Mojego syna? – powiedział właściciel. – Co ma pan do zarzucenia mojemu synowi?

– Między innymi to – powiedział tata – że nie ma pamięci, właśnie to mam do zarzucenia pańskiemu synowi!

– Poza tym wasz jarząbek to kurczak – powiedziała mama.

– Poza tym – powiedziałem – chodzi do kuchni, żeby zamieniać jajka na sardynki i wyciągać króliki z kapelusza, oszukuje!

– A co do pasztetu szefa – powiedział tata – to chciałbym wiedzieć, co za świństwa w nim są!

– Łatwo się pan dowie – odpowiedział właściciel. – Szef kuchni to mój brat, rzucił boks, żeby u mnie gotować!

– Skoro tak – powiedział tata – to proszę o rachunek! Nie będę siedział ani chwili dłużej w tym domu wariatów!

Kelner przyniósł tacie rachunek i powiedział:

– Tyle pan mówił o mojej pamięci, a założę się, że sam zapomniał pan portfela!

Tata zaczął się śmiać i wyjął z marynarki portfel.

Przestał się śmiać, kiedy otworzył portfel i zobaczył, że zapomniał wziąć z domu pieniędzy.

Niespodzianka!

W NIEDZIELĘ PADAŁ DESZCZ. Siedzieliśmy w domu, mama piekła placek z jabłkami na podwieczorek, a ja grałem z tatą w warcaby i trzy razy wygrałem. Było naprawdę super!

A potem ktoś zadzwonił do drzwi i tata poszedł otworzyć. To była ciocia Matylda, wujek Klaudiusz i mój kuzyn Eligiusz.

– Niespodzianka! – krzyknęła ciocia Matylda. – Pomyśleliśmy sobie, że w tę pogodę na pewno jesteście w domu, więc wpadniemy do was na herbatę. Prawda, Klaudiuszu?

– Tak – powiedział wujek Klaudiusz.

Tata stał z otwartymi ustami, więc mama, która przybiegła z kuchni, powiedziała, że to był bardzo dobry pomysł, że miło nam jest ich widzieć i że muszą nam wybaczyć, bo nie spodziewaliśmy się wizyt i nie jesteśmy odpowiednio ubrani.

– Ależ to żadna wizyta! – powiedziała ciocia Matylda. – To niespodzianka! W ogóle się nami nie przejmujcie. Jak mawia Klaudiusz, w rodzinie nie trzeba się krępować... Och, Mikołaj! Jak ty urosłeś! Chodź, niech cię ucałuję!

No to podszedłem i ciocia Matylda mnie pocałowała, a ja pocałowałem wuja Klaudiusza i powiedziałem „cześć" Eligiuszowi, który jest ode mnie trochę starszy, ale mnie denerwuje.

– W takim razie – powiedziała mama – zjecie z nami podwieczorek.

– Nie rób sobie kłopotu – powiedziała ciocia Matylda. – Zadowolimy się czymkolwiek, kubkiem czekolady dla małego, filiżanką kawy dla Klaudiusza, odrobiną herbaty z cytryną dla mnie. Czymkolwiek. Zresztą pójdę ci pomóc, mężczyźni niech sobie porozmawiają... A wiesz, że się poprawiłaś? Do twarzy ci z tą tuszą, ale musisz uważać.

I ciocia Matylda z mamą poszły do kuchni.

– Usiądź, Klaudiuszu – powiedział tata.

– Dziękuję – powiedział wuj Klaudiusz.

– Jak tam interesy? – spytał tata.

– Ech – odpowiedział wuj Klaudiusz.

Tata westchnął, spojrzał na wuja Klaudiusza i powiedział:

– Tak, tak.

– A ja co mam robić? – spytał Eligiusz.

– Idź z Mikołajem do jego pokoju – odpowiedział tata – i pobawcie się zabawkami.

– Nie chcę iść do pokoju Mikołaja – powiedział Eligiusz. – Chcę się bawić tutaj!

– Umiesz grać w warcaby? – zapytałem.

– Nie, to jest gra dla dziewczyn – odpowiedział mi Eligiusz.

– Nie, mój drogi – powiedziałem. – To jest niesamowita gra i założę się, że cię pobiję!

– Phi! A my w szkole uczymy się dzielenia – pochwalił się Eligiusz.

– Wolne żarty – powiedziałem – my już od dawna robimy dzielenie, i to z przecinkami.

– A tak potrafisz zrobić? – spytał mnie Eligiusz i fiknął koziołka na dywanie, ale zaczepił nogami o stolik i popielniczka spadła na kapcie taty, który powiedział: „Au!".

Ciocia Matylda przybiegła z kuchni.

– To ty, Eligiuszu, zrzuciłeś popielniczkę? – zapytała.

– Tak, to on – powiedział tata.

– No to uważaj, Eligiuszu – poradziła ciocia Matylda – bo ojciec cię skrzyczy!

A potem przyszła mama z tacą i powiedziała:

– Proszę do stołu, podwieczorek gotowy!

Głupio tylko, bo placek był mały, więc jak tata pokroił go na sześć części, kawałki nie były za duże.

– Ja nie jem – oznajmiła mama.

– Przecież wygląda na udany – powiedziała ciocia Matylda. – Nie masz racji, to nie jest coś, od czego byś jeszcze bardziej utyła.

Zjedliśmy każdy po kawałku, oprócz mamy, więc jeden został.

– Ja chcę jeszcze – powiedział Eligiusz.

Ciocia Matylda powiedziała mu, że to nieładnie się napraszać, ale jak będzie grzeczny, to dostanie jeszcze placka, i podzieliła kawałek, który został, pomiędzy mnie a Eligiusza.

Po podwieczorku przeszliśmy wszyscy do salonu i mama powiedziała, żebyśmy z Eligiuszem poszli do mojego pokoju.

– Mówiłem już, że nie pójdę! – krzyknął Eligiusz. – Chcę zostać tutaj!

– Ma charakter – powiedziała ciocia Matylda, podnosząc oczy do góry. – Zawsze powtarzam Klaudiuszowi: wdał się w ciebie, to wypisz wymaluj ty!

A potem ciocia Matylda poprosiła tatę, żeby zgasił fajkę, bo od dymu chce jej się kasłać.

– W co się bawimy? – spytał mnie Eligiusz.

– A bo ja wiem – powiedziałem. – Może pogramy w karty, na przykład w wojnę.

– Nie – powiedział Eligiusz. – Mam lepszy pomysł! Pobawimy się w berka. Ty gonisz!

I Eligiusz pobiegł, i wskoczył na kanapę.

– Kanapa! – krzyknęła mama.

– Ach, ci chłopcy – westchnęła ciocia Matylda – naprawdę nieznośni! Uspokoicie się wreszcie?

– No co – powiedział Eligiusz. – Bawimy się. No co?

– Zdejmij przynajmniej buty, kochanie, jak masz wchodzić na meble – poradziła ciocia Matylda. – I uważaj, bo coś przewrócisz!

I bęc! wygłupiając się, Eligiusz przewrócił lampę z czerwonym abażurem.

– A nie mówiłam? – powiedziała ciocia Matylda.

Tata podniósł lampę, która miała przekrzywiony abażur, i powiedział, żebym przyniósł książki i żebyśmy sobie z Eligiuszem poczytali. Poszedłem do pokoju, a kiedy przyszedłem z powrotem, ciocia Matylda opowiadała mamie historie o tym, co trzeba robić, kiedy się zacznie tyć, tata siedział naprzeciw wuja Klaudiusza i mówił „Tak, tak", a Eligiusz chodził na rękach, krzycząc:

– Patrz, mamo! Patrz!

Pokazałem moje książki Eligiuszowi, ale powiedział, że mu się nie podobają, chociaż była tam ta o Indianach, strasznie fajna.

– Ja – oświadczył Eligiusz – lubię książki o samolotach!

A potem rozpostarł ramiona i zaczął biegać po salonie, wołając „rrrrrrr!".

– Jest bardzo żywy – powiedział tata.

– Tak – odpowiedział wuj Klaudiusz.

– No na co czekasz? Baw się ze mną! Jesteś nieprzyjacielem! – krzyknął do mnie Eligiusz i zaczął biec w moją stronę, ale potknął się o dywan, poleciał na brzuch i zaczął płakać.

– Samoloty nie płaczą – powiedział tata.

Ciocia Matylda spojrzała na tatę groźnie, wzięła Eligiusza na kolana, pogładziła go, pocałowała i powiedziała, że robi się późno, jutro jest szkoła i wszyscy muszą wcześnie wstać. Ciocia Matylda, wuj Klaudiusz i Eligiusz włożyli płaszcze, ciocia Matylda oświadczyła, że było uroczo i że my też któregoś dnia powinniśmy zrobić im niespodziankę.

I sobie poszli.

Mama ciężko westchnęła i powiedziała, że pójdzie szykować kolację.

– Nie ma mowy! – powiedział tata. – Idź się ubrać i ubierz Mikołaja. Ja się szybko ogolę.

– Zabierasz nas do restauracji? – spytała mama.

– Niespodzianka! – powiedział tata.

I zabrał nas na kolację do cioci Matyldy i wuja Klaudiusza.

Zoo

Dziś PO POŁUDNIU tata zabiera nas z Alcestem do zoo.
Alcest to mój kolega, ten, który jest bardzo gruby i bez przerwy je, chyba kiedyś już wam o nim mówiłem.

Strasznie się z Alcestem ucieszyliśmy. A było tak: bawiliśmy
się w ogrodzie, kiedy przyszedł tata i powiedział, że gotów jest
poświęcić część dnia i zabrać nas do zoo, żebyśmy pooglądali
zwierzęta. Ponieważ była przy tym mama, tata wyjaśnił jej, że
czasem trzeba wczuć się w potrzeby dzieci i nie żałować im czasu. Mój tata jest naprawdę super!

Alcest powiedział, że wolałby spędzić popołudnie w cukierni
na jedzeniu ciastek, ale że w końcu zoo też nie jest złe.

Kiedy we trzech przyszliśmy do zoo, były tam tłumy. Tata kazał nam uważać, żebyśmy się nie zgubili. Przy okienku wynikła
mała dyskusja, bo Alcest koniecznie chciał, żeby tata kupił mu
cały bilet, ale tata kazał mu być cicho. Pocieszyłem Alcesta, tłumacząc, że płacimy tyle samo co wojskowi, że traktują nas jak
żołnierzy. To się Alcestowi spodobało – wkroczył do ogrodu zoo-
logicznego, krzycząc: „Raz, dwa! Lewa, prawa!”, i chciał, żeby
tata wybijał krok.

Poszliśmy od razu do małp. Małpy są zabawne, robią śmieszne rzeczy i podobne są do mnóstwa znajomych osób. Ponieważ

było dużo ludzi, tata musiał brać nas na ręce i podnosić do góry. Tak naprawdę to wziął na ręce tylko mnie. Próbował z Alcestem, ale nie dał rady. My chcieliśmy obejrzeć co innego, ale tatę małpy bardzo bawiły. Wtedy Alcest zauważył, że ludzie rzucają im do jedzenia różne rzeczy i że on też by chciał. Tata kupił sucharki i dał Alcestowi, żeby karmił nimi małpy. Ale Alcest nie rzucał sucharków. Kiedy tata zapytał go dlaczego, odpowiedział, że się rozmyślił i woli sam zjeść sucharki, niż dawać je małpom, których nie zna.

Potem poszliśmy oglądać lwy. Lwy nie są zbyt zabawne: leżą tylko i ziewają. Mogę to samo robić w domu. Alcestowi lwy też się nie podobały, bo w klatce było mięso, a one go nie jadły. Alcest powiedział, że to marnotrawstwo. Tata chciał nam opowiedzieć mnóstwo rzeczy o lwach, ale pociągnęliśmy go za rękę, żeby iść dalej.

Zobaczyliśmy dziwne zwierzę. To lama, wyjaśnił tata po przeczytaniu tabliczki na ogrodzeniu. Powiedział nam też, tak było napisane, że lama, kiedy jest zła, pluje na ludzi. Zaczęliśmy z Alcestem robić miny i rzeczywiście! Lama się zezłościła i opluła

tacie krawat. Tata nie był zadowolony, tym bardziej że nadszedł strażnik i skrzyczał tatę, mówiąc, że nie wolno drażnić zwierząt. Tata mu odpowiedział, że to nie jego wina, że zwierzęta w zoo są źle wychowane i że te wredne bydlęta plują na ludzi, którzy płacą za to, żeby je oglądać. Strażnik odpowiedział, że rozumie zwierzęta i sam też chętnie by opluł niektórych zwiedzających. Ponieważ tata i strażnik krzyczeli, zaczęli się schodzić ludzie, żeby posłuchać, co się dzieje, a potem strażnik i my rozeszliśmy się w różnych kierunkach.

Szliśmy sobie dalej, kiedy tata zobaczył słonie.

– To się wam spodoba! – powiedział i zaciągnął nas do słoni.

Tata kupił paczkę sucharków, których nie dał Alcestowi, ponieważ chciał je dać słoniom. Było ciekawie, bo przed miejscem, gdzie znajdowały się słonie, robotnicy naprawiali alejkę. Robotnicy mieszali piasek, cement i wodę, robili z tego masę i kładli na alejce. Patrzyliśmy z Alcestem i myśleliśmy sobie, że na plaży można by z takiego cementu budować niesamowite zamki. Fajna musi być taka praca. Ale my chcieliśmy iść gdzie indziej, więc żeśmy się obejrzeli, żeby zobaczyć, co robi tata. Tata świetnie się bawił: dawał sucharki słoniom, które wyciągały po nie trąby, a tata się śmiał. Myślał, że stoimy obok niego, i mówił na głos różne rzeczy. „Widziałeś, Mikołaj, jaki ma wielki nos? Zupełnie jak wujek Piotr!" Albo: „A ty, Alcest, jak nadal będziesz się tak objadał, staniesz się taki gruby jak ten słoń, o tam!".

Było nam trochę przykro przeszkadzać tacie, aleśmy go stamtąd zabrali, bo wszyscy na niego patrzyli, jakby był trochę pomylony.

Potem oglądaliśmy jeszcze masę różnych zwierząt. Żyrafy nam się spodobały, bo obok były huśtawki i mieliśmy z Alcestem świetną zabawę. Później tata zaprowadził nas do niedźwiedzi i tam spotkaliśmy malucha, który miał piłkę – pograliśmy z nim trochę, ale żeśmy go zostawili, kiedy zaczął płakać, bo niechcący kopnąłem piłkę, tak że wpadła do klatki z hienami, a ja nie chciałem po nią iść. Odnaleźliśmy tatę i poszliśmy oglądać foki. Alcest, który zachował papier z paczki po sucharkach, żeby go wylizać, zrobił z niego okręcik – puszczaliśmy go w basenie i fajnie pływał. Szkoda tylko, że w wodzie były foki, bo robiły za duże fale.

Przy wielbłądach Alcest, który miał przy sobie pieniądze, kupił czerwony balon. Bawiliśmy się nim, kiedy tata odwrócił się od wielbłądów i nas zobaczył. Był niezadowolony i zaczął krzyczeć, że jak nie lubimy zwierząt, to trzeba mu było powiedzieć,

że on się dla nas poświęca i że ma co innego do roboty niż chodzenie do zoo. To tak zaskoczyło Alcesta, że aż puścił balon. I zaczął płakać, a jak Alcest płacze, robi się straszny hałas. Więc wielbłąd też zaczął ryczeć i przyszedł strażnik, który rozpoznał tatę, i powiedział mu, że jeśli nadal będzie okrutny dla zwierząt, to on każe go wyrzucić. Tata mu odpowiedział, że płaci podatki, ale strażnik oświadczył, że jego to nie obchodzi i że ma wielką ochotę zamknąć tatę w klatce z małpami, bo tam jest jego miejsce. Wtedy Alcest przestał krzyczeć i zaczął klaskać w ręce – powiedział, że to dobry pomysł, że śmiesznie byłoby, gdyby tata siedział w klatce z małpami, i że wtedy on rzucałby mu sucharki. Strażnik wzruszył ramionami i sobie poszedł.

Tata wziął nas za ręce i skrzyczał, mówiąc, że mamy się zachowywać spokojnie i interesować zwierzętami. Szliśmy w stronę wyjścia, kiedy zobaczyliśmy mały pociąg pełen dzieci, który obwoził je po zoo. Tata spytał, czy mamy ochotę się przejechać, i dodał, że pojedzie z nami, żebyśmy się nie bali. Zgodziliśmy się, żeby nie robić mu przykrości. Pan, który sprzedawał bilety, powiedział tacie, że zwykle dorośli nie wsiadają do małego pociągu, ale tata mu wyjaśnił, że poświęca się dla nas, bo nie lubimy jeździć sami.

Tata usadowił się w pierwszym wagonie na pierwszej ławce. Siedział w śmiesznej pozycji, z nogami pod brodą, bo był za duży. My dwaj siedliśmy za nim. Mały pociąg miał właśnie ruszyć, kiedy Alcest powiedział:

– Chodź zobaczyć!

Wysiedliśmy i pociąg odjechał razem z tatą, który nie zorientował się, że nas za nim nie ma, ale to nic nie szkodzi, bo i tak dobrze się bawił. Śmiał się i wołał „Tutuuuut tutuuuut", a ludzie na niego patrzyli i też się śmiali.

To, co Alcest chciał mi pokazać, to był kotek, który pewnie należał do jednego ze strażników. Kotek był bardzo miły i właśnie się z nim bawiliśmy, kiedy przyjechał pociąg z tatą w środku. Tata był bardzo niezadowolony. Nakrzyczał na nas i powiedział, że nie po to przychodzi się do zoo, żeby oglądać kotki.

– No co, kotek to też zwierzę – powiedział Alcest.

Ale tata był w bardzo złym humorze i dąsał się na nas aż do powrotu do domu.

Muszę powiedzieć, że go rozumiem. Kogoś, kto niespecjalnie lubi zoo, tak jak tata, takie poświęcenie musiało dużo kosztować, nawet jeśli chciał sprawić przyjemność Alcestowi i mnie.

Iza

Dziś jest niedziela i idziemy na obiad do państwa Bignot, przyjaciół taty, których nie znam, ale tata powiedział, że będę się dobrze bawił, bo oni mają dziewczynkę, chociaż ja uważam, że dziewczynki nie są zbyt zabawne, nie licząc Jadwini, która mieszka obok nas i która jest bardzo fajna, bo ma żółte włosy, a żółte włosy są ekstra, szczególnie u dziewczynek.

Mama włożyła szarą sukienkę, ja granatowe ubranko, w którym wyglądam jak pajac, a tata garnitur w prążki. Kiedy przyszliśmy do państwa Bignot, wszyscy zaczęli coś wykrzykiwać, jakby byli zdziwieni, że się widzą, a pan i pani Bignot powiedzieli, że jestem bardzo duży jak na swój wiek. A potem pan Bignot uśmiechnął się od ucha do ucha i pokazał na dziewczynkę, która była schowana za panią Bignot.

– A to jest – powiedział pan Bignot – nasza córka Izabela. Przywitaj się, Izabelo.

Izabela, która ma czarne włosy, zacisnęła usta, pokręciła głową, że „nie", i znowu schowała się za panią Bignot.

– Iza! – powiedział pan Bignot. – Proszę się przywitać!

Pani Bignot się roześmiała, a potem odwróciła się, pocałowała Izabelę, która otarła sobie policzek, i powiedziała:

– Wybaczcie jej, jest taka nieśmiała! Iza, nie przywitasz się z tym milutkim chłopcem?

– Nie – powiedziała Izabela – wygląda jak głupek.

Miałem ochotę dać jej w zęby, ale wszyscy się roześmiali, a mama powiedziała nawet, że nigdy nie widziała takiej słodkiej i zabawnej dziewczynki. Tata nic nie powiedział.

– Dobrze – powiedziała pani Bignot. – Wypijemy szybko aperitif, bo inaczej pieczeń mi się przypali. Czego się napijesz, Mikołaj?

– Och, niczego, proszę sobie nie robić kłopotu! – zawołała mama.

– Ależ owszem! – powiedziała pani Bignot. – Może szklaneczkę soku porzeczkowego? Damy dzieciom po szklaneczce soku, żeby mogły wznieść z nami toast. Nie co dzień jest taka okazja!

Bardzo lubię sok porzeczkowy – jest czerwony – ale Izabela pokręciła głową, że nie.

– Nie chcę soku, chcę aperitif – oznajmiła.

– Ależ kochanie – powiedziała pani Bignot – wiesz przecież, że to ci szkodzi. Pan doktor mówił, że trzeba bardzo uważać na twój brzuszek.

– Jest bardzo delikatna – wyjaśnił pan Bignot moim rodzicom – musimy wciąż jej pilnować.

– Chcę aperitif! – krzyknęła Izabela.

Pani Bignot podała trunki, a dla mnie i dla Izabeli przyniosła sok porzeczkowy, bardzo fajny.

– Ja nie chcę soku! Ja nie chcę soku! Ja nie chcę soku! – krzyknęła Izabela.

– To nie pij, skarbie – powiedziała pani Bignot.

– Tak, nic na siłę – powiedział pan Bignot.

A potem pani Bignot spytała, czy dobrze się uczę. Tata roześmiał się i odpowiedział, że w tym miesiącu nie jest tak źle (byłem ósmy z arytmetyki), ale byłoby jeszcze lepiej, gdybym nie był taki postrzelony.

– Niesamowite – westchnął pan Bignot – jak się dzisiaj zamęcza te biedne dzieci.

– Tak – powiedziała pani Bignot – Iza ma bardzo wymagającą i bardzo niesprawiedliwą wychowawczynię. Widziałam się z nią, ale to tak, jakbyście mówili do ściany. Zastanawiam się czasem, czy nie byłoby lepiej wziąć nauczyciela, żeby mała uczyła się w domu. A przecież Iza dobrze sobie radzi. Zaraz się przekonacie... Iza, zadeklamuj nam wierszyk, którego się nauczyłaś.

– Nie – powiedziała Izabela.

– Nic na siłę – powiedział pan Bignot.

– A jak zadeklamuję wierszyk, to dostanę aperitif? – spytała Izabela.

– Dobrze, ale tylko troszeczkę – powiedziała pani Bignot.

Więc Izabela założyła ręce do tyłu i powiedziała:

– *Kruk i lis* La Fontaine'a.

A potem ją zamurowało. Pani Bignot powiedziała:

– Kruk...

– Kruk – powtórzyła Izabela.

– Miał w pysku... – powiedziała pani Bignot.

– Miał w pysku – powtórzyła Izabela.

– Ser... – powiedziała pani Bignot.

– Ogromny – powiedziała Izabela.

– Lis, niby skromny*... – powiedziała pani Bignot.

---

* Cytuję w tłumaczeniu Ignacego Krasickiego (przyp. tłum.).

– Chcę aperitif! – krzyknęła Izabela.

Tata i mama zaczęli bić brawo, pan Bignot pocałował Izabelę, a pani Bignot nalała jej do kieliszka trochę aperitifu. Biorąc kieliszek, Izabela zrzuciła na dywan szklaneczkę z sokiem.

– Nic się nie stało – uśmiechnął się pan Bignot.

– No to proszę do stołu! – powiedziała pani Bignot.

Stół z białym sztywnym obrusem i mnóstwem kieliszków wyglądał bardzo ładnie. Izabela siedziała między panem a panią Bignot, a ja między tatą a mamą. Pani Bignot przyniosła niesamowite przystawki z masą wędlin i majonezu, zupełnie jak w restauracji.

– Wiesz, kogo spotkałem na ulicy w zeszłym tygodniu? – spytał pana Bignot tata.

– Chcę jeszcze majonezu! – krzyknęła Izabela.

– Ależ, skarbie, dosyć już dostałaś – powiedział pan Bignot. – Dostałaś nawet więcej niż wszyscy.

Wtedy Izabela się rozpłakała, powiedziała, że jak jej nie dadzą jeszcze majonezu, to się przy wszystkich rozchoruje, tak jak ostatnim razem, że zaraz umrze, i zaczęła skakać po krześle.

– Och, odrobina chyba jej nie zaszkodzi – powiedziała pani Bignot.

– Tak myślisz? – spytał pan Bignot. – Jednak doktor powiedział...

– Och, jeden raz – powiedziała pani Bignot. – Masz, króliczku, ale nie wolno ci mówić panu doktorowi, kiedy przyjdzie...

I pani Bignot dołożyła Izabeli majonezu.

Czekaliśmy na pieczeń cielęcą, aż Izabela skończy swoją przystawkę, a ona nie je za szybko, bo robi majonezem różne rysunki na talerzu. A potem pani Bignot wytarła Izabeli palce i poszła po pieczeń.

– No więc – powiedział tata – wiesz, kogo spotkałem w zeszłym tygodniu? Szedłem spokojnie ulicą...

– Pójdziemy wieczorem do kina? – spytała pana Bignot Izabela.

– Zobaczymy, kochanie – odpowiedział pan Bignot.

– Obiecałeś mi – powiedziała Izabela. – Wczoraj mi obiecałeś, że pójdziemy do kina.

– A więc pójdziemy, jeśli nie jesteś za bardzo zmęczona – powiedział pan Bignot.

– Nie jestem zmęczona – zapewniła Izabela. – Ojojoj! Nie jestem ani trochę zmęczona! Wiesz, tato, nie jestem zmęczona. W zeszłym tygodniu tak, byłam zmęczona, ale dzisiaj nie jestem wcale zmęczona. Wcale nie jestem zmęczona. Słowo daję, nie jestem ani trochę, ani trochę, ani trochę zmęczona.

– A oto i pieczeń! – powiedziała pani Bignot.

Weszła do jadalni z niesamowitą pieczenią na półmisku, a tata, mama i pan Bignot zawołali: „Ooo!".

Pani Bignot postawiła pieczeń przed panem Bignot, który wstał, żeby ją pokroić.

– A kto dostanie nereczkę? – spytał, śmiejąc się.

Dostała ją Izabela.

Mama powiedziała, że nigdy nie jadła takiej dobrej pieczeni, a pani Bignot zdradziła jej, że ma bardzo dobrego rzeźnika.

– Mój też – powiedziała mama – stara się mi dogadzać, bo jak nie, to idę gdzie indziej.

– Oni są niesamowici – powiedziała pani Bignot.

Zjedliśmy pieczeń i pani Bignot poszła po sery. Nikt nic nie mówił, więc tata dopił wino i powiedział do pana Bignot:

– No więc szedłem spokojnie ulicą i kogo widzę? Założę się, że nie...

Pan Bignot odwrócił się do Izabeli i krzyknął, bardzo rozgniewany:

– Iza! Nie kładź łokci na stole!

I powiedział do taty:

– Przepraszam cię za tę małą scenę, stary, ale wiesz, jak to jest z dziećmi. Jeśli się ich krótko nie trzyma, rozpuszczają się jak dziadowski bicz.

Nagroda

Parę dni temu wszedł do klasy dyrektor, a kiedyśmy z powrotem usiedli, zobaczyliśmy, że na twarzy ma szeroki uśmiech i to nas bardzo zdziwiło, bo jak dyrektor wchodzi do naszej klasy, nigdy się nie uśmiecha i zawsze tłumaczy nam, że skończymy w więzieniu i że nasi rodzice bardzo się tym zmartwią.

– Drogie dzieci – powiedział dyrektor. – Pani wychowawczyni pokazała mi wyniki klasówki z historii z zeszłego tygodnia: jestem z was bardzo zadowolony. Wszyscy macie dobre oceny i widzę, że robicie postępy. Nawet obaj najgorsi *ex aequo*, Kleofas i Maksencjusz, dostali tróje – to bardzo dobrze.

Kleofas i Maksencjusz, którzy siedzą obok siebie, uśmiechnęli się od ucha do ucha. Wszyscy w klasie się uśmiechali oprócz Ananiasza, który nie mógł przeżyć, że Gotfryd jest najlepszy *ex aequo* razem z nim.

– A zatem – powiedział dyrektor – postanowiliśmy z panią wychowawczynią was nagrodzić: w czwartek pojedziecie na piknik!

Zawołaliśmy wszyscy „och", a dyrektor powiedział:

– Pozostaje mi tylko radzić, żebyście nie spoczęli na laurach i nadal nie ustawali w wysiłkach, co pozwoli wam zmierzać w stronę obiecującej przyszłości ku zadowoleniu waszych rodziców, którzy się dla was poświęcają.

Dyrektor wyszedł, a myśmy usiedli i zaczęli mówić wszyscy naraz, aż pani walnęła linijką w biurko.

– Proszę o spokój – powiedziała. – Proszę o spokój! Proszę, żeby wszyscy przynieśli od rodziców liścik, w którym wyrażą zgodę na to, żebyście jechali na ten piknik. Szkoła zapewni posiłek, spotkamy się tutaj w czwartek rano i wsiądziemy do autobusu, który zawiezie nas na wieś. A teraz robimy dyktando: wyjmijcie zeszyty – Gotfryd, jeśli cię jeszcze raz przyłapię, jak wykrzywiasz się do Ananiasza, to nie pojedziesz z nami na piknik.

Następnego dnia wszyscy przynieśli od rodziców listy, że możemy jechać na piknik, a Ananiasz przyniósł usprawiedliwienie, że nie może. Aż do czwartku strasznie dużo rozmawialiśmy o pikniku w klasie, na przerwach i w domu, i wszyscy byliśmy okropnie zdenerwowani.

Nawet nasza pani i nasi rodzice też byli pod koniec zdenerwowani.

W czwartek rano wstałem bardzo wcześnie i poszedłem obudzić mamę, bo nie chciałem spóźnić się do szkoły.

– Przecież jest dopiero szósta, Mikołaj, a w szkole masz być na dziewiątą! – powiedziała mama. – Wracaj do łóżka.

Nie chciało mi się wracać do łóżka, ale tata wystawił głowę spod kołdry, więc poszedłem, żeby nie było kłopotów.

Za trzecim razem, kiedy do nich zajrzałem, rodzice byli już na nogach. Umyłem się, ubrałem i mama chciała, żebym zjadł śniadanie, a ja nie miałem apetytu, ale mimo to zjadłem, bo powiedziała, że jak nie wypiję kawy i nie zjem kanapki, to nie pojadę na piknik.

Potem rodzice kazali mi być grzecznym i słuchać pani, więc wziąłem żaglowiec, ten, co już nie ma żagli, czerwono-niebieską piłkę, moją starą rakietę – tata nie chciał, żebym brał wagony od kolejki elektrycznej – i wyszedłem.

Przyszedłem do szkoły piętnaście po ósmej i wszyscy koledzy już tam byli. Przynieśli najróżniejsze rzeczy: piłki, samochodziki, kulki, siatkę na krewetki, a Gotfryd przyniósł swój aparat fotograficzny.

A potem przyszła pani, ubrana na biało, bardzo śliczna, i poszliśmy wszyscy podać jej rękę, ze szkoły wyszedł pan Mouchabière, jeden z naszych opiekunów, z dwoma dużymi koszami, i poszliśmy podać mu rękę, a potem przyjechał autokar, wysiadł z niego kierowca i wszyscy podaliśmy mu rękę.

Pan Mouchabière, który jedzie z nami na piknik, wstawił kosze do autokaru i kazał nam wsiadać, no i Gotfryd z Maksencjuszem się pobili, bo obaj chcieli siedzieć z przodu, na miejscu obok kierowcy, ale pani ich rozdzieliła, posadziła Gotfryda na końcu autokaru i powiedziała im, że jak nie będą grzeczni, to z nami nie pojadą. Było jeszcze kilka awantur, bo wszyscy chcieli siedzieć przy oknie, i pan Mouchabière nam powiedział, że jak nie będziemy się zachowywać spokojnie, to za karę każe nam pisać linijki i że jeszcze słowo, a nikt nie będzie siedział przy oknie.

A potem żeśmy ruszyli, było ekstra i wszyscy żeśmy śpiewali oprócz Gotfryda, który był obrażony i powiedział, że nikogo nie sfotografuje i że gdyby wiedział, to przyjechałby na piknik samochodem taty, gdzie wolno mu siadać obok kierowcy, kiedy tylko ma na to ochotę.

Jechaliśmy bardzo długo i było strasznie fajnie – krzyczeliśmy i robiliśmy miny za każdym razem, jak przejeżdżał jakiś samochód, a najlepsze miejsce było na końcu autokaru, bo można było nabijać się z samochodów, którym nie udawało się nas wyprzedzić pod górę.

Gotfryd pobił się z Maksencjuszem, bo nie chciał go wpuścić na koniec autokaru, i pani posadziła ich z przodu, obok kierowcy, który musiał się przesunąć.

A potem zatrzymaliśmy się w polu, a nasza pani i pan Mouchabière powiedzieli, że mamy wysiąść, nawet ci ukarani, ustawić się w pary i nie odchodzić na bok. Kierowca, biedak, został sam w autokarze i wycierał sobie twarz chusteczką.

Doszliśmy do drzew i pani powiedziała, że nie wolno na nie wchodzić i żebyśmy nie jedli niczego, co znajdziemy w trawie, bo to trucizna.

Kiedy nasza pani i pan Mouchabière rozkładali na ziemi serwetę i wyjmowali z koszów jajka na twardo, jabłka i kanapki, a Alcest jadł to, co było w koszyku, który sam sobie przywiózł (kurczak i ciasto!), my zaczęliśmy biegać, rzucać piłkami i pan Mouchabière przybiegł skonfiskować siatkę na krewetki, bo Kleofas tłukł nią Rufusa, który rzucił mu piłką w głowę.

Kleofas był zły, bo graliśmy właśnie w zbijaka, a jak się jest jedynym, który nie ma piłki, to ta gra jest denerwująca.

A potem pani zawołała nas na jedzenie i było fajnie: każdy dostał po dwie duże kanapki, jajka na twardo i jabłka. I tylko Alcest skarżył się, że to za mało.

Po obiedzie pani zaproponowała, żebyśmy pobawili się w chowanego, i bardzośmy się ucieszyli, bo to był pierwszy raz, kiedy pani chciała się z nami bawić. Pan Mouchabière też się bawił i było okropnie śmiesznie, bo to on krył, ale potem wkurzył się na Gotfryda, kiedy go znalazł schowanego na drzewie. Pan Mouchabière powiedział, że nie wolno było się tam chować, kazał mu zejść i postawił go do kąta przy drzewie.

Alcesta, Rufusa, Euzebiusza, Maksencjusza, Joachima, Kleofasa i mnie odnaleziono od razu, ale to przez kierowcę, który nie chciał nas wpuścić do autokaru.

Potem krył Kleofas i pierwszy, którego znalazł, to był Gotfryd.

– No nie, idioto – krzyknął Gotfryd. – Ja się nie chowam, ja stoję w kącie.

– Trzeba było stać w kącie po drugiej stronie drzewa! – krzyknął Kleofas.

No i się pobili, i wszyscy przyszliśmy popatrzyć oprócz pani: zajmowała się właśnie Rufusem, który się rozchorował, bo za szybko zjadł swój prowiant.

Pan Mouchabière zaczął krzyczeć, że jesteśmy nieznośni, a Gotfryd powiedział, że zginął mu aparat.

Więc wszyscy zaczęliśmy wszędzie szukać, Gotfryd znowu pobił się z Kleofasem, który się śmiał i mówił, że dobrze mu tak, i pan Mouchabière posłał ich za karę do autokaru, ale wrócili, bo kierowca nie chciał ich wpuścić. Więc pan Mouchabière poszedł z razem nimi i wrócił sam, mówiąc, że już nie musimy szukać, bo aparat jest w autokarze, gdzie Gotfryd go zostawił.

A potem pani porozmawiała z panem Mouchabière i powiedziała, że pora wracać. Strasznie się zmartwiliśmy, bo było jeszcze wcześnie, ale nie odjechaliśmy od razu – trzeba było szukać Euzebiusza, który bawił się dalej w chowanego i dopiero pan Mouchabière znalazł go na drzewie.

Wróciliśmy z pikniku okropnie zadowoleni i bardzo byśmy chcieli wyjeżdżać tak co tydzień. Tylko że w przyszły czwartek nie możemy nigdzie pojechać, bo za karę mamy wszyscy siedzieć w szkole.

Oprócz Euzebiusza, który jest zawieszony.

Tata okropnie przytył

Kiedy tata skończył drugi talerz kremu, włożył serwetkę w kółko i powiedział:

– W każdym razie już postanowione, od jutra zaczynam dietę.

Spytałem, co to jest dieta, i mama mi wytłumaczyła, że tak się mówi, kiedy człowiek mniej je, żeby nie być gruby.

– Naprawdę przytyłem – powiedział tata.

To, że ktoś przytył, podobno znaczy, że jest gruby. Ja tam nie uważam, żeby tata był taki przytyty, może tylko tam, gdzie nosi pasek, ale kolacja się skończyła, więc już nic nie mówiłem, tylko poszedłem spać.

Następnego dnia była niedziela, a w niedzielę mama robi fantastyczne śniadanie z opiekanym chlebem, drożdżówkami, czekoladą i dżemem pomarańczowym, tym, w którym są kawałki skórki, ale i tak jest bardzo dobry. Tata, żeby nie przytyć, wypił filiżankę kawy bez mleka i bez cukru, i to wszystko. Kiedy jadłem, tata na mnie patrzył, a potem powiedział do mamy:

– Zastanawiam się, czy mały też trochę nie przytył.

Mama odpowiedziała, że ja nie tyję, tylko rosnę, a to nie to samo. Tata powiedział, że oczywiście, a poza tym i tak jestem za młody i nie miałbym dość silnej woli, żeby przestrzegać diety.

Potem poszedłem z tatą na spacer. Często to robimy w niedzielę i bardzo lubię spacerować z tatą, który mi opowiada masę wspomnień z czasów, kiedy wygrał wojnę. Była ładna pogoda i wszyscy wyglądali na zadowolonych. W cukierni było pełno ludzi, którzy kupowali ciastka. Chciałem zatrzymać się na chwilę, żeby obejrzeć wystawę, ale tata pociągnął mnie za ramię, mówiąc:

– Nie stójmy tutaj.

A przed cukiernią tak ładnie pachniało!

Potem doszliśmy na targ. Na targu jest fajnie: kiedy chodzimy tam z mamą, sprzedawcy dają mi czasem jabłko albo krewetkę. Ale tata nie chciał tam zostać.

– Wracajmy – powiedział. – Robi się późno.

Wyglądał na zdenerwowanego.

Na obiad mama zrobiła przystawkę, zupełnie jak w restauracji: zwiniętą szynkę z majonezem i innymi rzeczami w środku, pycha. Potem był kurczak z kartofelkami i zielonym groszkiem, dwa razy sobie dokładałem, sałata, camembert i tort. Obiad był taki

pyszny, że kiedy skończyliśmy jeść, było mi trochę niedobrze. Zdziwiłem się, bo tata też wyglądał tak, jakby się nie czuł najlepiej. A przecież jadł tylko sucharki, szpinak i trochę piersi kurczaka. Wyszliśmy we dwóch do ogrodu. Tata usiadł na leżaku, a ja położyłem się na trawie. A potem przyszedł Alcest, żeby się ze mną pobawić. Alcest to ten kolega ze szkoły, który jest strasznie przytyty. Bez przerwy je. Alcest powiedział tacie „cześć", wyjął z kieszeni kawał czekoladowego ciasta i zaczął jeść. Ciasto było trochę zgniecione, ale wyglądało na dobre. Nie poprosiłem, żeby mi dał gryza, bo Alcest się strasznie złości, kiedy chce się jeść jego rzeczy. Tata spojrzał na Alcesta, przejechał językiem po wargach i powiedział:

– Powiedz, Alcest, w domu nie dają ci jeść?

– Dają – odpowiedział Alcest – dziś na obiad była duszona wołowina z pysznym sosem, który wyciera się chlebem. Mamie ten sos zawsze świetnie wychodzi. Robi też dobry bigos, a wczoraj na kolację...

– Dobrze, dobrze, wystarczy! – krzyknął tata i zaczął czytać gazetę.

– Co mu jest? – spytał mnie Alcest. – Nie lubi duszonej wołowiny?

Zaproponowałem, żebyśmy pograli w piłkę.

Graliśmy sobie, kiedy zza płotu wyjrzała głowa pana Blédurt.

Pan Blédurt to nasz sąsiad, bardzo lubi się z tatą przekomarzać i jest strasznie śmieszny.

– I jak tam, dzieci? – spytał pan Blédurt. – Bawicie się?

A potem spojrzał na tatę, który wciąż czytał gazetę.

– Powinieneś z nimi pograć – powiedział pan Blédurt. – Trochę ruchu dobrze by ci zrobiło, ostatnio zacząłeś tyć!

– Tata już nie przytyje – powiedziałem. – Jest na diecie.

Pan Blédurt głośno się roześmiał i to się tacie nie spodobało.

– Żebyś wiedział, że jestem na diecie – krzyknął tata. – Żebyś wiedział! Jestem na diecie, żeby nie stać się taki gruby, brzydki i głupi jak ty!

– Ja jestem gruby, ja? – krzyknął pan Blédurt, który przestał się śmiać.

– No – powiedział Alcest.

– Prawda przemawia ustami dzieci – powiedział tata. – A ty będziesz dalej tył, bo nigdy nie będziesz miał dość silnej woli, żeby przeprowadzić dietę!

– Ja nie będę miał silnej woli? – zapytał pan Blédurt.

– Ty, grubasie – odpowiedział tata.

Pan Blédurt przeskoczył przez płot – jest gruby, ale dobrze skacze – i zaczęli się z tatą popychać. Patrzyliśmy, jak się bawią, kiedy z domu mama zawołała:

– Chodźcie dzieci, podwieczorek gotowy!

Kiedy skończyliśmy podwieczorek, wyszliśmy znowu do ogrodu. Pan Blédurt już sobie poszedł i tata zbierał kawałki gazety.

– Zamiast się wygłupiać, lepiej zjadłby pan podwieczorek – powiedział Alcest. – Był piernik. Nie za dużo, ale naprawdę przepyszny.

Tata spojrzał na Alcesta i powiedział mu, że jak będzie potrzebował opinii w sprawie jedzenia, to nie omieszka go zapytać.

– Zgoda – powiedział Alcest.

Myślę, że to jest dobry pomysł, bo na jedzeniu Alcest zna się jak mało kto.

Ponieważ zaczęło padać, mama kazała nam wejść do domu. Poszliśmy wszyscy do salonu, mama robiła na drutach i słuchała radia, a tata czytał kawałki swojej gazety. W radiu nie było nic ciekawego, jakaś pani tłumaczyła, jak robić potrawkę z królika. Tata też uznał, że to nieciekawe.

– Zgaście to radio! – krzyknął i poszedł do swojego pokoju.

Alcest był niezadowolony.

– To moja ulubiona audycja – powiedział.

Alcest poszedł, bo zrobiło się późno, a poza tym nie było już piernika.

– Kolacja gotowa! – krzyknęła mama.

Poszedłem umyć ręce, a kiedy wszedłem do jadalni, tata już siedział przy stole strasznie smutny.

No i okropnie się zdziwiłem, bo mama, która przecież ma dobrą pamięć, kompletnie zapomniała o diecie taty. Dała mu na kolację mnóstwo rzeczy, była nawet fasolka z mięsem. Taty to wcale nie zdziwiło – trzeba przyznać, że był bardzo zajęty jedzeniem.

I kiedy tata skończył drugi talerz kremu, włożył serwetkę w kółko i powiedział:

– W każdym razie już postanowione, od jutra zaczynam dietę.

Rozdział X
Jak dorosły

Jak dorosły
Co będziemy robić później
Prawdziwy mały mężczyzna
Ząb
To wszystko głupie wymysły!
Szwagrowie
Brzydkie słowo
Przed Świętami jest fajnie

Jak dorosły

Mam nową sąsiadkę, która nazywa się Jadwinia i jest bardzo fajna. Dzisiaj rodzice pozwolili jej przyjść pobawić się ze mną w ogrodzie.

– W co się bawimy, Jadwiniu? – spytałem. – W piłkę, w kulki, w kolejkę elektryczną?

– Nie – odpowiedziała Jadwinia. – Pobawimy się w tatę i mamę. Ty będziesz tatą, ja będę mamą, a moja lalka to będzie nasza córeczka.

Nie bardzo miałem ochotę bawić się lalką, bo nie lubię, a poza tym jakby koledzy zobaczyli, strasznie by się ze mnie śmiali. Ale nie chciałem, żeby Jadwinia się gniewała, więc powiedziałem, że zgoda.

– Dobra – powiedziała Jadwinia – więc tu jest kuchnia, tutaj stół, a tam kredens, a nad nim zdjęcie wuja Leona. Jest wieczór, ja jestem ubrana w czerwoną sukienkę i buty na obcasach mojej mamy, a ty wracasz z pracy. No już.

Spojrzałem na ulicę, czy nikt nie idzie, na przykład Alcest, kumpel, który niedaleko mieszka, a potem zacząłem się bawić.

Udałem, że otwieram drzwi, i powiedziałem:

– Dobry wieczór, Jadwiniu.

– Nie – roześmiała się Jadwinia. – Ale ty jesteś głupi! Musisz do mnie mówić kochanie, jak tata, a ja będę mówiła do ciebie tak, jak mama mówi do taty. Zaczynamy od nowa.

Zacząłem od nowa.

– Dobry wieczór, kochanie – powiedziałem.

– Dobry wieczór, Grzegorzu – powiedziała do mnie Jadwinia – o której to się wraca?

– Ale, Jadwiniu... – powiedziałem, ale Jadwinia nie dała mi dokończyć.

– Nie, Mikołaj, nie umiesz się bawić! Naprawdę! Masz mówić do mnie kochanie i powiedzieć, że miałeś dużo pracy i dlatego tak późno wracasz! – zawołała.

– Miałem mnóstwo pracy – powiedziałem – dlatego późno wracam, kochanie.

Wtedy Jadwinia podniosła ręce do góry i krzyknęła:

– Ach! Tego się spodziewałam! Co wieczór jest to samo! Założę się, że znowu włóczyłeś się z kolegami! I oczywiście nie obchodzi cię, czy ja się nie denerwuję, czy kolacja nie stygnie ani czy nasza córeczka, która jest taka ładna, nie jest chora. Mógłbyś przynajmniej zadzwonić, pamiętać, że masz rodzinę i dom. Ale nie, pana to wszystko nie interesuje, pan woli towarzystwo kolegów! Och, jestem bardzo nieszczęśliwa! I nie mów do mnie kochanie!

Kiedy Jadwinia skończyła mówić, była cała czerwona, a potem powiedziała:

– No czego stoisz z otwartymi ustami, Mikołaj? Baw się!

– Wiesz co, Jadwiniu – spytałem – może byśmy pograli w piłkę? Nie będę mocno strzelał, zobaczysz.

– Nie – odpowiedziała Jadwinia. – Teraz możesz powiedzieć, że dużo pracujesz, żeby przynieść do domu mnóstwo pieniędzy.

– Dużo pracuję, żeby przynieść do domu mnóstwo pieniędzy – powiedziałem.

Wtedy Jadwinia zaczęła wymachiwać rękami.

– I tego też się spodziewałam! – krzyknęła. – Wykorzystują cię w pracy. Och, oczywiście, to nie ty musisz kupować jedzenie i płacić praczce. Ale mnie nie wystarcza to, co mi dajesz. Lalka i ja nie mamy co na siebie włożyć. Tyle razy już ci mówiłam, żebyś poszedł do swojego dyrektora i poprosił go o podwyżkę. Ale ty nie masz odwagi i czuję, że sama do niego pójdę!

– A ja co teraz mówię? – spytałem.

– Nic – powiedziała Jadwinia. – Siadasz do stołu i czekasz na kolację, czytając gazetę.

Więc usiadłem na trawie i udałem, że czytam gazetę.

– Zamiast czytać gazetę – powiedziała Jadwinia – mógłbyś ze mną trochę porozmawiać, opowiedzieć, co dzisiaj robiłeś. Przez cały dzień siedzę w domu sama, nie mam do kogo otworzyć ust, a ty przychodzisz, bierzesz gazetę i nawet się nie odezwiesz.

– Ale, Jadwiniu – powiedziałem – sama kazałaś mi czytać gazetę!

Wtedy Jadwinia zaczęła się śmiać.

– Tak, głuptasie – przyznała – ale to dla żartu, bawimy się. Więc teraz udajesz, że zamykasz gazetę, i mówisz „masz ci los"!

Jadwinia ślicznie wygląda, kiedy się śmieje, i lubię się z nią bawić, więc udałem, że zamykam gazetę, i powiedziałem:

– Masz ci los!

– No to już szczyt! – zawołała Jadwinia. – Jaśnie pan protestuje, kiedy go proszę, żeby zamknął gazetę. I nawet nie pocałowałeś swojej córki, która jest taka ładna i dostała dobry stopień z recytacji!

Jadwinia podniosła z ziemi lalkę i chciała, żebym ją wziął.

– Nie – powiedziałem. – Lalki nie!

– A dlaczego lalki nie? – spytała Jadwinia.

– Z powodu Alcesta – odpowiedziałem. – Gdyby mnie zobaczył, wyszedłbym na idiotę i w szkole by wszystkim rozgadał.

– A kto to taki ten Alcest, jeśli można wiedzieć? – spytała
Jadwinia.

– Kolega – wyjaśniłem. – Jest gruby i bez przerwy je, na przerwach jest bramkarzem.

Wtedy Jadwinia zmrużyła oczy, tak że zrobiły się całkiem
małe.

– Więc wolisz bawić się ze swoim kolegą niż ze mną? – powiedziała.

– Nie – odpowiedziałem. – Ale teraz moglibyśmy pobawić się
kolejką elektryczną, mam mnóstwo wagonów i szlabany, które
się podnoszą i opuszczają.

– Jak wolisz bawić się z kolegą, to się z nim baw. Ja wracam do swojej mamy! – oświadczyła Jadwinia i sobie poszła.

Zostałem sam w ogrodzie i chciało mi się trochę płakać, ale z domu, śmiejąc się, wyszedł tata.

– Patrzyłem na was przez okno – oznajmił. – Bardzo dobrze zrobiłeś! Byłeś stanowczy!

A potem położył mi rękę na ramieniu i powiedział:

– No cóż, mój stary, one wszystkie są takie same!

Strasznie się ucieszyłem, bo tata rozmawiał ze mną, jakbym był dorosły. A co do Jadwini, która jest bardzo fajna, to jutro pójdę ją przeprosić. Jak dorosły.

Co będziemy robić
później

– PROSZĘ O CISZĘ! – krzyknęła pani. – Wyjmijcie zeszyty i piszcie... Kleofasie, teraz ja mówię!... Kleofasie! Słyszałeś?... Dobrze...
Podam wam temat wypracowania na jutro: „Co będę robić później". To znaczy, co macie zamiar robić w przyszłości, kim chcie-
libyście zostać, kiedy będziecie dorośli. Zrozumiano?

A potem zadzwonił dzwonek na przerwę i wyszliśmy na podwórko. Byłem bardzo zadowolony, bo temat wypracowania był
łatwy. Dobrze wiem, co będę robił później: zostanę lotnikiem. To
strasznie fajne zajęcie, lata się szybko, brum, a kiedy jest burza
albo samolot się pali, wszyscy pasażerowie się boją, oprócz was,
oczywiście, i ląduje się na kadłubie.

– Ja – powiedział Euzebiusz – będę pilotem samolotów.

– O nie! O nie! – krzyknąłem. – Nie możesz. Pilotem będę ja!

– A kto tak powiedział, jeśli można wiedzieć? – spytał mnie
ten idiota Euzebiusz.

– Ja tak powiedziałem, a ty możesz sobie robić co innego!
Bez jaj! Poza tym nie można być idiotą, jak się chce prowadzić
samolot – powiedziałem temu idiocie Euzebiuszowi.

– Chcesz dostać w nos? – spytał mnie Euzebiusz.

– Pierwsze ostrzeżenie, pilnuję was – powiedział Rosół, który nadszedł tak, żeśmy go nie słyszeli.

Rosół to nasz opiekun: ma buty na gumowej podeszwie i cały czas nas szpieguje. Z nim lepiej nie zadzierać. Popatrzył na nas uważnie, poruszył brwiami i poszedł skonfiskować piłkę.

– Co wy – powiedział Rufus. – Nie warto się bić. Pilotów może być kilku. Ja też chcę zostać lotnikiem. Wystarczy przecież, że każdy będzie miał swój samolot, i sprawa załatwiona.

Uznaliśmy z Euzebiuszem, że Rufus ma rację i że tak będzie bardzo fajnie, bo naszymi samolotami będziemy mogli się ścigać.

Kleofas powiedział, że chce być strażakiem, żeby jeździć czerwonym samochodem i nosić hełm. To mnie zdziwiło – myślałem, że Kleofas zostanie kolarzem: ma żółty rower i od dawna trenuje, żeby wziąć udział w Tour de France.

– Oczywiście – przyznał Kleofas – ale wyścigi nie odbywają się przez cały czas. Będę strażakiem w przerwach między zawodami.

Za to Joachim chciał zostać kapitanem okrętu wojennego. Odbywa się fajne podróże i ma się mundur i czapkę, i wszędzie pełno galonów.

– Poza tym – powiedział nam Joachim – za każdym razem, kiedy wrócę do domu, rodzice będą strasznie dumni i wyprawią na moją cześć bankiet.

– A ty co będziesz robił? – spytałem Alcesta.

– Pójdę na bankiet Joachima – odpowiedział mi Alcest. I odszedł, śmiejąc się, ze swoją kanapką.

Gotfryd powiedział, że będzie pracował w banku swojego ojca i zarabiał mnóstwo pieniędzy. Ale Gotfrydowi nie trzeba za bardzo wierzyć – jest strasznym kłamcą i wygaduje różne głupstwa.

Ananiasz, ten wstrętny pupilek, okropnie nas rozśmieszył, mówiąc, że zostanie nauczycielem.

– A ja – oznajmił Maksencjusz – będę detektywem, jak w filmach.

I Maksencjusz wytłumaczył nam, że niesamowicie jest być detektywem. Ma się prochowiec, kapelusz, a w kieszeni rewolwer, prowadzi się samochody, samoloty, helikoptery, statki, a kiedy policja nie może trafić na ślad przestępców, znajduje ich detektyw.

– To bujda – powiedział Rufus. – Mój ojciec mówi, że w życiu wcale nie jest tak jak w filmach. Nie zatrzymuje się bandytów, pajacując, i gdyby detektywi próbowali zatrzymywać bandytów tak jak w filmach, to sam zaraz zostałby bandytą.

– A co on tam wie, ten twój ojciec? – spytał Maksencjusz.

– Mój ojciec pracuje w policji, więc chyba wie – odpowiedział Rufus.

(To prawda: ojciec Rufusa jest policjantem).

– Wolne żarty – powiedział Maksencjusz. – Twój ojciec zajmuje się ruchem drogowym. Nie łapie się bandytów, wypisując mandaty.

– A chcesz dostać w łeb? – spytał Rufus, który nie lubi, jak się źle mówi o jego rodzinie.

– Drugie ostrzeżenie – powiedział Rosół. – Spójrzcie mi w oczy. Wyglądacie na bardziej rozbrykanych niż zwykle. Jeśli się nie uspokoicie, to uprzedzam: marny wasz los!

Rosół sobie poszedł i Maksencjusz powiedział, że jedną z najtrudniejszych i najciekawszych rzeczy, jakie robią detektywi, jest śledzenie bandytów, tak żeby się nie zorientowali. Trzeba wtedy udawać, że się czyta gazetę albo zawiązuje sznurowadło.

– Jak wiesz, że to bandyta, to po co go śledzić? – spytał Rufus. – Wystarczy go aresztować.

– Po to, żeby cię zaprowadził do swojej kryjówki – odpowiedział Maksencjusz. – Jak go zaaresztujesz, nigdy ci nie powie, gdzie jest jego kryjówka i reszta szajki. Zapytaj ojca: bandyci nigdy się nie przyznają, kiedy policja ich przesłuchuje. Wszyscy o tym wiedzą. Poza tym jasne, że jak twój ojciec nosi mundur, to nie może śledzić bandytów, tak żeby się nie zorientowali. Kiedy bandyci widzą na ulicy policjanta, który udaje, że czyta gazetę, to trach, od razu nabierają podejrzeń. Właśnie dlatego potrzebni są detektywi.

I Maksencjusz oświadczył, że jest świetny w śledzeniu ludzi, tak żeby się nie zorientowali, że ćwiczył to już na ulicy w drodze do szkoły, że bardzo dobrze mu szło i że zaraz nam pokaże.

– Idźcie sobie, gdzie chcecie – powiedział – a ja będę was śledził, tak że nikt się nie zorientuje.

Więc zaczęliśmy sobie chodzić, a Maksencjusz szedł za nami w pewnej odległości i za każdym razem, jak się obejrzeliśmy, żeby na niego spojrzeć, schylał się i udawał, że zawiązuje sznurowadło.

– No i co? – powiedział Rufus. – Widać, że nas śledzisz.

– Jasne, tak jest łatwo – przyznał Maksencjusz. – Ale to dlatego że mnie znacie. Detektyw, żeby go nie rozpoznano, przebiera się, przykleja sobie wąsy. W ten sposób się go nie zauważa.

– Gdybyś miał wąsy, na przerwie jeszcze jak byśmy cię zauważyli – powiedział Euzebiusz.

Roześmialiśmy się wszyscy i to się Maksencjuszowi nie spodobało, zaczął krzyczeć, że jesteśmy głupi i zazdrośni, a potem zobaczył Rosoła, który patrzył na niego z daleka, więc schylił się i udał, że zawiązuje sznurowadło.

– Niepotrzebnie mówiłem – powiedział Maksencjusz – że będę was śledził. Detektyw nie uprzedza, jak ma śledzić bandytów. To by nie miało sensu.

– No to zacznij śledzić kogoś, nie uprzedzając go – poradziłem.

Maksencjusz uznał, że to świetny pomysł, i poszedł śledzić jednego starszego chłopaka, który powtarzał lekcje. Poszliśmy za Maksencjuszem, który co jakiś czas udawał, że zawiązuje sznurowadło. A potem chłopak nagle się odwrócił, złapał Maksencjusza za koszulę i krzyknął:

– Przestaniesz mnie śledzić, smarkaczu? Chcesz, żebym ci przyłożył?

Maksencjusz zrobił się blady jak papier, a potem chłopak go puścił i Maksencjusz aż usiadł na ziemi. Ale zaraz wstał i wrócił do nas.

– Lepiej – powiedział Rufus – wymyśl coś innego do tego wypracowania, bo jako detektyw jesteś beznadziejny.

– No, jeśli wszyscy detektywi są tacy, to ja od razu zostaję bandytą! – powiedział Kleofas.

Roześmialiśmy się i Maksencjusz się strasznie wkurzył. Zaczął krzyczeć, że to wszystko przez nas, że ten chłopak zorientował się, że on za nim idzie, bo my żeśmy szli za nim, i że nawet najlepszy detektyw na świecie nie mógłby dobrze pracować, gdyby chodziła za nim banda głupków.

– Kto jest bandą głupków? – spytał Gotfryd.

– Wy! – krzyknął Maksencjusz.

– Trzecie i ostatnie ostrzeżenie, urwisy! – krzyknął Rosół. – Dlaczego się bijecie? Co?

– My się nie bijemy, psze pana – powiedział Joachim – tu chodzi o wypracowanie.

Rosół zrobił wielkie oczy i uśmiechnął się samymi wargami.

– O wypracowanie? – zapytał. – Co ty powiesz! Wypracowanie o boksie, oczywiście?

– Och nie, psze pana! – wyjaśniłem. – To wypracowanie o tym, co będziemy robić później.

– Co będziecie robić później? – powtórzył Rosół. – To bardzo proste! Nie musicie się głowić, ja wam pomogę. Powiem wam, co będziecie robić później.

I Rosół kazał nam wszystkim zostać w szkole po lekcjach.

Prawdziwy
mały mężczyzna

DZISIAJ RANO wstaliśmy wcześnie, ponieważ tata wyjeżdża w podróż z panem Moucheboume, który jest jego szefem.

Byliśmy strasznie zdenerwowani, bo na ogół tata, mama i ja nigdy się ze sobą nie rozstajemy – zostawiłem ich samych tylko raz, kiedy jechałem na kolonie. Kiedyś wam o tym opowiem.

– Bądź ostrożny, kochanie – powiedziała mama, która wyglądała na bardzo zmartwioną.

– Nie muszę być ostrożny – odpowiedział tata – jedziemy tam pociągiem.

– To nie powód, żeby nie być ostrożnym – powiedziała mama. – I przyślij telegram, jak dojedziesz.

– Ależ kochanie, nie warto – uśmiechnął się tata. – Wracam jutro w południe. Nie zapomniałaś spakować mi piżamy?... No dobrze, już czas. Mikołaj, weź swoje rzeczy, podrzucę cię do szkoły, jadąc na dworzec.

Tata pocałował mamę, długo, długo, zupełnie jak w rocznicę dnia, kiedy brali ślub.

W taksówce tata powiedział, że mam się opiekować mamą i że jak go nie będzie, to ja będę w domu mężczyzną. Roześmiał się, pocałował mnie, a chłopaki o mało nie zemdlały z wrażenia, kiedy zobaczyły, że przyjeżdżam do szkoły taksówką.

W południe, kiedy wróciłem do domu na obiad, na stole stały tylko dwa talerze i było jakoś pusto.

– Jedz sardynki – krzyknęła mama z kuchni. – Zaraz przyniosę sznycle!

Więc zacząłem jeść, czytając mój komiks, który jest strasznie fajny: pełno w nim historii o kowbojach i o zamaskowanym człowieku, który jest bankierem – wiem, bo już go kilka razy czytałem. A potem weszła mama ze sznyclami i groźnie na mnie spojrzała.

– Mikołaj – powiedziała – ile razy mam ci powtarzać, że nie lubię, jak czytasz przy stole? Odłóż ten komiks!

– Tata czyta przy stole gazetę – powiedziałem.

– Też powód! – wzruszyła ramionami mama.

– No tak – powiedziałem. – Tata mi powiedział, że kiedy go nie będzie, to ja go zastępuję i jestem w domu mężczyzną. Więc jeśli tata czyta, to ja też mogę czytać!

Mama zrobiła zdziwioną minę, a potem wzięła ode mnie komiks i położyła na kredensie. Więc powiedziałem, że jak tak, to nie będę jadł sznycli, a mama powiedziała, że jak nie będę jadł sznycli, to nie dostanę deseru. No więc zjadłem swój sznycel, ale to niesprawiedliwe. A potem szybko poszedłem do szkoły, bo dzisiaj po południu jest wuef, a to bardzo fajna lekcja.

Po szkole z Alcestem odprowadziliśmy do domu Kleofasa, bo chciał nam pokazać nowy wóz strażacki, który dostał od cioci Stelli. Ale żeśmy nie zobaczyli wozu, bo mama Kleofasa nas nie wpuściła. Więc odprowadziłem Alcesta do domu, a potem Alcest odprowadził mnie aż pod sam próg. Kiedy wszedłem, mama czekała w salonie bardzo niezadowolona.

– O której to się wraca? – spytała. – Mówiłam ci już, żebyś się nie włóczył po ulicach po wyjściu ze szkoły. Mam cię ukarać? Co?

– Kiedy tata wraca późno z pracy, nigdy na niego nie krzyczysz – zauważyłem.

Mama spojrzała na mnie i powiedziała:

– Tak ci się tylko, mój chłopcze, wydaje. A teraz idź odrabiać lekcje, niedługo będzie kolacja.

– A może byśmy poszli do restauracji, a potem do kina? – spytałem.

– Czyś ty oszalał, Mikołaj? – powiedziała mama.

– Jak to – powiedziałem. – Przecież z tatą czasem chodzicie!

– Tak, Mikołaj – zgodziła się mama. – Ale to tata płaci. Więc jak będziesz zarabiał dużo pieniędzy, wrócimy do tej rozmowy.

– Mam moją skarbonkę – oświadczyłem. – W środku jest mnóstwo pieniędzy.

Mama przejechała ręką po oczach i powiedziała:

– Słuchaj, Mikołaj! Dość mam już tego zachowania! Masz być posłuszny, bo inaczej się pogniewam.

– No to już jest szczyt niesprawiedliwości – krzyknąłem. – Tata mi powiedział, że kiedy go nie będzie, to ja mam być w domu mężczyzną, a ty mi nic nie pozwalasz robić tak jak on!

– A nie powiedział ci, że masz być grzeczny? – spytała mama.

– Nie – powiedziałem. – Powiedział, że będę go zastępował, to wszystko.

Mama się roześmiała, a potem oznajmiła:

– Dobrze. A więc, mój mężczyzno na ten wieczór, zrobiłam tort czekoladowy. Myślę, że to jeden z tych tortów czekoladowych, za którymi mężczyźni przepadają. Więc zamiast chodzić do restauracji, gdzie nie mają takich dobrych tortów czekoladowych, zostaniemy na kolację w domu, a potem pogramy w karty. Zgoda?

Powiedziałem, że zgoda, bo to prawda – kiedy mama robi tort czekoladowy, bez sensu byłoby wychodzić.

Po kolacji graliśmy w karty. Wygrałem dwa razy, bo w grze w wojnę jestem niesamowity, a potem mama oświadczyła, że pora spać.

– Jeszcze jedną partyjkę! – poprosiłem.

– Nie, Mikołaj, lulu-spać! – powiedziała mama. – Poza tym wiesz co? Skoro jesteś mężczyzną, zrobisz jak tatuś: pójdziesz sprawdzić, czy drzwi do domu są dobrze zamknięte.

Więc poszedłem sprawdzić drzwi i byłem bardzo dumny, że tak się mamą opiekuję. Jednak miałem ochotę rozegrać jeszcze jedną wojnę.

– Tata się kładzie ostatni! – powiedziałem.

– W takim razie, Mikołaj – ziewnęła mama – pójdę się już położyć. A więc będziesz ostatni.

Mama zgasiła światło w salonie i poszła na górę do sypialni. A ponieważ nie lubię nocą siedzieć w salonie sam, więc też poszedłem do swojego pokoju.

– Ale nie zejdziesz do salonu, kiedy zasnę? – krzyknąłem do mamy.

– No masz! – odkrzyknęła mama ze swojego pokoju. – Kto mnie obudził? Już spałam!

No więc ja też zasnąłem i mama mnie obudziła.

– Kochanie – powiedziała mama – trzeba wstawać. Pora iść do szkoły. Szybciutko, wyskakuj z łóżka!

Powiedziałem, że nie chce mi się iść do szkoły.

– Codziennie ta sama śpiewka – westchnęła mama. – No już, wstawaj, nie rób komedii! Myślałam, że jesteś mężczyzną!

– Mężczyźni nie chodzą do szkoły – powiedziałem.

– Mężczyźni chodzą do pracy – powiedziała mama.

– Do pracy mogę iść – odpowiedziałem. – Ale do szkoły nie chcę. Zresztą tata powiedział, że mam się tobą opiekować, a jeśli będę w szkole na arytmetyce, nie będę mógł być tutaj, żeby się tobą opiekować.

– Tata ma świetne pomysły – przyznała mama. – Ale jeśli nie wstaniesz, dostaniesz klapsa. Zrozumiano?

Więc się rozpłakałem, powiedziałem, że jestem okropnie chory, że boli mnie brzuch, zacząłem strasznie kasłać, ale mama ściągnęła ze mnie kołdrę i musiałem iść do szkoły.

Kiedy wróciłem do domu na obiad, tata już był. Rzuciłem mu się na szyję, żeby go pocałować, a tata powiedział, że dużo o mnie myślał i że przywiózł mi prezent – i dał mi pióro, na którym złotymi literami pisało: „Towarzystwo ubezpieczeń Van de Goetz". Bardzo fajne. A potem tata pogładził mnie po głowie i spytał mamy:

– I jak tam, Mikołaj dobrze się zachowywał?

Mama spojrzała na mnie, roześmiała się i powiedziała:

– Zachowywał się jak mały mężczyzna. Prawdziwy mały mężczyzna!...

Ząb

Od kilku dni ruszał mi się jeden ząb u góry, a ja popychałem go językiem, tak że czasem trochę mnie bolało, ale i tak dalej go popychałem.

No i wczoraj w południe, kiedy mama poszła do kuchni po pieczeń, ugryzłem kawałek chleba i bęc! ząb wypadł, a ja się okropnie przestraszyłem i zacząłem płakać.

Tata zerwał się z krzesła i podszedł do mnie.

– Co się stało, Mikołaj? – spytał. – Boli cię coś? Odpowiedz! Co ci jest?

– Mój ząb – chlipnąłem. – Wyleciał!

Wtedy tata zaczął się śmiać i przybiegła mama.

– Co się dzieje? – spytała. – Nie mogę zostawić was samych na dwie minuty, żeby nie wydarzył się jakiś dramat!

– Ależ skąd – powiedział tata ze śmiechem. – Głuptas płacze, bo właśnie stracił ząb.

– Ząb? – powiedziała mama. – Pokaż...

Mama zajrzała mi do buzi, roześmiała się i pocałowała mnie we włosy.

– No, kochanie, nie ma czego płakać – powiedziała.

– Właśnie że jest! Właśnie że jest! – krzyknąłem. – Boli mnie i leci mi krew!

– Słuchaj, Mikołaj – powiedział tata – musisz nauczyć się zachowywać jak mężczyzna. Tylko mężczyźni tracą zęby i to nie jest nic poważnego. Zęby odrastają tak samo jak włosy, kiedy idziesz do fryzjera. Więc idź wypłucz sobie usta i wracaj do stołu. I nie wygaduj głupstw, nic cię nie boli. Już ci mówiłem, że kiedy płaczesz, wyglądasz jak pajac. O tak!

Tata się wykrzywił, a ja zacząłem się śmiać. Poszedłem umyć sobie buzię, umyłem ząb, schowałem go do kieszeni i wróciłem do stołu.

Potem było trochę problemów, kiedy powiedziałem, że nie pójdę do szkoły, dopóki ząb mi nie odrośnie, ale nie mogłem płakać, bo tata mnie rozśmieszał swoimi minami.

W drodze do szkoły spotkałem Alcesta – takiego kumpla – i pokazałem mu ząb.

– Co to? – zapytał Alcest.
– To mój ząb – wyjaśniłem. – Wypadł mi, zobacz.

Otworzyłem usta, Alcest zajrzał do środka i powiedział, że faktycznie, brakuje mi jednego zęba. A potem zaczęliśmy biec, żeby nie spóźnić się do szkoły.

– E, chłopaki! – krzyknął Alcest, kiedy weszliśmy na podwórko. – Mikołajowi wypadł ząb!

Wtedy wszystkie chłopaki podeszły, ja otworzyłem usta, oni zajrzeli do środka i Rosół – to nasz opiekun – przyszedł i zapytał, co się dzieje, więc mu wytłumaczyłem, a on zajrzał mi w usta, powiedział: „Dobrze", i sobie poszedł.

– A ząb – spytał mnie Gotfryd. – Masz go?

– No jasne – odpowiedziałem.

I wyjąłem z kieszeni ząb, żeby mu pokazać.

– Nie zapomnij schować go pod poduszkę, żeby przyszła myszka – powiedział Gotfryd.

– Jaka myszka? – spytał Maksencjusz.

– No – wyjaśnił Gotfryd – to jakiś patent rodziców. Kiedy wypada ci ząb, mówią, żebyś przed zaśnięciem schował go pod poduszkę, to przyjdzie myszka, żeby go zabrać i położyć na jego miejscu monetę. Ostatnim razem, jak mi wyleciał ząb, zrobiłem tak i świetnie się udało.

– To bujda – powiedział Rufus.

– Może i bujda – odpowiedział Gotfryd – ale dwadzieścia centymów zarobiłem. Więc...

– Mój dziadek wkłada swoje zęby do szklanki z wodą – powiedział Kleofas.

– Myślisz, że mnie też uda się ten numer z myszką? – spytałem Gotfryda.

– Jasne – odpowiedział mi Gotfryd. – Zawsze się udaje.

– To bujda – powiedział Rufus.

– Ach tak? – spytał Gotfryd.

A potem zadzwonił dzwonek i poszliśmy ustawić się w pary, żeby iść do klasy.

Strasznie cieszyłem się z tego, co mi powiedział Gotfryd, i wyjąłem z kieszeni ząb, żeby na niego popatrzyć.

– Nie zgub go – powiedział Alcest.

– Mikołaj! – krzyknęła pani. – Co ty robisz? Przynieś mi, co tam chowasz pod ławką. No szybko! I nie masz co płakać!

Więc podszedłem do biurka pani i pokazałem jej mój ząb. Pani zrobiła zdziwioną minę i zapytała:

– Co tam masz, Mikołaj?

– To mój ząb – wyjaśniłem. – Schowam go dziś wieczorem pod poduszkę, żeby przyszła myszka.

Pani spojrzała na mnie groźnie, ale widziałem, że bardzo stara się nie roześmiać. Nasza pani jest strasznie fajna. Często, nawet jak na nas krzyczy, ma się wrażenie, że okropnie chce jej się śmiać.

– Dobrze, Mikołaj – powiedziała mi – zabierz swój ząb i staraj się nie rozpraszać. Bo myszka przychodzi tylko do grzecznych dzieci. Więc dziś bardziej niż kiedykolwiek powinieneś się zachowywać spokojnie. Zrozumiano? A teraz wracaj na miejsce.

A potem pani wywołała do tablicy Kleofasa, dostał pałę, ale dla niego to nie takie ważne, bo nie stracił dzisiaj zęba.

Po szkole Alcest poszedł ze mną i powiedział:

– Słyszałeś, ten numer z myszką to wcale nie jest bujda, pani tak powiedziała. Więc nie zapomnisz włożyć zęba pod poduszkę, co? W ten sposób jutro, za pieniądze, które znajdziesz, będziemy mogli kupić sobie coś dobrego dla nas obu.

– Dlaczego dla nas obu? – spytałem. – To mój ząb. Jak chcesz mieć pieniądze, to poczekaj, aż ci zaczną wypadać zęby, cwaniaku!

Alcest się strasznie obraził, powiedział, że jak się jest dobrym kumplem i traci się ząb, to trzeba się podzielić z kolegami, że nigdy w życiu już się do mnie nie odezwie i że jak jemu będą wypadać zęby, nie da mi nawet tyle.

Alcest próbował strzelić palcami, ale nie mógł z powodu masła i gdzieś sobie pobiegł.

Przed pójściem spać włożyłem ząb pod poduszkę i zasnąłem, zadowolony jak nie wiem co.

A dziś rano, kiedy się obudziłem, bardzo bardzo wcześnie, od razu zajrzałem pod poduszkę i co znalazłem? Mój ząb! Żadnych pieniędzy, tylko mój ząb!

No i to było strasznie niesprawiedliwe, bo nie warto mieć zębów, które wypadają, jeśli potem nie dają wam pieniędzy. Poszedłem do sypialni rodziców, którzy jeszcze leżeli w łóżku, i z płaczem pokazałem im ząb.

– Jeszcze jeden? – krzyknął tata. – To niewiarygodne!

– To ten wczorajszy – wyjaśniłem. – I Gotfryd mi powiedział, że dzisiaj przyjdzie myszka, a ona nie przyszła!

– Jaka myszka? – zdziwiła się mama. – Co ty opowiadasz, Mikołaj?

– Myszka! – powiedział tata, dotykając ręką głowy. – Ależ tak!... Oczywiście... Chyba wiem, co się stało... Wracaj do swojego pokoju, Mikołaj, zaraz przyjdę.

No to wróciłem do swojego pokoju razem z zębem, słyszałem, jak tata z mamą się śmieją, a potem tata przyszedł do mojego pokoju z szerokim uśmiechem na twarzy.

– Strasznie głupia ta myszka – powiedział. – Pomyliła poduszki! Zobacz, co znalazłem pod swoją.

I tata dał mi pięćdziesięciocentymową monetę!

Okropnie się ucieszyłem, a ponieważ Alcest to fajny kumpel i nie lubię się z nim kłócić, jak tylko go zobaczę, dam mu swój ząb, żeby włożył go sobie wieczorem pod poduszkę!

To wszystko głupie wymysły!

MOI KOLEDZY SĄ WSZYSCY STRASZNIE GŁUPI! Mówiłem już wam, że mamy sąsiada, ale nie pana Blédurt, z którym tata nie rozmawia, tylko pana Courteplaque, który nie rozmawia z tatą, jest kierownikiem działu z butami w domu towarowym „Mały Ciułacz", na trzecim piętrze, ma żonę, panią Courteplaque, która gra na fortepianie, i córeczkę, która nazywa się Jadwinia i czasem przychodzi pobawić się ze mną w ogrodzie.

Na przykład wczoraj przeszła przez dziurę w płocie, która jest wciąż niezreperowana i pan Courteplaque przysłał tacie list, że jak tata nie naprawi płotu, to on złoży skargę. Tata mu odpisał, nie wiem dokładnie co, ale to śmieszne wysyłać do siebie listy, kiedy się mieszka tuż obok! I Jadwinia spytała, czy chcę się z nią pobawić, a ja powiedziałem, że tak.

Jadwinia jest dziewczyną, ale jest bardzo fajna – cała różowa, z żółtymi błyszczącymi włosami i w fartuszku w niebieską kratę, który pasuje do jej oczu, nie dlatego że jest w kratę, ale dlatego że jest niebieski.

– Wiesz – powiedziała Jadwinia – że biorę lekcje tańca? Nauczyciel powiedział mamie, że jestem niesamowicie uzdolniona. Chcesz zobaczyć?

– Tak – powiedziałem.

Więc Jadwinia zaczęła śpiewać „la la la" i skakać po całym ogrodzie, zatrzymując się od czasu do czasu, żeby się schylić, jakby szukała czegoś w trawie, a potem zamachała rękami, jakby to były skrzydła, a potem stanęła na czubkach palców i zaczęła wirować dookoła begonii mamy, i to było strasznie fajne. Nawet w telewizji u Kleofasa nigdy nie widziałem czegoś tak fajnego – no, może tylko ten film kowbojski z zeszłego tygodnia.

– Kiedyś – powiedziała Jadwinia – zostanę wielką tancerką, będę miała białą sukienkę z taką spódniczką, wiesz? a we włosach mnóstwo klejnotów, i będę tańczyć w teatrach na całym świecie, w Paryżu, w Ameryce, w Arcachon, a w teatrach będzie pełno królów i prezydentów, i wszyscy będą w mundurach i czar-

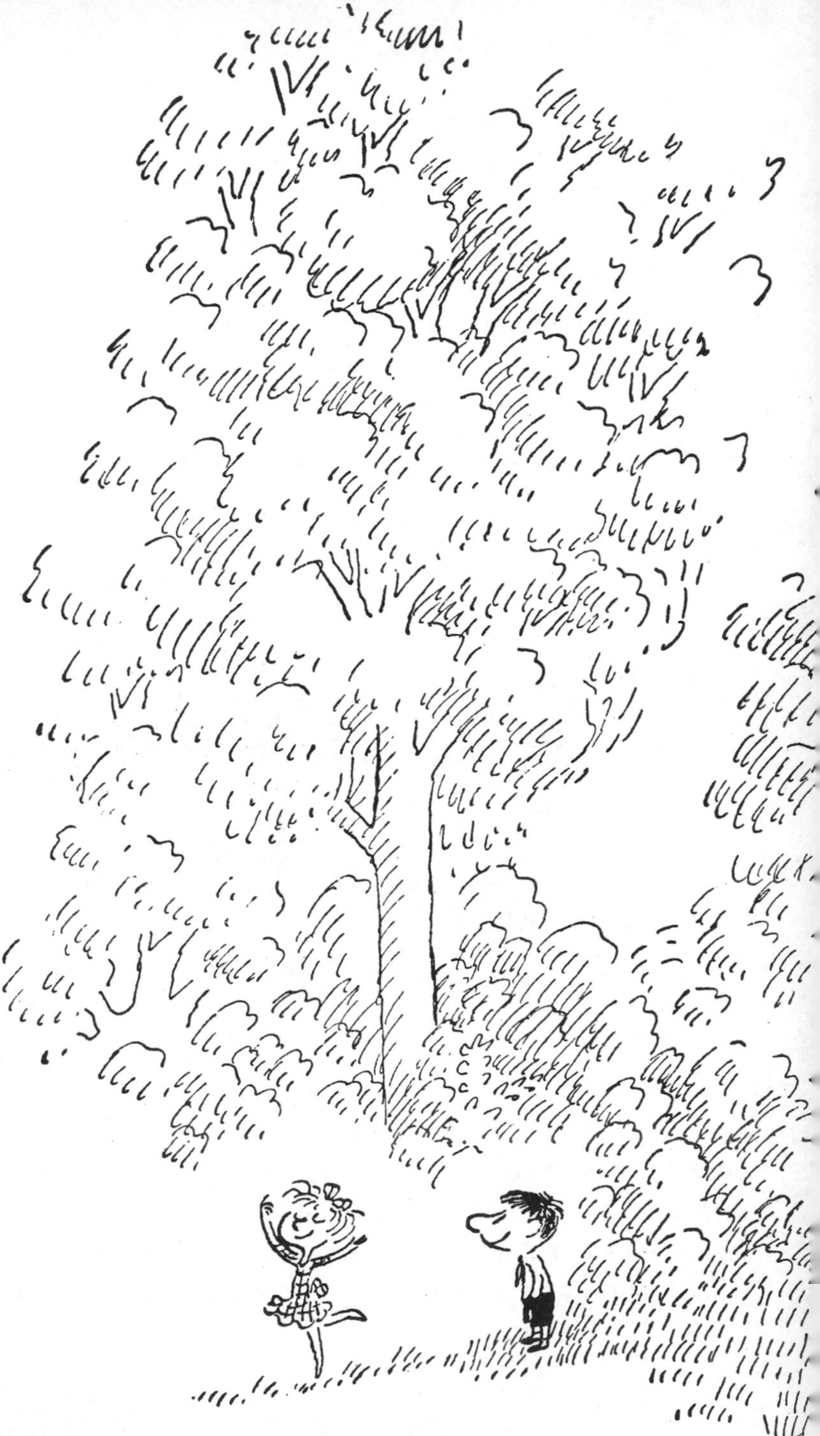

nych ubraniach, a kobiety będą w atłasowych sukniach, wiesz? Ale ja będę najpiękniejsza, i wszyscy będą stali i bili brawo, a ty będziesz moim mężem, i będziesz czekał za kulisami, i przyniesiesz mi kwiaty, wiesz?

– Tak – powiedziałem.

Jadwinia stanęła na czubkach palców i zaczęła wirować dookoła begonii – mam nadzieję, że kiedyś, jak będę duży, mama pozwoli mi ich narwać, żeby zanieść je do teatru, chociaż to nie takie pewne, bo z begoniami mamy lepiej nie żartować... A potem przed dom przyszły chłopaki.

– E, Mikołaj! – krzyknął Euzebiusz. – Idziesz z nami na plac? Będziemy grać w nogę! Rodzice Alcesta oddali mu skonfiskowaną piłkę!

Na ogół gra w nogę to jest to, co lubię najbardziej, nie licząc mamy i taty, ale teraz, nie wiem dlaczego, nie bardzo miałem ochotę grać z kolegami.

– Jeśli chcesz iść, to idź – powiedziała Jadwinia – mnie tam jest wszystko jedno. Więc jeśli chcesz iść, to idź.

– To jak – krzyknął Rufus – idziesz czy nie? Jeżeli chcemy grać, to trzeba się pospieszyć. Późno już.

– Jasne, że idzie – powiedział Alcest.

A jak ja nie mam ochoty grać w nogę, to czego się mnie czepiają? Nie mam ochoty i już, no bo co w końcu, kurczę blade!

– Co mu jest, że się tak na nas gapi? – spytał Joachim.

– E tam! – powiedział Gotfryd. – Poradzimy sobie bez niego. Chodźmy.

I chłopaki sobie poszły, a Jadwinia powiedziała, że ma nadzieję, że to nie z jej powodu nie poszedłem grać w nogę z przyjaciółmi. Odpowiedziałem, że oczywiście że nie, że robię tylko to, na co mam ochotę, i zacząłem się śmiać, a Jadwinia spytała, czy nie mógłbym pofikać trochę koziołków, bo to, co ona naprawdę lubi, to patrzeć, jak się fika koziołki, a ja w koziołkach jestem niesamowity. A potem pani Courteplaque krzyknęła do Jadwini, że czas umyć ręce i szykować się do kolacji.

Przy stole nie bardzo chciało mi się jeść i mama położyła mi rękę na czole, mówiąc, że się niepokoi, kiedy zamiast jeść, bawię się piure, a tata powiedział, że to z powodu wiosny i rodzice zaczęli się śmiać, więc ja się też roześmiałem, ale nie dokończyłem piure.

Mama powiedziała, żebym już szedł lulu-spać, bo wyglądam na zmęczonego, a jutro jest szkoła, więc poszedłem spać i przyśnił mi się fajny sen: była w nim Jadwinia, która tańczyła w teatrze w swoim niebieskim fartuszku, a w teatrze byli wszyscy koledzy ubrani jak kowboje i bili brawo, a ja wręczałem Jadwini wielki bukiet begonii.

Dziś rano, kiedy przyszedłem do szkoły, wszyscy koledzy już tam byli. Kiedy mnie zobaczyli, Euzebiusz objął Alcesta zupełnie jak chłopak dziewczynę w filmach, kiedy są nudne kawałki, z tym że dziewczyna nie je kanapki, jak ten idiota Alcest.

– Kocham cię – mówił Euzebiusz. – Och, jaki jestem zakochany!

– Ja też cię strasznie kocham, Mikołaju – powiedział Alcest, patrząc w oczy Euzebiusza i parskając mu w twarz masą okruchów.

– No co się wygłupiacie? – spytałem.

Wtedy Gotfryd zaczął podskakiwać, wymachując rękami.

– Patrzcie, jak tańczę – krzyczał. – Czy to nie lepsze od gry w nogę? Patrzcie! Tańczę jak narzeczona Mikołaja! E, chłopaki! Czy nie jestem śliczny?

A potem wszyscy zaczęli biegać dookoła mnie i krzyczeć: „Mikołaj się zakochał! Mikołaj się zakochał! Mikołaj się zakochał!".

Więc się okropnie wkurzyłem, rąbnąłem pięścią w kanapkę Alcesta, zaczęliśmy się bić i Rosół, nasz opiekun, przyleciał pędem i rozdzielił nas, mówiąc, że jesteśmy małymi dzikusami, że zaczyna mieć tego dość i że mamy wszyscy zostać za karę po lekcjach. I poszedł zadzwonić na lekcję.

Ja się zakochałem? Wolne żarty! Jakby w ogóle można było zakochać się w dziewczynie, choćby i w Jadwini! To wszystko głupie wymysły! Jedyne, co nie jest wymysłem, to że ci moi koledzy są wszyscy strasznie głupi!

I kiedy będę duży, powiem w teatrze portierowi, żeby ich nie wpuszczał! No bo co w końcu, kurczę blade!

Szwagrowie

Maksencjusz PRZYSZEDŁ DZIŚ DO SZKOŁY dumny jak nie wiem co.

– E, chłopaki! – powiedział. – Niedługo zostanę szwagrem!

– Żartujesz – powiedział Rufus.

– Nie, mój drogi, wcale nie żartuję – odpowiedział mu Maksencjusz.

I Maksencjusz wytłumaczył nam, że jego starsza siostra Herminia się zaręczyła i że niedługo wyjdzie za mąż, a on zostanie szwagrem męża Herminii.

– Za mały jesteś, żeby być szwagrem – powiedział Euzebiusz.

– Mój ojciec jest szwagrem, ale ty jesteś za mały.

– Po pierwsze, nie jestem mały – krzyknął Maksencjusz – jak chcesz, to się ścigamy, na pewno cię przegonię, a poza tym to nie ma nic do rzeczy: moja siostra wychodzi za mąż i trach, zostaję szwagrem.

I Maksencjusz nam powiedział, że narzeczony jego siostry jest bardzo fajny, że ma wąsy i że już mu robił prezenty. Na przykład kiedy wczoraj wieczorem przyszedł do Herminii, dał mu pieniądze, żeby poszedł kupić sobie cukierki, i prosił, żeby mówić do niego Edmund – tak ma na imię – bo szwagrowie są przecież kumplami.

– Powiedział mi też, że na ślubie będę drużbą – wyjaśnił nam jeszcze Maksencjusz – że będę pił szampana i dostanę duży kawał tortu.

– No, no! – pokiwał głową Alcest.

– I jeszcze mi obiecał – pochwalił się Maksencjusz – że przewiezie mnie swoim samochodem, ma niesamowity samochód, i że pójdziemy do zoo oglądać małpy.

– Ty, szwagier, zaczynasz nas wkurzać – powiedział Rufus.

– Ach tak? – powiedział Maksencjusz. – Mówisz tak, bo mi zazdrościsz. Bo sam nie możesz być szwagrem. Dlatego właśnie tak mówisz!

– Co? – krzyknął Rufus. – Mogę być szwagrem, kiedy zechcę! A ty nie jesteś żaden szwagier, tylko blagier! Jesteś blagier i tyle!

To rozśmieszyło nas wszystkich oprócz Maksencjusza, który poprosił Rufusa:

– Powtórz tylko, co powiedziałeś?

– Blagier! Blagier! Blagier! – powtórzył Rufus.

Wtedy Maksencjusz rzucił się na Rufusa, zaczęli się bić i Rosół – to nasz opiekun – przyleciał pędem i ich rozdzielił.

– On powiedział, że jestem blagier, bo mi zazdrości! – krzyknął Maksencjusz. – Wszyscy mi zazdroszczą!

– Nie prosiłem cię o wyjaśnienia – odpowiedział mu Rosół. – Nie mam zamiaru słuchać waszych niedorzeczności. Jazda obaj do kąta. To samo będzie z innymi, jeśli się znajdą chętni. Ani słowa więcej. Cisza. Ale już.

A dzisiaj po południu, kiedy wracałem ze szkoły, pomyślałem sobie, że Maksencjusz ma szczęście, że jest szwagrem dorosłego wąsacza, który swoim pięknym autem zabierze go do zoo oglądać małpy. I kiedy wszedłem do domu, pobiegłem do mamy do kuchni i spytałem:

– Czy ja nie mogę być szwagrem?

Mama spojrzała na mnie, a potem powiedziała:

– Mikołaj, jestem zajęta, nie zawracaj mi głowy swoimi wymysłami. Zapytasz tatę, jak wróci. A teraz jedz podwieczorek i idź odrabiać lekcje.

Kiedy usłyszałem, że tata wraca do domu, zbiegłem na dół i krzyknąłem:

– Powiedz tato!

– Jedną chwilę, króliczku – powiedział tata. – Daj mi chociaż zdjąć płaszcz.

Potem tata usiadł w fotelu w salonie i zapytał:

– Słucham cię, chłopie, czego chcesz?

– Czy ja nie mogę być szwagrem? – spytałem.

Tata zrobił zdziwioną minę, a potem się roześmiał.

– No nie – powiedział – nie sądzę. Chyba że później, kiedy się ożenisz, ale pod warunkiem że nie poślubisz jedynaczki.

– O nie – zawołałem. – Nie później, teraz. Maksencjusz zostanie szwagrem i pojedzie do zoo samochodem oglądać małpy.

– Posłuchaj, Mikołaj – powiedział tata. – Postaraj się zrozumieć: jestem zmęczony i chciałbym w spokoju poczytać gazetę. Więc idź na górę się bawić albo odrabiać lekcje, albo cokolwiek. Zgoda?

– No nie, to niesprawiedliwe! – krzyknąłem. – Jak ja o coś zapytam, to nikt nie chce ze mną rozmawiać i odsyła się mnie na górę. A taki idiota Maksencjusz, dlatego że jego siostra wychodzi za mąż, pojedzie samochodem do zoo oglądać małpy!

Tata wstał z fotela tak samo zły jak ja.

– Dość tego, Mikołaj! – krzyknął. – Bo jeśli będziesz mi się dalej naprzykrzał, to uprzedzam: nie ręczę za siebie!

Rozpłakałem się i do salonu weszła mama.

– Co znowu? – spytała. – Jak tylko zostawię was samych, od razu są krzyki i wrzaski!

– To – powiedział tata – że twój syn chce mieć starszą siostrę. Natychmiast!

Mama zrobiła okrągłe oczy, a potem się roześmiała.

– Co ty opowiadasz? – spytała.

– Twój syn – powiedział tata (twój syn to ja) – wbił sobie w głowę, że chce zostać szwagrem, bo jeden z tych małych szajbusów, którzy chodzą z nim do szkoły, niedługo będzie szwagrem i pójdzie do zoo oglądać małpy. Tyle przynajmniej zrozumiałem.

Mama zaczęła się tak śmiać, że tata się uśmiechnął i ja też się roześmiałem, jak zawsze, kiedy mama się śmieje. A potem mama się schyliła, tak żeby jej twarz była naprzeciw mojej, i powiedziała:

– Co za pomysł, kochanie! Wiesz, nie zawsze wesoło jest
mieć szwagra. Ja sama mam jednego, tak że wiem, co mówię.

– Tak? A niby co takiego zrobił ci twój szwagier? – spytał
tata.

– Och! – odpowiedziała mama. – Dobrze wiesz, że Eugeniusz
jest czasem trochę... nieokrzesany. Przypomnij sobie ostatni
raz, kiedy u nas był i nie mogliśmy się go pozbyć. A te jego dowcipy! Naprawdę!...

– Chyba wolno mi przyjmować u siebie brata? – spytał tata,
który już się nie uśmiechał. – I może jego humor nie jest dla Jaśnie Pani dość wyrafinowany, ale mnie śmieszy!

– No to nie jesteś zbyt wymagający – powiedziała mama, która wstała i zrobiła się bardzo czerwona.

– W każdym razie – powiedział tata – szwagier jest mniej
uciążliwy niż teściowa.

– To ma być aluzja? – spytała mama.

– Odbieraj to, jak chcesz – odpowiedział tata.

– Znam kogoś, kto w każdej chwili może wrócić do twojej te-
ściowej – powiedziała mama.

Wtedy tata podniósł ręce do sufitu, zaczął chodzić od fotela
do stolika, na którym stoi lampa, i od stolika, na którym stoi
lampa, do fotela, a potem stanął przed mamą i zapytał:

– Nie wydaje ci się, że jesteśmy trochę śmieszni?

Mama się roześmiała i odpowiedziała:

– Rzeczywiście.

No i wszyscy się roześmiali i wszyscy wszystkich pocałowali,
a ja ucieszyłem się jak nie wiem co, bo lubię, kiedy rodzice się
godzą, i wtedy mama zawsze robi na kolację coś fajnego.

A potem ktoś zadzwonił do drzwi, tata poszedł otworzyć, i to
był pan Blédurt, nasz sąsiad.

– Przychodzę – powiedział pan Blédurt do taty – zapytać, czy jutro, przy niedzieli, nie miałbyś ochoty pobiegać ze mną rano w lesie.

– Och, nie! – powiedział tata. – Bardzo mi przykro. Jutro rano jedziemy z Mikołajem samochodem oglądać małpy, jak dwaj prawdziwi szwagrowie.

I pan Blédurt sobie poszedł, mówiąc, że wszyscy w tym domu jesteśmy pomyleni.

Brzydkie słowo

Na przerwie, dziś po południu, Euzebiusz powiedział brzydkie słowo. W szkole mówimy czasem brzydkie słowa, ale tego żeśmy nie znali.

– Mój brat tak powiedział dzisiaj rano – wyjaśnił nam Euzebiusz. – Ten, co jest oficerem. Jest teraz w domu na przepustce. Zaciął się przy goleniu i powiedział brzydkie słowo.

– Twój brat nie jest oficerem – powiedział Gotfryd. – Odbywa służbę wojskową i jest żołnierzem. Więc mnie nie rozśmieszaj.

– Właśnie że jest oficerem – zawołał Euzebiusz.

– Zalewasz – powiedział Gotfryd.

Wtedy Euzebiusz powiedział Gotfrydowi brzydkie słowo.

– Powtórz – poprosił Gotfryd.

Euzebiusz powtórzył brzydkie słowo. Gotfryd odpowiedział brzydkim słowem Euzebiuszowi, no i się pobili. A potem zadzwonił dzwonek.

– Akurat, jak zaczęło być fajnie – zmartwił się Rufus.

I powiedział brzydkie słowo.

Kiedy wróciłem do domu, mama była w kuchni. Wpadłem tam i krzyknąłem:

– Mamo, już jestem!

– Mikołaj – powiedziała mama – ile razy trzeba cię prosić, żebyś nie wbiegał tutaj jak dzikus? A teraz jedz podwieczorek i idź odrabiać lekcje. Jestem zajęta.

Kiedy piłem kawę i jadłem kanapkę, zobaczyłem, że mama szykuje... pieczeń cielęcą. Bardzo lubię pieczeń, jest pyszna, szczególnie kiedy nie ma gości, bo wtedy jestem pewny, że dostanę połowę nereczki.

– Juhu, pieczeń! – zawołałem.

– Tak – powiedziała mama. – Ojciec prosił, żeby mu zrobić na kolację, z dużą ilością przypraw. Będzie zadowolony.

Tata lubi pieczeń tak samo jak ja i zawsze dzielimy się nereczką.

– Dobrze, Mikołaj – powiedziała mama. – Skończyłeś podwieczorek, więc idź szybko odrabiać lekcje.

– A nie mogę pobawić się w salonie? – spytałem. – Lekcje odrobię po kolacji.

– Mikołaj! – krzyknęła mama. – Jazda mi natychmiast odrabiać lekcje, zrozumiano?

Wtedy powiedziałem brzydkie słowo.

Mama otworzyła szeroko oczy, spojrzała na mnie i zrobiło mi się głupio, że powiedziałem brzydkie słowo. Brzydkich słów, których człowiek uczy się na przerwie, nie trzeba nigdy powtarzać w domu, bo na przerwie brzydkie słowa są śmieszne, ale w domu są wstrętne i potem ma się kłopoty.

– Coś ty powiedział? Powtórz no! – powiedziała mama.

Więc powtórzyłem brzydkie słowo.

– Mikołaj! – krzyknęła mama. – Gdzieś ty się nauczył takich słów?

– No – wyjaśniłem – w szkole, na przerwie. Euzebiusz ma brata żołnierza i mówi, że on jest oficerem, ale to bujda i Gotfryd mu to powiedział, a brat Euzebiusza jest na przepustce, no i zaciął się przy goleniu i powiedział brzydkie słowo, a Ezebiusz nauczył go nas w szkole na przerwie.

– Brawo – powiedziała mama. – Brawo! Widzę, że w szkole dbają o twoją edukację i że masz wspaniale wychowanych kolegów. Idź teraz odrabiać lekcje. Zobaczymy, co na to wszystko powie tatuś.

Poszedłem na górę odrabiać lekcje – to nie była pora na wygłupy – i byłem bardzo zmartwiony. Chciało mi się nawet trochę płakać z powodu tego wstrętnego słowa i tego idioty Euzebiusza, który nie powinien nam powtarzać wszystkich głupstw, jakie jego brat wygaduje przy goleniu. No bo co w końcu, kurczę blade.

Siedziałem nad lekcjami, kiedy usłyszałem, że do domu wchodzi tata.

– Kochanie, jestem! – krzyknął tata.

– Mikołaj! – zawołała mama.

Więc zszedłem do salonu, chociaż nie bardzo miałem ochotę, a tata na mój widok roześmiał się i powiedział:

– No! Co to za mina, mój chłopie? Założę się, że znowu masz w szkole kłopoty!

– Gorzej – powiedziała mama, która patrzyła na mnie z rozgniewaną miną. – To bardzo poważna sprawa. Wyobraź sobie, że twój syn uczy się brzydkich słów.

– Brzydkich słów? – zapytał tata zdziwiony. – Jakich brzydkich słów, Mikołaj?

Więc powiedziałem brzydkie słowo.

– Co? – krzyknął tata. – Coś ty powiedział?

– Dobrze usłyszałeś – powiedziała mama. – Masz pojęcie?

– Wspaniale – powiedział tata. – A kto cię nauczył tak mówić?

Więc opowiedziałem tacie numer z tym idiotą Euzebiuszem i bratem tego idioty Euzebiusza.

Tata uderzył się po kieszeniach marynarki i ciężko westchnął.

– Człowiek wypruwa z siebie żyły – powiedział do mamy – i oto, czego ich uczą! No pięknie! Naprawdę pięknie! Chyba napiszę list do dyrektora szkoły. Poważnie! Niech lepiej pilnują swoich łobuzów. Za moich czasów ten, kto by się ośmielił powiedzieć takie słowo, zostałby natychmiast wydalony ze szkoły! Ale dzisiaj nie ma już dawnej dyscypliny! O, nie! Teraz są nowe metody, wychowuje się ich nowocześnie. Żeby tylko drogie maluchy nie dostały kompleksów! A że potem stają się chuliganami, bandytami, że kradną samochody – ależ to bardzo dobrze, to świetnie, to doskonale! Pokolenie opryszków, oto, co nam szykują!

Okropnie się bałem. Jeżeli tata napisze do dyrektora, zrobi się straszna afera, bo w mojej szkole jest tak samo jak w szkole taty, kiedy był mały. Dyrektor nie lubi brzydkich słów i kiedy jeden starszy chłopak powiedział drugiemu na lekcji brzydkie słowo, od razu został zawieszony.

– Nie chcę, żebyś pisał do dyrektora – chlipnąłem. – Jeżeli napiszesz do dyrektora, nigdy więcej nie pójdę do szkoły!

– Niewiele stracisz – powiedział tata.

– Nie o to chodzi – powiedziała mama. – Najważniejsze, żeby Mikołaj zrozumiał, że nie wolno mu powtarzać takich słów. Nigdy.

– Masz rację – zgodził się tata. – Chodź no tu, Mikołaj.

Tata usiadł w fotelu, wziął mnie za ramiona i postawił między swoimi kolanami.

– Nie wstyd ci, Mikołaj? – spytał.

– Wstyd – odpowiedziałem.

– I słusznie – powiedział tata. – Bo wychowanie, które otrzymujesz teraz, przesądzi o całym twoim życiu, o całej twojej przyszłości. Jeśli nie będziesz przykładał się do nauki, jeśli będziesz mówił brzydkie słowa, zostaniesz wyrzutkiem, gamoniem, ludzie będą cię wytykali palcem. Te brzydkie słowa, które słyszysz i które powtarzasz, nie wiedząc nawet, co oznaczają, wydają ci się nieważne, wydają ci się zabawne. I tu się mylisz. Tu się ogromnie mylisz. Społeczeństwo nie potrzebuje ordynusów. Musisz wybrać, czy chcesz zostać łobuzem, czy człowiekiem przydatnym dla zbiorowości. Tak, masz przed sobą wybór: być prostakiem, którego się unika, lub osobą, którą chętnie się do siebie zaprasza, o której przyjaźń się zabiega. Człowiek ordynarny nigdy wysoko nie zajdzie – gardzi się nim, odsuwa od siebie, nie chce się z nim mieć do czynienia. Oto jak jedno brzydkie słowo może złamać życie. Zrozumiałeś, Mikołaj?

– Tak, tato – powiedziałem.

– Myślisz, że zrozumiał? – spytała tatę mama. – Mam wrażenie, że...

– Zaraz się przekonamy – powiedział tata. – Co ci wytłumaczyłem, Mikołaj?

– No – powiedziałem – że nie trzeba mówić brzydkich słów, bo inaczej nie będą nas zapraszać.

Tata i mama spojrzeli na siebie i zaczęli się śmiać.

– O to z grubsza chodzi, chłopie – powiedział tata.

– Jestem dumna z mojego Mikołaja – powiedziała mama i mnie pocałowała.

A potem tata przestał się śmiać, pociągnął nosem, spojrzał w stronę kuchni i krzyknął:

– Coś się przypala: twoja pieczeń!

I mama powiedziała brzydkie słowo!

Przed Świętami
jest fajnie

ZWYKLE TATA MÓWI, że Święty Mikołaj jest bardzo biedny i nie może mi przynieść tego mnóstwa niesamowitych rzeczy, o które proszę, ale w tym roku będzie ekstra, bo tata obiecał, że dostanę wszystko, co będę chciał.

Dzisiaj w szkole był ostatni dzień przed feriami, a Gotfryd ma bardzo bogatego ojca, który przez cały rok kupuje mu różne rzeczy, no i my oczywiście nie jesteśmy zazdrośni, bo Gotfryd to dobry kumpel, ale to niesprawiedliwe, żeby ten głupek dostawał przez cały czas prezenty, kiedy my dostajemy je tylko na urodziny, na Gwiazdkę i kiedy jesteśmy najlepsi z wypracowania, a to nie zdarza się często, bo najlepszy jest zawsze Ananiasz, który jest pupilkiem naszej pani.

Gotfryd nie zdążył opowiedzieć nam o swoich goglach, bo zadzwonił dzwonek i musieliśmy ustawić się w pary, żeby iść do klasy. A w klasie pani się rozgniewała, bo Gotfryd i Euzebiusz ze sobą rozmawiali.

– Gotfrydzie! Euzebiuszu! – krzyknęła pani. – Chcecie za karę spędzić ferie zimowe w szkole?

– Ja nie mogę, proszę pani – powiedział Gotfryd. – Jutro wyjeżdżam na narty.

– Jak cię zatrzymają za karę – powiedział Euzebiusz – to zrobisz tak jak ja, nie wyjedziesz i koniec. Bez jaj!
    – Ach tak? – zawołał Gotfryd. – Mój ojciec już zarezerwował
hotel i miejsca w pociągu!
        – Cisza! – krzyknęła pani. – Jesteście nieznośni!... Mikołaj,
nie przeszkadza ci, że mówię jednocześnie z tobą?... Nie wiem,
co się z wami dzisiaj dzieje, ale jesteście nie do wytrzymania!
Jeszcze słowo i zatrzymam po lekcjach całą klasę, czy ktoś jedzie
na narty, czy nie!

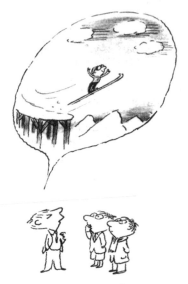

– No właśnie! – powiedział Euzebiusz.
    I pani postawiła Euzebiusza i Gotfryda do kąta, po obu stro-
nach tablicy, bo kąty w głębi klasy były już zajęte przez Kleofasa,
który był pytany – zawsze idzie do kąta po tym, jak go pytają –
i przez Rufusa, który posłał do Maksencjusza karteczkę, na której napisał: „Na przerwie muszę z tobą porozmawiać", i pani to
zobaczyła, a ona nie lubi, jak na lekcji wysyłamy do siebie liści-

ki. Mówi, że jak mamy sobie coś ważnego do powiedzenia, to możemy poczekać, aż będzie przerwa.

A potem zadzwonił dzwonek na przerwę i pani pozwoliła wszystkim wyjść, nawet tym ukaranym, bo nasza pani jest strasznie fajna, a poza tym myślę, że czasem lubi zostać w klasie sama.

Na podwórku Maksencjusz spytał Rufusa, co miał mu do powiedzenia, ale Rufus mu powiedział, że nie rozmawia z głupkami, którzy pozwalają, żeby pani odbierała im liściki, że to wszystko, co ma mu do powiedzenia, i że nic więcej mu nie powie.

Kiedy Maksencjusz mówił Rufusowi, żeby jednak powiedział mu to, co miał mu do powiedzenia, my stanęliśmy wokół Gotfryda, który włożył swoje gogle i tłumaczył, że są do jazdy na nartach.

– Umiesz jeździć na nartach? – spytałem.

– Jeszcze nie – odpowiedział mi Gotfryd – ale będę uczyć się jeździć na nartach z instruktorem, a potem wezmę udział w mistrzostwach, jak ci faceci, których pokazują w telewizji, a ponieważ będę jeździć bardzo szybko, potrzebne mi będą gogle.

– Akurat – powiedział Euzebiusz.

To się Gotfrydowi nie spodobało.

– Mówisz tak – krzyknął – bo mi zazdrościsz!

– Trzymajcie mnie, bo umrę ze śmiechu – powiedział Euzebiusz. – Jak będę chciał, to poproszę o gogle pod choinkę i dostanę ich pełno.

– Akurat! – krzyknął Gotfryd. – Jak nie jeździsz na nartach, nie masz prawa mieć gogli!

– A kto mi zabroni! – powiedział Euzebiusz. – Zresztą poproszę o narty i gogle będą mi bardziej potrzebne niż tobie, bo będę szybciej jeździł!

No i się pobili, i przyleciał Rosół. Rosół to nasz opiekun i nie wiem, czy już wam mówiłem, że nazywamy go tak, bo często mówi: „Spójrzcie mi w oczy", a na rosole są oka. Starsze chłopaki to wymyśliły.

– Mali nicponie – krzyknął Rosół. – To ma być świąteczna atmosfera? Zachowujecie się jak dzikusy aż do ostatniego dnia szkoły? A w ogóle to dlaczego się bijecie? Spójrzcie mi w oczy i odpowiadajcie!

– Bo on powiedział, że będzie jeździć szybciej ode mnie na swoich wstrętnych nartach! – krzyknął Gotfryd.

– Dobrze – powiedział Rosół. – Ani słowa więcej. Odmienicie mi obaj czasownik: „Nie powinienem wygadywać bredni w czasie przerwy ani zachowywać się jak wandal, bijąc się na dziedzińcu szkolnym pod błahymi pretekstami". We wszystkich czasach i we wszystkich trybach. Na po feriach. A teraz marsz do kąta.

– Ale ja wyjeżdżam na narty! – powiedział Gotfryd.

– Akurat – powiedział Alcest.

I Rosół posłał go do kąta.

– Ja – powiedział Kleofas – napiszę do Świętego Mikołaja, żeby mi przyniósł przerzutkę do roweru.

– Do kogo napiszesz? – spytał Joachim.

– No, do Świętego Mikołaja – odpowiedział Kleofas. – A do kogo mam pisać, żeby poprosić o przerzutkę?

– Nie rozśmieszaj mnie – powiedział Joachim. – Ja też w niego wierzyłem, kiedy byłem mały. Ale teraz wiem, że Święty Mikołaj to mój ojciec.

Kleofas spojrzał na Joachima i puknął się palcem w głowę.

– Kiedy ci mówię, że go widziałem! – krzyknął Joachim. – W zeszłym roku obudziłem się, drzwi od mojego pokoju były otwarte i widziałem, jak ojciec wkłada pod choinkę prezenty. Zresztą drzewko o mało się na niego nie przewróciło i ojciec powiedział brzydkie słowo.

– E, chłopaki! – zawołał Kleofas. – On mówi, że jego ojciec
jest Świętym Mikołajem! Nie rozśmieszaj mnie, dobrze? Ty może widziałeś swojego ojca, za to ja widziałem Świętego Mikołaja
w sklepie, z białą brodą i w czerwonym płaszczu, i nawet siedziałem mu na kolanach i miałem problem, kiedy mnie zapytał,
czy się dobrze uczę! I to nie był twój ojciec!

– Jasne, że to nie był mój ojciec! – krzyknął Joachim. – Mój ojciec nie pozwoliłby, żeby jakieś dupki siadały mu na kolanach!

– A ja – powiedział Kleofas – nie siadłbym na kolanach twojemu ojcu, nawet gdyby mi za to płacił! I jeśli przyjdzie do nas do
domu, żeby wygłupiać się koło naszej choinki, to mój ojciec wy-
rzuci twojego ojca za drzwi, jak bum-cyk-cyk! Tak że lepiej niech
twój ojciec siedzi przy swojej choince, która się przewraca.

– Powtórz tylko, co powiedziałeś o naszej choince – poprosił
Joachim.

I przybiegł Rosół, bo Kleofas z Joachimem zaczęli okładać się
pięściami.

– Jeśli mój ojciec będzie miał ochotę powygłupiać się koło twojej choinki, to twój ojciec na pewno mu nie przeszkodzi! – krzyknął Joachim. – I nie myśl sobie, że usiądziesz mojemu ojcu na kolanach!

– Twój ojciec może się wypchać swoimi kolanami! – krzyknął Kleofas.

Rosół zrobił się cały czerwony, pokazał na koniec podwórka i powiedział, nie poruszając zębami:

– Do kąta. Razem z tamtymi. Ten sam czasownik.

Ale zanim skończyła się przerwa, Rosół musiał jeszcze zająć się Rufusem, który leżał na ziemi, i Maksencjuszem, który siedział na Rufusie i mówił: „To jak, powiesz mi to, co masz mi do powiedzenia, czy mi tego nie powiesz?". A Rufus kręcił głową, że nie, i bardzo mocno zaciskał usta, żeby nie mówić.

Po ostatniej lekcji kazano nam ustawić się w pary na dziedzińcu i przyszedł dyrektor powiedzieć, że życzy nam wszystkim Wesołych Świąt, że wie, że niektórzy są bardzo zdenerwowani, ale że zaczynają się ferie, więc on unieważnia wszystkie kary. Dyrektor ma rację – ja też zauważyłem, że nasza pani i Rosół są zawsze bardzo zdenerwowani przed feriami i dają dużo kar.

Jesteśmy fajną paczką kumpli, więc po wyjściu ze szkoły zatrzymaliśmy się na chwilę, żeby złożyć sobie życzenia. Kleofas pogodził się z Joachimem i wyjaśnił mu, że to, co powiedział o kolanach jego ojca, to było tylko dla żartu, a Joachim obiecał, że poprosi swojego ojca, żeby przyniósł przerzutkę pod choinkę Kleofasa.

Rufus powiedział Maksencjuszowi, że to, co miał mu do powiedzenia, to że w sklepie z zabawkami widział telefony, które działają jak prawdziwe, więc jeśli Maksencjusz, który mieszka niedaleko Rufusa, poprosi o telefon pod choinkę, to on też poprosi o telefon i będą mogli cały czas ze sobą rozmawiać, a Maksencjusz powiedział, że to fajny pomysł i że będą przynosić telefony do klasy, żeby sobie mówić, co mają sobie do powiedzenia, a wtedy pani nie będzie się już złościć z powodu liścików. I obaj poszli, bardzo zadowoleni, prosić ojców o telefony.

Ananiasz nas rozśmieszył, mówiąc, że rok temu dostał trzy pierwsze tomy jakiegoś niesamowitego słownika, więc w tym roku poprosi o trzy ostatnie, od M do Z. Wariat z tego Ananiasza!

Euzebiusz będzie prosił o narty.

A potem poszedłem z Alcestem, który jest moim najlepszym kolegą – to ten grubas, który bez przerwy je i który mieszka blisko mnie.

– U nas na Święta – powiedziałem – będzie Bunia, ciocia Donata i stryjek Eugeniusz.

– A u nas – powiedział Alcest – będzie biała kiełbasa i indyk.

Potem oglądaliśmy wystawy w naszej dzielnicy, które wyglądają niesamowicie, bo są świątecznie ozdobione, pełne girland, choinek, śniegu, błyszczących szklanych bombek, szopek i Mikołajów.

Wystawa sklepu pana Companiego była super: z choinką ułożoną z puszek z sardynkami i obsypaną cukrem pudrem. Długo staliśmy przed cukiernią z powodu świątecznych ciast, aż pani z cukierni wyszła powiedzieć Alcestowi, żeby sobie poszedł, bo denerwuje ją, kiedy tak stoi nieruchomo z nosem przyciśniętym do szyby. Nawet u sprzedawcy węgla, gdzie zwykle są tylko duże brudne worki, wisiała girlanda z trzema lampkami. Jeśli chodzi o lampki, to oczywiście najbardziej niesamowity był sklep z elektrycznością, gdzie lampki na wystawie – a było ich naprawdę mnóstwo, we wszystkich kolorach – wciąż bardzo szybko zapalały się i gasły, a światło było takie mocne, że oświetlało żaluzje w domu naprzeciw.

A potem Alcest poleciał biegiem do domu, bo był spóźniony na podwieczorek, a u niego zawsze się bardzo niepokoją, kiedy spóźnia się na posiłek.

– Znowu się gdzieś włóczyłeś po szkole – powiedziała mama, kiedy przyszedłem do domu. – Nie wiem, czy zabiorę cię ze sobą do centrum, żeby pooglądać domy towarowe!

– Och, mamo! Mamusiu! – krzyknąłem.

A mama roześmiała się, powiedziała, że dobrze, zgoda, ale to tylko dlatego, że zaczynają sie ferie, i żebym jadł podwieczorek, to zaraz wyjdziemy.

Zjadłem podwieczorek bardzo szybko, zmieniłem koszulę i sweter z powodu plamy od kawy z mlekiem i wsiedliśmy do autobusu, w którym było pełno pań i chłopaków w moim wieku i panował okropny tłok, ale wszyscy byliśmy bardzo zadowoleni, szczególnie chłopaki.

W centrum był taki sam tłok jak w autobusie, w sklepach było całe mnóstwo lampek, które kołysały się na wszystkie strony, ich światła odbijały się w stojących na jezdni samochodach, ludzie w samochodach krzyczeli i trąbili, i wszystko wyglądało strasznie ładnie. Jeszcze ładniej niż sklep z elektrycznością niedaleko nas, tylko że trudniej było podejść do wystawy.

– Miałam wspaniały pomysł, żeby tu przyjść! – powiedziała mama.

– Och tak! – zawołałem.

– Proszę się nie pchać – powiedziała do mamy jakaś pani.

– Ja się nie pcham. Mnie pchają – odpowiedziała mama.

I doszliśmy do wystawy, gdzie były ruszające się lalki śmieszne jak nie wiem co, i wielki słoń w wagoniku, a dookoła kolejki elektryczne z tunelami, szlabanami, dworcami, krowami, mostami, i mama kazała mi iść dalej, a ja odpowiedziałem:

– Och, daj mi jeszcze trochę popatrzeć!

– No, niech się pani posuwa – powiedziała pani za mamą. – Nie widzi pani, że blokuje pani przejście? Nie jest pani tutaj sama!

– Niechże pani da spokój – powiedziała mama. – Jeśli się pani nie podoba, to trzeba było nie wychodzić z domu!

Kolejki były super, szczególnie te, które miały stare lokomotywy z kominami i buchał z nich prawdziwy dym.

– No ruszy się pani wreszcie czy nie? – spytała pani.

– Widać, że nie ma pani dziecka – powiedziała mama. – Byłaby pani bardziej wyrozumiała.

– Jak to nie mam dziecka? – zawołała pani.

A potem krzyknęła:

– Roger! Roger! Roger! Gdzie jesteś? Chodź tutaj zaraz! Roger! Roger!

Potem widzieliśmy inne wystawy z karuzelami, które się naprawdę kręciły, i prawdziwymi drewnianymi końmi. Było tam mnóstwo ołowianych żołnierzy i przebrania, i samochody, i piłki, więc poprosiłem mamę, żebyśmy weszli do środka, bo chciałbym podotykać zabawek.

– W tym tłumie? – powiedziała mama. – Chyba żartujesz, Mikołaj! Trzeba być wariatem, żeby tam wchodzić! Przyjdziesz tu kiedy indziej razem z tatą.

Ale już nie mogliśmy się cofnąć z powodu ludzi, którzy nas pchali, i musieliśmy wejść do środka, a mama powiedziała, że dobrze, zrobimy małą rundkę, ale zaraz wyjdziemy.

Weszliśmy na ruchome schody – bardzo lubię ruchome schody – ale w dziale zabawek niewiele mogłem zobaczyć, bo wszędzie było pełno dorosłych, i dlatego wolę chodzić do sklepu z tatą, bo on podnosi mnie do góry i mogę sobie popatrzyć. Mój tata jest bardzo silny.

Była tam kolejka maluchów, którzy czekali, żeby porozmawiać ze Świętym Mikołajem, i stał w niej jeden dorosły – wyglądał na rozgniewanego i trzymał za ramię małego brzdąca, który płakał i krzyczał, że się boi i że nie chce, żeby znowu robiono mu szczepionkę.

– Wychodzimy – powiedziała mama.

– Jeszcze trochę, ojej! – poprosiłem.

Ale mama spojrzała na mnie groźnie i zobaczyłem, że to nie pora na żarty, zresztą przed Bożym Narodzeniem lepiej nie rozrabiać.

Z powodu ludzi bardzo trudno było wyjść ze sklepu i jak się nam wreszcie udało, mama była cała czerwona i okazało się, że zgubiła rękawiczkę.

Kiedy przyszliśmy do domu, tata już tam był.

– No, no – powiedział tata. – O której to się wraca? Zaczynałem się już niepokoić!

– O nie, bardzo cię proszę – powiedziała mama. – Uwagi będziesz mi robił kiedy indziej!

Mama poszła się przebrać, a tata mnie zapytał:

– Ale gdzie wyście byli?

– No – wytłumaczyłem mu – poszliśmy pooglądać sklepy i było strasznie fajnie: widzieliśmy wystawy z ruszającymi się ludzikami, kolejki elektryczne ze starymi lokomotywami, które

dymią, w autobusie był tłok jak nie wiem co, a przed sklepem jakaś pani pokłóciła się z mamą, i ta pani zgubiła syna, który nazywa się Roger, i było pełno świateł i muzyki, i był Święty Mikołaj, i taki maluch, który się go bał, i długo czekaliśmy na autobus, bo wszystkie były pełne – mieliśmy niesamowity ubaw!

– Rozumiem – powiedział tata.

Jedliśmy kolację późno i mama wyglądała na bardzo zmęczoną.

– Powiedz, tato, co dostanę na Gwiazdkę? – spytałem przy deserze (placek z jabłkami z obiadu. Dobry.). – Chłopaki dostaną mnóstwo rzeczy.

– To trochę zależy od ciebie, mój króliczku – powiedział, śmiejąc się, tata. – O co będziesz prosił Świętego Mikołaja?

– O kolejkę elektryczną, która dymi – powiedziałem – o nowy rower, o przerzutkę do nowego roweru, o ołowianych żołnierzy, o niebieski samochodzik ze światłami, które się zapalają, o klocki i o telefon, który działa jak prawdziwy, żeby rozmawiać w klasie z Alcestem.

– To wszystko? – spytał, nie śmiejąc się już, tata.

– Jeszcze o piłkę do gry w nogę i o piłkę do rugby – powiedziałem.

– Wiesz, Mikołaj – powiedział tata – Święty Mikołaj nie ma w tym roku za dużo pieniędzy.

– No tak, zawsze to samo! – zawołałem. – To niesprawiedliwe, bo chłopaki dostają wszystko, o co poproszą, a ja nigdy!

– Mikołaj! – krzyknął tata.

– O nie – powiedziała mama. – Nie będziecie znowu zaczynać! Nie wiem, czy to nie nazbyt wygórowane żądanie, ale proszę, żebyście się trochę uciszyli i zaprzestali tych kłótni. Mam okropną migrenę.

– Nie ma sprawy – powiedział tata. – A więc, żeby uniknąć kłótni, dostaniesz wszystko, o co prosiłeś, Mikołaj. A na dokładkę podaruję ci jacht. Zgoda?

Wtedy mama się roześmiała, wstała, pocałowała tatę i powiedziała:

– Przepraszam cię, kochanie. Ale wiesz, do Świąt jeszcze daleko... Musimy być cierpliwi.

– Ojojoj! – powiedział tata.

A ja przed Świętami to właśnie najbardziej lubię się niecierpliwić. Szczególnie jak sobie wyobrażę minę Gotfryda po Świętach, kiedy zobaczy, jak płynę swoim jachtem, bardzo szybko, z goglami na nosie.

Inne książki o Mikołajku
autorstwa
Goscinny'ego i Sempégo:

Mikołajek, przeł. Tola Markuszewicz, Elżbieta Staniszkis,
Warszawa 2004 (wydanie pierwsze 1996).

•

Rekreacje Mikołajka, przeł. Tola Markuszewicz,
Elżbieta Staniszkis, Warszawa 2005 (wydanie pierwsze 1964
zawierało także tom *Mikołajek*).

•

Wakacje Mikołajka, przeł. Barbara Grzegorzewska,
Warszawa 2004 (wydanie pierwsze 1980).

•

Mikołajek i inne chłopaki, przeł. Barbara Grzegorzewska,
Warszawa 2005 (wydanie pierwsze 1979).

•

Mikołajek ma kłopoty, przeł. Barbara Grzegorzewska,
Warszawa 2005 (wydanie pierwsze 1982
pod tytułem *Joachim ma kłopoty*).

•

René Goscinny
Biografia

„URODZIŁEM SIĘ 14 SIERPNIA 1926 roku w Paryżu i od razu zacząłem rosnąć. Następnego dnia był 15 sierpnia i nie wychodziliśmy z domu".

Jego rodzina emigruje do Argentyny, gdzie René uczęszcza do gimnazjum francuskiego w Buenos Aires: „W szkole byłem prawdziwym błaznem. Ponieważ jednak dość dobrze się uczyłem, nie wyrzucano mnie".

Karierę rozpoczyna w Nowym Jorku.

Po powrocie do Francji w latach pięćdziesiątych Goscinny tworzy serię legendarnych bohaterów. Z Jean-Jacques'em Sempé pisze przygody Mikołajka, wymyślając dziecięcą mowę, która przesądzi o sukcesie słynnego ucznia. Potem, z Albertem Uderzo, powołuje do życia Asteriksa. Triumf małego Gala okaże się niebywały. Przetłumaczone na 107 języków i dialektów przygody Asteriksa należą do najbardziej czytanych utworów na świecie. Goscinny jest autorem niezwykle płodnym, jednocześnie opracowuje Lucky Luke'a z Morrisem, Iznoguda z Tabary'm, Dingodossiers z Gotlibem... itd.

Kierując pismem „Pilote", Goscinny rewolucjonizuje komiks, podnosząc go do rangi „dziewiątej Muzy".

Jako filmowiec Goscinny tworzy z Uderzo i Dargaud'em studio filmowe Idéfix. Realizuje kilka znakomitych filmów animowanych: *Asteriks i Kleopatra, Dwanaście prac Asteriksa, Daisy*

Town i *Ballada o Daltonach*. Za całokształt pracy filmowej dostanie pośmiertnie Cezara.

5 listopada 1977 roku René Goscinny umiera w wieku 51 lat. Hergé oświadcza: „Tintin chyli czoło przed Asteriksem".

Jego bohaterowie przeżyli swojego twórcę, a wiele jego powiedzeń przeszło do języka codziennego: „strzelać szybciej niż własny cień", „zostać kalifem w miejsce kalifa", „znaleźć magiczny napój","ale głupi ci Rzymianie"...

Goscinny był genialnym scenarzystą, ale całą miarę swojego talentu pisarskiego pokazał w przygodach Mikołajka, wzruszająco naiwnego łobuziaka zawsze skorego do najbardziej szalonych wybryków. Dlatego też mówił: „Darzę tę postać szczególną czułością".

Książki René Goscinny'ego
wydane w Polsce:

René Goscinny i Albert Uderzo, *Asteriks*

I seria „biała" – 24 albumy

II seria „niebieska" z leksykonem – 24 albumy

René Goscinny i Jean Tabary,
Przygody wielkiego wezyra Iznoguda – 6 albumów

René Goscinny i Morris, *Lucky Luke* – 14 albumów

Jean-Jacques Sempé
Biografia

„Kiedy byłem mały, rozrabianie było moją jedyną rozrywką. Sempé przychodzi na świat 17 sierpnia 1932 w Bordeaux. Nauka nie idzie mu najlepiej, za brak zdyscyplinowania zostaje wydalony z gimnazjum w Bordeaux i próbuje szczęścia w różnych zawodach: pomocnika u dostawcy win, wychowawcy na koloniach dla dzieci, gońca biurowego...

W wieku osiemnastu lat wstępuje na ochotnika do wojska i przyjeżdża do Paryża. Proponuje swoje usługi w różnych redakcjach i w 1951 roku sprzedaje pierwszy rysunek dziennikowi „Sud-Ouest".

Spotyka Goscinnego w czasie, gdy zaczyna się jego oszołamiająca kariera „rysownika prasowego". Ilustrując Mikołajka, tworzy niezapomnianą galerię portertów nieznośnych dzieciaków, które od tego czasu zaludniają naszą wyobraźnię. Równocześnie z przygodami małego ucznia, debiutuje w „Paris Match" w 1956 roku i nawiązuje współpracę z licznymi pismami.

Pierwszy tom rysunków, *Rien n'est simple*, ukazuje się w 1962 roku.

Po nim opublikuje jeszcze około trzydziestu innych, których mistrzowski humor doskonale odzwierciedla jego czułe i ironiczne podejście do ludzkich słabości i dziwactw.

Stworzył postaci Marcellina Caillou, Raoula Taburin oraz Pana Lambert, a jego zmysł obserwacji połączony z niezwykłym wyczuciem śmieszności od czterdziestu lat zapewnia mu stałe miejsce w gronie największych francuskich rysowników.

Poza własnymi albumami zilustrował także *Catherine Certitude* Patricka Modiano oraz *L'histoire de Monsieur Sommer* Patricka Süskinda.

Sempé jest jednym z niewielu francuskich rysowników, których prace trafiają na okładki renomowanego pisma „New Yorker". Obecnie zaś co tydzień wywołuje uśmiech na twarzach czytelników „Paris Match", „Figaro Littéraire"...

Z entuzjazmem przyjął wiadomość, że ukażą się *Nowe przygody Mikołajka*. Ten nieoczekiwany powrót Mikołajka jednocześnie zaskoczył go i ucieszył.

Książki z ilustracjami
Jeana-Jacques'a Sempégo
wydane w Polsce:

Süskind Patrick, *Historia pana Sommera*,
rys. Jean-Jacques Sempé, przeł. Małgorzata Łukasiewicz,
Warszawa 1994.

Charpak Georges, Garwin Richard L.,
Błędne ogniki i grzyby atomowe,
rys. Jean-Jacques Sempé, przeł. Jerzy Gronkowski,
Warszawa 1999.

Społeczny Instytut Wydawniczy Znak,
ul. Kościuszki 37, 30-105 Kraków. Wydanie I 2005, dodruk 2008.
Druk: Drukarnia Narodowa S.A., Kraków, Półłanki 18.